霍桑探案

程小青作品

霍桑探案

程小青 著
DETECTIVE
HUO SANG

狐裘女

9

海南出版社
·海口·

图书在版编目（CIP）数据

霍桑探案. 9，狐裘女 / 程小青著. -- 海口：海南
出版社，2025. 1. -- ISBN 978-7-5730-2070-3

Ⅰ. I247. 7

中国国家版本馆 CIP 数据核字第 20249D0N46 号

霍桑探案 9　狐裘女
HUO SANG TAN'AN 9　HUQIU NÜ

作　　者：程小青
策 划 人：彭明哲
责任编辑：高婷婷
插　　画：杨冬梅
封面设计：张　军
责任印制：郗亚喃
印刷装订：河北盛世彩捷印刷有限公司
读者服务：张西贝佳
出版发行：海南出版社
总社地址：海口市金盘开发区建设三横路 2 号
邮　　编：570216
北京地址：北京市朝阳区黄厂路 3 号院 7 号楼 101 室
电　　话：0898-66812392　010-87336670
电子邮箱：hnbook@263.net
经　　销：全国新华书店
版　　次：2025 年 1 月第 1 版
印　　次：2025 年 1 月第 1 次印刷
开　　本：880 mm×1 230 mm　1/32
印　　张：9.875
字　　数：222 千字
书　　号：ISBN 978-7-5730-2070-3
定　　价：46.00 元

· 目录 ·

幻术家的暗示

狐 裘 女

骇人的揭发

这案子发生在一个滴水成冰的严寒时期。那时我已经成婚，和霍桑分居了。一月二十八日星期六那天，我到他的寓所里去，彼此倾怀长谈，足足经过了两三个钟头，直到天黑，我方才辞别。一对知己朋友，有时扯开了话锋，意见尽不妨参差，只要不虚伪，没顾忌，时间先生便会很快地溜走。这也是人生的一件愉快的事。那天我们所谈的问题可说是海阔天空，最后从刊物归结到现代的教育问题。霍桑又发过几句牢骚。他认为我国的教育制度，根本的错误就在东抄西袭的什么化什么化，更坏在取糟粕而弃精华的表面上的什么化，结果就使青年们倾向于漠视国情而享乐、奢靡和放浪。

他曾叹息着说："我们眼前的教育，除了点缀门面以外，有什么意义？博士硕士尽管多如过江之鲫，在国计民生上产生了什么影响？上荐者既然着眼在虚衔，一般人便用'镀金'做敲门砖。这还不是沾染了科举制度的遗毒？有几个人切切实实地对学术的某一部门做精深致密的探讨？有几个人不顾虚名地在实验室中埋头钻研？有几个人注意到我国现在社会的状况和未来的需要？有几个人着眼到我们民族的生存问题？你想这样的教育到底有什么意义？"

他的话固然未免有些过火，但平心而论，以往的教育界里那种浮华不切实用的现象确也非常普遍，那是不容否认的事实。

他又说："包朗，你大概也不能做违心的辩论吧？那么你们这一班弄笔杆的人也得负些责任。你们不是把握着一种无上的权威，足以影响一般青年的思想吗？你看，现在报纸上不是有不少关于声色犬马风花雪月的作品，在推波助澜地引诱青年们走到享乐、颓废、堕落的途径上去吗？包朗，你以后着笔，应当在这方面尽量地加意些才是。"

我不是为朋友夸张，霍桑实在是一个热血的男子。他在好多年以前，早看出我们的教育制度的错误在忽视了国情的照单全收式的模仿。他因着期望的恳切，所以就有些求全责备；平日不提则已，一经提及，言词上也往往特别激昂。我知道他的牢骚的话匣一开，会像黄河决了口，一时没法子堵塞，我防他还有什么意外的训斥，便站起来托故兴辞。

我说："是的，你的话很有见地。今晚上我就有一个机会，可以把你的见解乘机宣传一番。"

他问道："什么？有什么学会请你演讲？"

我答道："不是。今天是文学研究会会长俞天鹏的五十寿辰，我现在马上要去参加宴会。那些与会的人都是著作界上的朋友，要是有机会，我一定将你的意见宣传一下。"

那晚上天气十分冷，寒暑表在零下五度。东北风吹得很急，像虎吼一般地呼呼震耳。风声中隐隐约约地夹杂着啼饥号寒的哀鸣——"冻死了！"不但刺耳，简直刺心！天空中云阵密布，好像覆盖了厚厚的棉絮，乌黑黑地要下雨下雪的样子。我穿着黑羔皮的黑细呢大衣，坐在车子中还有些瑟瑟股栗。车轮碾过街边的冰块，窸窸窣窣得细碎有声。但白杨路俞家的贺客依旧济济一堂，并不因着天气的影响而减少。这也足见得主人平日与他人的交情。

俞天鹏的身材足有五尺六七寸，他头上戴着乌绒红结的小帽，身穿玄缎马褂和紫色缎的狐皮袍子。他的清癯的面貌虽不见得怎样老迈，但他的高额上面的头发已皑皑如雪。有人说这就是他运用脑力的表征，这话我很相信。他所以能够得到这样的地位，当然是付出了相当的脑汁换来的。

俞天鹏在文学界上享受了多年的盛名，连任了两任文学会会长。他出版过不少流行的著作，小说和论文都有。他鳏居着，有一个成年的女儿，在女子体专里读书。他的经济情形在卖文生活的同辈中也可算首屈一指。那晚上他宅中的一切布置，虽敌不上那些阔人的豪侈，却也当得起富丽二字。客堂和书房中都装着火炉，温暖得像三月里的天气。筵席也很丰盛，珍馐美肴，竟使人无从下箸。文人凭心血换来的钱原非容易，俞天鹏这一次的场面，大有"千金一掷无吝色"的气概。他要借此替一般寒士们吐一吐气吗？可是因这一来，杜工部的"朱门酒肉臭，路有冻死骨"的名句，不禁又在我的脑室中萦回起来。

那晚的酒筵开得很迟。白雪盈头的主人含着笑容，在众宾中往来周旋，形成了一片和平快乐的景象。可是忧患之神的驾临，往往用快乐的旗子做先导。一刹那间客堂中快乐的薄幕忽然给刺破了，不幸的悲剧便当场开演！

众客们的谈话机括都被酒钥钩动了。有些人向主人颂祝，有几个人却在称赞天鹏最近出版的一部杰作——《爱与仇》。这书我已经看到，结构描写都超出了恒蹊，的确是一部传世的名作。我对于这班人的赞词也是同意的。因为那篇小说的含意既高，写一个舍身成仁的男子，足以发扬我们固有的民族精神；描写方面，又显得特别深刻，在天鹏以前的著作中也不可多得。故而众口一词，都称赞天鹏的精神思想真有老当益壮的表现。

正在这时，一个身材短小的西装少年，突然匆匆地从外面进来。他穿着棕色的厚呢大衣，里面是灰色柳条呢的西服，紫色领带，白硬领，装束非常入时。那短褂的纽子也和大衣一样的没有扣上，露出一条金表链，扣在他的马甲钮上。是个迟到的贺客吗？可是神气有些异样。他走进来时脚步特别急促，气息也咻咻不调；到了客堂阶前忽然站住了，把手中的黑呢帽举起来挥了几挥，高声发话：

"诸位，请原谅。我……我有一句话——一个严重的报告！"

他发话的声浪洪亮而颤动，不由使宾客们都吃一惊。杂乱的谈笑声浪都给压停了，大家都回过头去，有几个还离了座位，立直了身子。四五十人的视线一时都集注在那少年的身上。

那人的年纪在二十六七，身材不很高，瓜子脸，面色虽瘦而且黑，但隆直的鼻子，浓长的睫毛，有力的眼睛，可算很整齐漂亮。大家目灼灼向他呆瞧着，谁也猜不透他的来意。客厅中完全宁静，没有一个人说话。白发的主人愕住在客堂的一角，张目注视来客，也不动不响。

少年又高声说："诸位，你们不都是著作界里的人吗？著作人处于领导群众的地位，他的人格自然应当是高尚超绝的。但是你们可曾意想到这高尚的面目后面隐藏着一个'贼'？"

"咦！……咦！……"

大众都不约而同地发出一种惊异声来，可是声浪并不高，只是一种唧唧哝哝的私语；接着的是面面相觑，彼此的眼光中，仿佛都含着问句："一个贼？哪个贼？"大家把视线交换了一会儿，又归于难堪的缄默，客堂中又没有一丝声息。数分钟前充满笑语喧闹的快乐气氛的客堂，霎时间竟变成殡宫一般！

少年继续道："你们可知道那个贼是谁？……要不要我指出那个贼来？"

唉！太紧张！谁来打破这难堪的局面？可是宾众仍保守着静默；我也丧失了应变的智能。这静默似暗示宾众接受那少年的问话，并在鼓动他发表。

少年叹息道："唉！我本不愿意如此。但我为良心所驱迫，又不愿见那假面的贼混在清高的著作界里——并且盘踞着著作界的要津。我老实说吧。有一个无名的作家，拼着心血著成了一篇长篇小说，正想出而问世，忽被那假面贼看见了。那贼便甘言诱惑，在小说上署了他的名字，应许用某种条件作为酬报。那小说出版之后，果然风行一时。那贼坐享其成，还不知足，更忍心地把应许的酬报抵赖了！唉！诸位，请想一想，著作界里有了这样一个没心肝的蟊贼，是不是全体的耻辱？"

静默被打破了，呶呶的声浪又禁不住从四角里骚动起来。那少年的说话分明已击中了多数人的心坎，大家都近乎义愤填膺。内中有一个穿西装的中年人忽然立起来，似乎自动地代表了全体，厉声向少年质问。我认识这人是《国民日报》的编辑左一萍。

左一萍说："喂，你的话实在吗？如果不虚，请你直截指出来！别含含糊糊。"

接着又有几个少年客人同声附和，催着他快说。喧呶声又一度寂灭。那少年紧闭了嘴唇，张着凶锐的眼睛，只向客堂一角注视着。我依着他的视线瞧去，似乎那视线的末端落在俞天鹏的脸上。天鹏的脸色确乎变得可怖。他的面颊变得灰白，眉峰间刻着深纹。他的两眼大张，也向这少年凝视着。他站在一把椅子的旁边，一只手按在椅子的背上，他的身子好似微微有些颤动。

少年又发声道："我自己来介绍吧。我叫钱芝山。我所说的那个无名的作家就是我！当我被骗的时候，我还在假面贼那里当他的书记。现在你们不是要我说出那贼的姓名来吗？唉！……"

我看见俞天鹏的面容越来越灰白，好像要和他的乌绒帽子下面的头发竞色。他用双手握着椅背，咬紧牙齿，好似有什么说不出的痛苦。难道钱芝山的话和他真有关系？

那少年略略停顿，又说道："也罢！我姑且留他些面子，只把那篇他所替冒的小说告诉诸位。那小说就是现今宣传的《爱与仇》——"

"哎哟！"

钱芝山的话还没有完，"哎哟"一声之后，有一只椅子直向钱芝山的头部飞过来。

啪嗒！

椅子落在阶石上。那少年还在咯咯地冷笑。我回头瞧那扔椅子的人，果真就是主人俞天鹏。众客都离了原座，局势纷扰了。我正待上前排解，忽见那老作家跨前两步，举着双拳，从齿缝中迸声咒骂：

"你这无赖！……你……你这畜生！"

天鹏的身子已支撑不住，上身晃了几晃，向后一仰，便跌倒在地上。似乎他因着不胜羞辱，已昏晕过去了。于是纷扰加增，大家都奔过去搀扶。

一个细眉美目、身材苗条的少女仓皇地从后面奔出来。伊是天鹏的女儿俞秀棠。伊本在里面书房中陪女亲戚，因着客堂中忽而喧闹，忽而静寂，走出来瞧瞧。伊忽然看见伊的父亲倒在地上，便急忙忙俯下身去，紧紧地将他抱起来。伊的玉琢似的脸上满显着惊惶和忧悸，但伊只轻轻地唤着"爸爸"，不说一句话。一个少年作家赵新风拿了一块冷手巾覆在天鹏的额角上。老人就渐渐地苏醒过来。他的眼睑张动了，他瞧见他正枕在他的女儿的怀里，便重新让眼睛闭拢，流出两滴眼泪。我看见老人无恙了，心里松一松，才想起那报告的钱芝山。可是我回头一瞧，钱芝山早已趁着众人纷扰的当儿，悄悄地溜出去了。

察　勘

第二天一月二十九日，星期日。我在家里和我的妻子佩芹谈起昨晚上俞家的意外事情。佩芹是平素佩服天鹏的，听了我的说话，便坚决地表示伊的意见。

伊说："我不相信。这本最新出版的《爱与仇》，前天我已经读过。据我看，篇中的结构伏脉丝丝入扣，非老手莫属，并且描写的词句和对话的语调，也分明都是天鹏的风格。我以为这里面也许另有秘密。"

我道："是，我也觉得如此。昨晚上我从俞家出来后，又去看过霍桑。霍桑也是很佩服天鹏的人，故而很关心这件事。他也认为俞天鹏平日的操守很严正，不像会有这种不名誉的举动。不过天鹏受了钱芝山的侮辱，当时怎么一言不发，却用武力对付他？那也是一个疑问。"

"霍先生的意见怎么样？"

"他对于这回事，虽然不敢轻信，可是也不像你这样子坚决地否认。"

"我看内幕中一定有某种曲折。你既然是天鹏的朋友，排难解困，也有义不容辞的责任。你得想法子查一查，这钱芝山究竟因为什么才这样侮辱这位老作家。"

"是。回头我打算再去看看霍桑，跟他商量一个进行的办法。"

下午四点钟时，我穿好衣服，准备去看霍桑。仆人送晚报进来。我站住了随意翻一翻，忽见本埠新闻中有一行惊人的大字标目：

离奇惨怖的谋杀案！

温州路德仁里一号住户钱芝山，忽于昨晚上被人谋杀。据同居的姓谢的女主人说，芝山昨晚归家时已近十一点钟。他曾和伊交谈过几句。今天早晨女仆松江妈子送洗脸水进去，忽发现他已被人谋杀。

谋杀现场的情状很惨怖。就现状观察，他像是被人用一个石鼓磴击死的，故而他的脸部血肉模糊，十二分凄惨。他的身上衣服完好，金表和表链等物也完全没有遗失。不过他的书桌抽屉有两只开着，内中的纸件很杂乱，似乎有什么人翻动过。

死者现在二十七岁，还没娶妻，以前一直在小说家俞天鹏家当书记，在一星期前辞职。这案子现在归警厅侦探长汪银林承办。进展详情，容后续报。

这段新闻引起了我的严肃的注意。钱芝山昨晚上到俞天鹏家去闹了一场，怎么当晚就被人杀死？就常情论，俞天鹏岂不是处在嫌疑的地位？可是我回过来一想，又自觉可笑。天下事往往有意外的凑巧，我只凭着片面的推想，就冒昧地武断，那不免有失科学的态度。

我放下了报纸，正待出门，忽然接到霍桑的电话。事情真凑巧。他说他已经接受了汪银林的请求，预备往温州路德仁里去察勘一下，特地邀我直接到死者的家里去会集。我自然很高兴，向佩芹说明了一声，急急向温州路赶去。

我赶到那里时，霍桑正和那短阔身材因着黑呢中装厚大衣而更加臃肿的汪银林站在门口谈话。汪银林招呼我，并告诉我他已查勘了半天，所得的唯一而渺茫的线索，就是一个名叫桑绶丹的巡逻警士，在上夜十二点钟不到，看见一个女子提着一个包裹从德仁里走出去。唯一引起他注意的，是那女子的头颈项间披一条黑狐狸的围巾，他既没有看清面貌，也不知道是不是从发案人家出去的。他觉得这案子茫无头绪，不能不请我们帮忙。他又说明检察官到得很早，钱芝山的尸身已经移送到验尸所去。

我问霍桑道："你已经察验过那尸体没有？"

霍桑摇头道："没有，我也才到。尸体在午前已被法院里的检验医官移出去了。"

汪银林说："我早先来时，已经把尸体验过一回。那人大概是被打破了脑壳死的，死得很惨，面目和额角给重东西击成肉酱一般，血肉模糊得很可怕。你们如果要瞧，明天星期一上午十一点钟，尽可以往验尸所里去看。现在地板上的血还没有洗掉，我们可以先瞧一瞧。"

我和霍桑答应着，就穿过天井和一个陈设简朴的客堂，小心地从侧厢里进去。那是一宅两上两下的朝南石库门屋。钱芝山住的，就是楼下的次间和侧厢。楼上是姓谢的二房东，主人叫春圃，在浦东火柴厂里办事，每星期回来一两天，家中只有他的妻子，是个四十多岁的妇人，没有小孩，只有两个仆人，男的叫阿四，女的是一个松江老妈子。

厢房里面布置得很清洁精致，广漆地板也抹拭得非常干净。一只不挂帐的铁床上铺着玫瑰紫绉纱的被和雪白的鸭绒枕头，床前一张带蓝绸套子的沙发也很讲究。厢房里有只茶几，两只藤垫椅子，一只睡椅，一张柚木的书桌和一只螺旋椅子。书桌上有盏玲珑的镍质台灯，一只镀金的小钟，一个白银的花瓶，一组连笔插的玻璃墨水缸，还有好几本书，不过摆设得不很整齐。一只小书架靠着东壁，架上的书籍中西文都有，大半是小说文艺一类，有些零零落落。书桌的左边两只抽屉开着一半，内里很杂乱。壁上挂着一张十二寸放大的照片，我认识是钱芝山，西装笔挺，确是漂亮。照片两旁有两张阔金框的三色裸体美人画，是西洋的印刷名作。床的一端有两只皮包，皮条松着，钥匙也插在锁孔里。

汪银林开始解释："除了尸体以外，这里的状况一切没有变动过。只有这两个皮包，我已经打开看过一看。"

他顺手指一指床脚边的两只皮包。霍桑的视线跟着他的手指瞟一瞟，点点头：

"唔，怎么样？"

"我觉得皮包放在这地点，好像有些反常，而且皮条都扣紧，像要准备拿出去的样子，我才把它打开来。"

"皮包是锁着的？"

"是。钥匙在死者的背心袋中，我摸出来开的。不过里面都是衣服和书籍，没有什么特别重价的东西。"

霍桑不再问，就走近去旋皮包的钥匙。内中果真是几套舶来的秋冬西装，和几本精装书，性质是参考书一类。奇怪的是内中有一条玄缎的女子套裙。

汪银林又指着厢房中的地板，说："你们瞧。这里就是尸体倒地的所在。这里是他的头，这里是他的脚，我特地用铅粉画上记号。他的身材不高，我曾量过一量，长度恰是五尺二寸。"

霍桑在日记上写了几笔，用右手摸着下颌，瞧着地板，敛神凝思。他忽偻下身子从地板上拾起了什么微细的东西，摸出放大镜来察看。

我问道："什么东西？"

他答道："几根修剪下来的头发。"他的眼睛依旧注视在地板上。

我看见地板上铅粉画着头部的位置有一大摊血迹。霍桑也瞧着这血迹兀自摇头。

我说："但瞧这一摊血，那尸体的惨怖状况已可以想见。"

汪银林应道："是，真难看。他非常瘦损，皮色也带灰黯。他的脸颊耳朵和头颈上都是血。但是他穿的一身西装很时式。"

我说："是一套灰色柳条花呢的西装？"

"是。他的大衣还在衣架上。"汪银林指一指床背后的衣架，"他的硬领和领带已经卸下。瞧，还在床面前的茶几上。我看他被害的时候，他正准备要睡的样子。"

霍桑点头道："唉，很近情，他大概是在将睡未睡的当儿被害的。瞧，床上的被窝虽已铺好揭开，可是还没有睡过。"

"对，我也这样子假定。"汪银林又补一句。

霍桑皱蹙着眉毛看看地板，先抽开书桌抽屉看一看，又走到床背后的一只西式衣架面前去察看。那件棕色厚呢大衣和黑呢的软帽还好端端地挂着。他又回过来看床前茶几上的紫色领带和白硬领。

他自言自语地说:"外衣和硬领上都没有血迹。他确乎是在解除了硬领正要上床的当儿被害的。"

汪探长应道:"这一点已经没有疑问。刚才徐检察官也有过这样的看法。"

霍桑不答,回到厢房中来,俯着身子,把一个滚在壁角边的像削光的荸荠的小石鼓磴抚摸了一下。

他仰起来,说:"银林兄,你说死者是给重东西打死的?这石鼓磴上染着不少血,大概就是致命的凶器吧?但是这东西不像是卧房中应有的啊。"

汪银林应道:"是。我已经查过了。这石鼓磴是垫花盆用的,本来在外面天井里的花盆架上。凶手就利用它做了凶器。"

"尸体上还有别的伤痕吗?譬如刀伤或枪伤之类?"

"我虽没有解了衣服细验,但大概没有。因为他的西装没有破损,只是扭皱些。"

"扭皱些?是争斗的痕迹?"

"是。我看见他的马甲上有一粒纽子脱落了,裤子也牵扯不整。但是马甲袋里的那只金表可仍没有停。"银林顿一顿,又表示他的见解,"看样子那凶手进来以后,就和死者动手。凶手的手脚一定很敏捷,马上扼住了钱芝山的咽喉。芝山喊不出,就昏倒了。因为这屋子里的人没有听到什么喊叫声。但凶手似乎还不放心,又到天井里去拿了这石鼓磴进来,击碎他的头。"

霍桑不答,摸着他的下颌在深思。

我插言道:"这样说,那凶手势必在这室中勾留过好久。"

霍桑点点头："是。我料那凶手在事成以后，还把他的手洗抹干净，又在书桌抽屉中搜寻了一会儿，方才出去。"

我问道："你怎么知道他洗抹过？"

霍桑用手指一指："瞧，地板上不是有不少水滴的痕迹吗？还有些薄冰呢。"他走到朝西向天井的窗口，探头出去瞧一瞧："对。刚才我看见窗口下面有冰块，有些异样。银林兄，你看见没有？"

"唔，这个……"他支吾了一下，也把头伸出窗口去。

我也探头瞧天井，果然看见地上有冰块，污黑而有血迹。显然是凶手把洗血手的水倾倒在窗外，因着天寒而马上结了冰。

霍桑又偻着身子，从茶几下拿出一只面盆。

他说："这里还有个佐证。这盆里还有血污的冰水脚呢。"

汪银林闭紧了嘴不响。霍桑把面盆放在原处，站直了向四周视察。我的目光也模仿着活动。

我不禁失声惊呼："哎哟！门背后还有一把刀呢！"

霍桑突地旋转了身子，奔过来拉住我。

他说："别动！这是一件重要的东西，让我来拾。"

他抢到我的前面，走到房门背后，偻着身子，很谨慎地将刀拾起来。汪银林带着诧异的神气走近，我也走过去瞧。刀装着假象牙柄，连柄约莫有七寸光景，刀端尖锐明亮，丝毫没有锈痕。

霍桑说："这东西是舶来品，似乎是一种裁纸刀，但锋口很尖利，足以杀人。"

我说："那么，银林兄的见解应得修正一下了。那凶手也许先用刀刺了一刀——也许就在咽喉间。他不是用手扼的。"

银林期期地答道："不过……不过死者的咽喉间没有刀伤。

血是从面部流到颈项上去的。"他又侧过头去:"霍先生,你看刀上有没有血迹?"

霍桑摇头道:"没有。"

"那么,这刀不曾用过,死者也许还是被勒毙的。"汪银林仿佛捉住了辩护的根据。

我答辩说:"凶手不是有过洗抹举动吗?刀上的血不是洗不掉的啊。"

汪探长抗议说:"刀要是用过了,又给洗抹过,我想不会再给丢在门背后——"

霍桑挥挥手,说:"别空辩。银林兄,你忙了半天,怎么还没有发现这把刀?"

汪银林红了红脸,答道:"我在这里察验了一会儿尸体,就去通报法院,又和那位夏医官接洽。后来我又回到这里来向房东问话,可是问不出什么端倪。我觉得这案子没有头绪,死的又是个弄笔头的人,报纸上不会不铺张,才不得不来麻烦你们。事实上我还没有在这室中仔细搜查过。"

霍桑对于这勉强卸责的答辩并不反驳。他究竟不是汪银林的上司,只凭着多年的友谊,有时便率直地加以督责。

他又问道:"那么房东告诉你些什么?"

"我问过那楼上姓谢的女主人。据伊说钱芝山和他们是亲戚——是舅甥。他们都是杭州人。芝山因为到上海来读书,就把这里做他的宿舍。他住在这里已经一年多。"

"好。我也想跟这女主人谈谈。你能不能去请伊下来?"

汪银林好像小学生听得了下课的钟声,急急回身往外走。霍桑又小心地一步步走到书桌面前,取了一张硬纸,轻轻地将刀包好,顺手纳在袋中。

他低声向我说："包朗，这件案子似乎很复杂，汪银林一个人办，也许办不了。"

我点点头，不表示。因为我觉得霍桑的话确是实情。案情既极惨怖，对于凶手又茫无头绪，若使果真和俞天鹏有关，关系就不小。因为天鹏是著作界上的一个领袖，很得外界的信仰。侦查一个知识分子，不是容易的事，我们已有深刻的经验——像"活尸""舞宫魔影""第二张照"等都是。何况俞天鹏和我还有私交，更不能轻举妄动，那自然更见棘手。

霍桑又指着书桌抽屉，向我说："你瞧抽屉中的各种纸件上丝毫没有血迹，可见那人翻检的时候，他的血手已经洗干净。"

我道："你想那人所翻检的是什么东西？"

霍桑摇摇头："我不知道。这里面只是些杂乱的纸，一封信都没有。"他随手翻了一翻，拿出一张没有完篇的用钢笔写的稿笺来，念道："论舞艺……嗯，又是篇色情文字。"他默读了几行，摇摇头："这种文字只有一种功用，就是戕害青年！真无聊！……嗯，我看他的文句还有些似通非通哩！"

我从他的手里接过稿笺来念几句，兴奋地发表我的意见：

"霍桑，你看这样的文笔哪里写得出《爱与仇》？昨夜里他显然是凭空诬陷。"

霍桑没有回答。他的身子突地向地上一匍，忽而失声惊呼："哎哟——哼！"

一个女子

霍桑的惊呼声音自然要引起我的惊异，可是我还来不及问他，早听得脚步声音，从客堂中传进来。霍桑用手把我推开些，他自己却站在距离书桌约莫两码的地位，面向着室门。我虽然抱着疑团，不知道他的惊呼因何而发，可是已不便再问。因为汪银林已引着楼上姓谢的主妇进来，后面还跟着一个穿得很彭亨的老年仆妇。

那妇人已是四十开外，但"徐娘虽老，风韵犹存"那两句老调还着实可以移赠。伊的皮色略黄，涂着浓重的香粉，深棕色的眼睛也很活泼。伊的穿着白缎绣花鞋的脚一定是缠过的，此刻虽已解放，走路时仍不大自然。伊的身上穿一件浅灰颜色的羔皮袄，腰身窄小，式样也是那时候上海最流行的，但穿在伊的身上似乎有些不大称配。总之，任何人一望便知伊是一个从旧社会蜕化出来的时髦妇人。

妇人和我们经过简单招呼，大家就坐下来。伊操着杭州口音，开始陈说死者的往史。钱芝山是伊的外甥，约在一年半前到上海大学来读书，读的是文科，就寄寓在伊家。芝山的父亲早已故世，有一个嫡母和一个生母都在杭州。芝山是庶出的，又是所谓兼祧子，所以有些遗产。当六个月前，他忽然变志不再读书，预备从事著作事业。他听得俞天鹏招请书记，便很高兴地去应征，希望借此练习练习，为之后自立做准备。自从那时起，他便受了俞天鹏的雇用。一星期前，他忽然辞职。原因如何，伊不知道。

霍桑在记事簿上写了几笔，便道："他辞职以后可有什么表示？譬如他预备重新读书，或是干其他事情之类？"

谢妇答道："他不曾说起。三天前他才告诉我打算回杭去一趟。"

"唔，是的，他的一部分书和皮包已经整理好，的确有准备出门的样子。他的行期可曾确定？"

"没有。他没有说。"

霍桑点点头："好，现在请你把昨夜的事情再仔细些说一遍。他是什么时候回来的？"

谢妇沉吟了一下，才道："大约在十一点钟。那时我已经睡着，从睡梦中惊醒。"

"他叫醒你的？"

"不是，我是被狗叫醒的。"

霍桑的眉毛向上抬了一抬："喔，你被狗叫醒的？谁家的狗？"

谢妇道："是芝山自己养的一只哈巴狗，叫小黄。"

霍桑的眼光又向四角溜一溜，分明在诧异怎么不见狗。他的视线转到汪银林的脸上时，银林领悟地摇摇头。

他说："我早先来时也没有看见狗。"

妇人接口说："松江妈妈告诉我，今天早晨伊就没看见这狗。"

霍桑的眼睛迅速地眨了几眨，问道："狗是养在你外甥房里的？"

妇人道："是。那是一只小狗，芝山很喜欢它。"

"它不会跑出去吗？"

"不会。它从来不出门，除非芝山将它带出去。"

霍桑的眉峰皱一皱，又继续他的问询。

他说："狗既然是他自己养的，怎么他进来时会吠叫？"

谢妇答道："这也有缘故。我家前门上装着弹簧锁。他每逢深夜回来，就用他自己的钥匙，松江妈妈并不等他回来给他开门。所以他回来时，狗一听得门响，就在里面叫起来。"

"这样说，每逢他从外面回来的时候，你总是要给狗叫惊醒的，是不是？"

"这也不一定。有时候我睡得很熟，有时候他将狗带了出去，那我也不会醒。"

霍桑点点头："唉，以后怎么样？"

妇人道："我醒了之后，还和他交谈过几句。"

"那几句是什么话？"

"只是寻常的问答。我问了一声'谁？'他就答应'是我。舅母，你睡了吗？'我听得是芝山的声音，便答道：'是。芝山，你把铁闩闩好。'他应了一声，我也就重新睡了。"

霍桑道："以后你有没有再听得狗叫或别的声音？"

妇人略一疑迟，摇头道："以后我睡得很熟，没有听得什么。但是松江妈妈说，伊似乎听得过两次狗叫。"

霍桑的眼光移转到那个站在主妇背后的老妈子方面去。我也侧过头瞧伊。伊的年纪在五六十之间，头发有些花白，瘦下颔，近视眼，面貌似乎尚诚实。伊看见我们向伊注视着，显得惊恐不安。

霍桑温言问道："松江妈妈，你确实听得两次狗叫吗？现在你不用慌，只要把你知道的告诉我们好了。"

老妈子咽了几口口涎，带着松江口音答道："是的，先生。第一次钱少爷回来，我明明听得，因为小黄叫得很响。但是第二次狗叫和第一次不同，仿佛只叫了一声就停了，所以当时我不在意。"

霍桑忽喃喃自语道："唔，这一着很重要。……松江妈妈，狗第二次虽只叫了一声，但是你是听得的，是不是？"

"是，我听得。"

"前后一共叫过两次。对不对？"

"对。"

"那么你可记得这两次狗叫，中间相隔多少时候？"

老妈子瞠目地吞吐道："这个……这个……先生，我是在迷迷糊糊中听得的，记不得时候。"

霍桑又皱紧了眉毛："那么你可还听得别的声音？譬如有人争吵打架，或开门的声音？"

"没有。不过……"

"不过什么？"

"我……我好像还听得后面自来水开放的声音。那时我翻了一个身，也是在朦胧中听得的，是不是实在，我不敢说。"

霍桑点点头，停一下。汪银林又趁空插一句。

他说："那也许是实在的。凶手在事成以后既然洗抹过血手，当然要放水。况且那窗口外的水和面盆中的冰血水都是凭证。"

霍桑又用点头的动作肯定汪探长的见解，接着另换了一个话题：

"松江妈妈，你的卧室可是就在楼下。"

"是，在楼梯下面。"

"如果有巨大的声响，你当然要惊醒，是不是？"

"是。不过我在熟睡的当儿，要是随便的谈话，或是开门关门的声音，我不一定会听得。"

"那么你的确不曾听得什么大的声响？"

"没有。"

霍桑摸着下颌，自言自语："这样严重的血案会没有大声响，太奇怪！"

汪银林接口说："要是凶手的动作快，一下子就把对方的喉咙扼住了，也不一定会有。"

霍桑不理会，沉吟着似在寻觅新的问题。汪银林又从旁插口。

他说："老妈子，这凶案是你第一个发现的，你把这一层也向霍先生仔细些说说。"

老妇的口津的分泌力似乎特别强，伊又咽了一咽，方始说："今天早晨八点钟光景，阿四出去买菜了。我泡好了洗脸水，照常到钱少爷房里去拿面盆。不料这一扇房门虚掩着没有锁，房里电灯还亮着。我一推进来，就看见那怕人的情况——哎哟！"伊的语声哽住了，身体也在乱颤。

霍桑道："你不用怕，镇定些说。那时候他怎么样？"

老妇子停一停，扶着了伊的女主人的椅背，才颤声道："他……他直僵僵地躺在地板上，满脸都是血！……唉，死得真凄惨怕人啊！"

老妇人索性用两只手都把住了椅背。伊的眼睛瞧着厢房的地板，失血的嘴唇兀自在颤着，仿佛那尸体还在地板上一般。霍桑暂时静默。汪银林似乎不耐，但也不便插口。谢妇体恤似的用手指一指一把椅子。

伊说："松江妈妈，你坐下来说。"

老妈子摇摇头，仍扶着椅背站立着。

霍桑又缓缓问道："松江妈妈，以后怎么样？你有没有将这室中的东西移动过？"

仆妇连连摇头道："没有。我吓得魂都不在身上，哪里还敢动什么东西？我急忙忙逃出去，上楼去告诉少奶。少奶下来一看，也吓得什么似的。伊叫我出去叫警察。我走到大门口，看见前门也没有闩。"

"大门上的弹簧锁呢？"

"弹簧锁也开着，门一拉就开。"

"那么你起先从哪里出进？可是有后门的？"

老妈子应道："是。我早先倒垃圾泡水都是从后门出进的。阿四也走后门。"

汪银林向霍桑举一举手，说："那门上的弹簧锁，我已经验看过，并没有撬动的异象。不过那是一把普通的廉价弹簧锁，要弄个同样的钥匙也不难。"

诘问略略停顿。我对于上夜的情形和早晨发觉凶案的经过已经有一个轮廓。霍桑低头沉吟了一下，又问那女房东以后的处置。据伊说发案以后，伊一面由警士去报告警署，另外派男仆阿四往浦东去通报伊的丈夫谢春圃。但春圃恰正患感冒卧床，故而虽接得了凶报，仍没有回来。伊因着事情太大，伊一个人应付不了，所以重新派阿四去，催伊的丈夫回来。伊又说那阿四是当杂差的，睡在后门口的小间中。霍桑又问起死者平素的交游和行径。女主人的答话很冠冕，似乎不无夹杂些亲谊。

谢妇说："芝山的品行总算很好，什么嫖赌的习气一概没有。他希望成为一个文人，志向也很高。他以前交往的朋友，也只有那班上海大学里的同学，他们也都是上流人。"

"他可是常常深夜回来的吗？"

"不，难得的。有时候他和同学们谈天，或是看电影，才回来得迟些，但总不会过十二点。"

"他不是很喜欢跳舞吗？"

谢妇顿一顿："我不知道。他不曾说起过。我想他不会吧？"

霍桑又换一个方向，问道："他的性情怎么样？平时有没有和人家结怨？”

谢妇道：“据我所知，他不像会有什么仇人。他的态度很温柔，说话时又亲切和婉，在男子中也少见。先生，你想男子有了这样的性情，怎么会和人家结怨？”

这时我忽然看见那旁边的仆妇的嘴唇动一动，好似要说什么话，忽又忍住了。这动作也不逃过霍桑的视线。他忙着回过头来。

他道：“松江妈妈，你要说什么呀？”

松江妈妈向伊的主妇瞅了一眼，才嗫嚅着道：“我觉得钱少爷平日对少奶的性子果然不坏，可是发起脾气来也可怕——”

谢妇急急插口道：“唉，你不是指去年那一回事吗？那是你自己不好啊。你把他的文稿塞进了字纸篓里去，惹动了他的火，他自然要发脾气了。你想哪一个人没有脾气呢？”

老妈子低了头，仍在叽咕：“可是上礼拜天阿四给钱少爷灌热水瓶慢了一些，就吃他一个耳刮子。”

“你还多嘴！人也死了，这样的小事你还牵他的头皮？”妇人的话声中夹些火气。

仆妇被主人这样一呵斥，便缩手缩脚地低头无言。霍桑便从中解围。

他又淡淡地问道：“谢夫人，我还有一句话。令甥的同学朋友也常有到这里来的吗？”

妇人摇头道：“不，只有他去看同学，同学们难得来。”

“唔，难得来？那不是绝对不来，是不是？”

“唔，就是有朋友来，我也在楼上，看不见。”

“喔，那么他的同学朋友中有个女人，谢夫人，你也不知道？"

谢妇忽而抬起目光呆了一呆，用一块白巾按在嘴上，只向霍桑瞧着，不即答话。

霍桑把身子偻向前些，又婉声道："谢夫人，请原谅。这件案子关系很大。你总也愿意我们查明真相，寻一个水落石出，给你的甥儿申冤。那么，你所知道的，当然也得完全实说才行。谢夫人，你说是不是？"

我觉得我们的航线上有个暗礁。这妇人的口气中好像处处回护着死者，只不知原因是什么——为顾全亲戚的面子呢，还是故意掩饰？汪银林耸肩搓手地开始不安于座。霍桑却仍忍耐从容。

妇人踌躇了一下，点点头，应道："霍先生，我并不是要隐瞒说谎，因为你说的女人，确乎有一个，不过不像是他的同学，我本来有些怀疑。这一层也许要牵连人家，故而我不敢乱说。"

霍桑毫不放松地问道："唉，你也有些怀疑？怎么一回事？"

"他在最近一个月中晚上常常出去，出去时总是打扮得十分漂亮，我也疑心他有什么女朋友往来。但他非常秘密，我无从知道。半个多月前，发生了一件奇怪的事情，我方才知道一些。"

暗礁似乎航过了。霍桑搓着两手，显示出一种惊喜的神气。他瞧瞧汪银林。汪银林的兴趣也略略提起了些，旋过头去瞧着妇人。他的眼光并不和霍桑的相接。

霍桑婉声道："谢夫人，什么奇怪的事？"

谢妇道："有一个年轻女子到这里来找芝山。芝山不在家。我恰巧在楼下，我就问伊什么事，不妨代伊转达。伊不回答，掉转头便走。这才使我不得不疑。我猜想芝山和那女子大概有什么秘密纠葛。因为我看见那女子的状态冷淡，不像是出于友谊的拜访，却像是来找他办交涉的。"

"唔，我想你的猜想一定已经被证实了。"

"是。隔了几天——嗯，我记得是上礼拜天——有一个不相识的男子，忽赶来和芝山开什么谈判。他们谈了一会儿，果然吵起来。我下楼来瞧，他们俩差不多要动手的样子。我吓得在客堂里发呆。正当那时，那先前来过的女子突地从门外奔进来。伊费了好一会儿工夫，才把那不相识的男子劝出去。"

妇人的故事停一停，伊的灵活的眼珠向霍桑的脸上打一个旋，似在等他的回复。

霍桑点点头，说："这一次交涉大概不曾办得圆满吧？"

"是，那男人是给女子硬拖出去的。"

"那么这回事的内幕怎么样？你可也知道？"

"我不知道。事后我问过芝山，究竟因着什么事。可是他含糊着不肯说。所以这一男一女和芝山究竟有什么样的关系，我至今还不明白。"

霍桑侧着头，弯着腰，他的右手的肘骨支在膝上，听得很出神。汪银林也听出了些滋味，忽也连连点了点头，似乎认为在凶案上已发现了一条线索。我也感到兴奋。

霍桑又说："这个女子当真值得注意。但是谢夫人，你不会看错吗？前后两次到这里来的女子是不是一个人？"

谢妇道："是，不会错。那女子昨天上灯时还来过——"

汪银林突然插口道："喔，昨夜里也来过？"

妇人点点头："是，不过昨夜我没有见到伊，松江妈妈看见伊，告诉伊芝山不在家，伊就不高兴地走了。"

霍桑忙抢回了发言权，问道："那么这女子是个怎样的人，请你说得详细些。"

妇人道："伊的年纪大约二十上下，面貌很漂亮，不过身子高些，皮肤也不大白。伊穿一件紫毛葛的薄棉袄，系一条黑软缎的裙子，披一条精致的整只黑狐狸做的肩巾。昨晚松江妈妈看见伊，也一样打扮。"

霍桑的眼光突然一闪，闪到了汪银林的脸上。汪银林的反应更强烈，几乎张口喊出来。霍桑赶紧摇摇头，才止住了银林。我早也领会到他们俩这一种表现，原因是听到了谢妇所说的那女子披一条黑狐裘围巾。因为对于警士桑绥丹所看见的女子，汪银林起先认为没有关系，现在却已发生了联系，自然要感到惊喜。

霍桑仍镇静地问道："谢夫人，关于这女子，你还有别的话告诉我们吗？"

伊说："伊的口音也使我忘不掉。"

"伊说的什么口音？"

"伊是我们的同乡，杭州人。"

"唔，要是你再看见伊，你也认得出？"

"自然，我一定认得出。因为伊的身材比我高，好像气力也不小。伊即使换了服装，我也不会认错。"

情报透露出这个女子确像是案中的要角。但是太空洞。伊是谁？到哪里去找？黑狐裘肩巾是上海最近流行的一种舶来品，时髦的少年女子披用的很多，也不能看作特殊的线索。可是汪银林很兴奋，目光流转地又想插嘴，却给霍桑挥手阻住了。

霍桑又问："还有那个男子怎么样？"

谢妇说："他的个子也不小，年纪快近三十，穿西装，面孔很白肥，也不像是下流人。那天中饭时，阿四放他进来。他一直到这厢房里来看芝山。芝山马上关上门和他谈话。不多一会儿，两个人的声音越说越响，好像要打起来。我从楼上赶下来，可是我不便插身进去，也没有办法。"

"那时候那个披黑狐狸肩巾的女子就进来排解？"

"是，幸亏这女子进来，才把他们分开了，没有闹成打局。"

"你看这女子是凑巧进来的？"

谢妇摇摇头："不，我看没有这样巧的事。这一男一女一定是一起来的，不过女的等在门外。所以我看他们俩一定也有密切关系。"

"你料想得很是。他们因为什么吵起来的？"

"我不知道。据阿四说，他们的谈话忽高忽低，有时还夹着外国话。我下楼以后也听不清楚。"

"你一句都不曾听得？"

"我只听得那男子说的是上海口音，和女子的完全不同。"

汪银林又插口问道："昨天上灯时分这男人也一起来过吗？"

谢妇说："松江妈妈只看见那女人。"

汪银林的目光射到那老妈子的脸上时，老妇果然摇摇头。

伊说："我开门时只看见门外有一个女人。伊问了一声，也没有走进来。"

霍桑把身子抬起些，靠着椅背，皱了皱眉头，自言自语地说："有一着我已经证实——昨晚半夜以前，大约十一点半以后，的确有一个女子到过这厢房中来过。"

几种见解

这是一句惊人的表示。我和汪银林都不由得又惊又喜。那女主人也睁视着霍桑，似在诧异他凭着什么才能发表这样肯定的见解。我正待问他，霍桑忽回过头来问我。

他道："包朗，昨晚我从我寓里送你出门的时候，不是正下着雨吗？"

我点头道："是。但我记得雨下得并不大；并且不很长久，至多二十分钟便停。"

"喔？"

"因为我到你的寓里时，在十一点左右，还没有下雨，你是知道的。后来我的车子到林荫路我的家里时，雨已经停止。从你的寓所到林荫路，至多不会过二十分钟。"

霍桑点头道："唔，这一着并不和我的想法冲突。雨即使只下二十分钟，已尽足使马路上的灰沙润湿。假使有人在雨过后出外步行，鞋底当然要沾湿的；如果走进屋子里去，更不消说要留印踪了。"他站起来，走前一步，指着室门口的地板："论势，这地方当然应有足印可验。可惜当初没有设法保存，此刻足印杂乱，已经完全瞧不清了。"他旋转身子，又指一指："但这书桌抽屉的面前，还侥幸地保留着一双新鲜清楚的女子足印。"他摸出一个小电筒，扳亮了照那书桌面前的地板。

电筒光照出两个女鞋的泥印：一个已被人践踏过，足跟部分有些模糊；另一个仍很清晰，足见这印的确还留得不久。我才明白霍桑先前所以失声惊呼又将我推开的原因。

霍桑又说："你们瞧，这两个足印分左右式，显见是新式的皮底女鞋。瞧这印的长短，可知那女子的足是没有缠过的天然足。"他俯着身子，摸出纸笔来，将鞋印照样描画下来。

汪银林问道："这样说，杀死钱芝山的凶手是个女子？"

谢妇附和道："唉！要是真是个女子，我敢说一定就是那个披黑狐狸肩巾的——"

霍桑忙仰起身来答道："谢夫人，别武断。我从足印上推断，只说昨夜里有一个女子在下雨后到这里来过。这女子是不是那个披狐裘肩巾的，此刻还没有印证；至于伊是不是凶手，关系更大，如果没有可靠的证据，更不能随意猜测。"他乘势向汪银林瞟一眼，似乎那末后两句话是特地答复他的。他瞧一瞧手表，低声说："银林兄，这里大体都已查验过了。你如果没有别的事，不妨一同到我的寓里去走一趟。"

汪银林很服帖地答应了。霍桑就向谢妇安慰了几句，辞别出来。

我们回到爱文路霍桑寓里，天色将近黑了，就举行一个小小的会议。霍桑先卸了那件黑呢外衣，把火炉拨一拨旺，请我和汪银林在炉旁坐定。大家喝了一杯热茶，又烤了一会儿火。我接受了霍桑的纸烟，汪银林也烧着了他自备的雪茄，霍桑才把那案中的情形提出来讨论。第一步谈到的就是凶案的动机。

汪银林先说："我瞧动机并不是在钱财。但瞧死者身上的金表金链和装好的皮包都不短少，就是一个明证。"

霍桑点点头："是，很有意思。你想动机是什么？"

汪银林道："我想大概脱不出一个'色'字。"

我接嘴道："你可是因着案中牵涉了一个女子，才有这个见解？"

汪银林道："是啊。你想那披黑狐狸裘肩巾的女子，既然和死者办过交涉，感情上显然不圆满。昨夜里巡逻的桑绥丹又看见伊——"

我插口道:"你说桑警士看见的和谢妇所说的是一个人?"

"怎么不是?我起先本认为太渺茫,但事实上既然有了证明,时间上又相合,还有什么疑问?"

我还想答辩,霍桑忽向我摇摇手:

"你让银林兄说下去。"

银林继续道:"一星期前,这女子领了一个男子出场,几乎打起来,情节更显明。这男子的口音和女子的不同,可见不是亲族。这里面有了两个男子和一个女子,别的也可以推测而知了。"

我问:"是出三角恋爱的把戏?"

"不是这老把戏是什么?霍先生,你说是不是?"

霍桑吐了几口烟,沉吟着道:"这见解也不能不算近情。不过我们在搜集各方面的证据以前,还不能够拘泥于这一点。"

"那么你说还有什么别的可能的动机?"汪探长提出反问。

我又接口说:"我看钱芝山是很刻薄的,但瞧他对待两个仆人就可见一斑。所以有人结怨报复,也未始不可能。"我把脑子里触动的芝山诬陷俞天鹏的事暂时不说出来。

汪银林追问道:"喔,报复?你可有事实根据?"

霍桑解围似的摇摇手:"现在我们姑且把动机搁一搁,先将昨夜凶手行凶的情形推想一下。如果寻得出一个合理的假定,对于凶案动机的推断和我们以后的进行都有助益。"

汪银林道:"我想那凶手进去的时候,死者回家一定还不多时。那时他正解了领结,铺好了被窝,预备上床,忽然看见那凶手突然进去,他——"

霍桑忽止住他说:"慢,凶手怎样进去的?这是一个要点,你说得太轻易了。"

我也换言道:"不错。前门是锁着的,里面还有一只狗,进去也不容易。"

汪银林把捏着雪茄的手停住,说:"我看见前门上的弹簧锁是一种廉价牌子,很普通。那凶手预备好了相似的钥匙,开门进去也不费事。至于那狗,据女仆说,第二次也叫过一声。大概那狗先在死者的房中听得了开门声音,奔出来叫一声,但看见开门进来的是它素来认识的人,故而就停止不叫;或是那时候死者听得了声音,特地将狗喝住,狗也就不再叫。"

霍桑皱眉道:"门上还有铁闩呢,那人又怎么样弄开的?你也听得昨夜死者回去的时候,他的舅母明明叫他将铁闩闩上的。"

汪银林缓缓地答道:"也许事有凑巧,死者进门时虽含糊答应着,实际上却没有下闩。"

霍桑微微一笑,并不答话。我忍耐不住,放下了纸烟,从中插口。

我说:"这未免太凑巧了。"

汪银林举起手在他的肥圆的下颌上摸一摸,反诘我道:"那么,包先生,你的意见怎么样?"

我答道:"我以为凶手实在是钱芝山自己开门放进来的。"

"有什么根据?"

"从各方面观察,凶手和钱芝山一定是素来相识的。那人绝不是一个乘他不备突然进去狙击的刺客。否则死者看见陌生人进去,又在半夜人静的当儿,势必要失声惊喊。这样,楼上楼下的主仆,也绝不会不听得。"

汪银林用右手指夹着雪茄,缓缓点头道:"唔,你说他们俩素来相识，我本也有同样的意见。不过你以为是死者放他进去的，我却料他自己开的门，这就是我们的不同点。霍先生，你的意见怎么样？"

霍桑宁谧地表示说："据我看，你们俩所说的凶手和死者彼此相识，并不是外来的陌生人，我完全赞同。不过凶手进门的方式是很困脑筋的。你们所假定的两种见解，我认为都有说不通的地方。"

汪银林拿下了雪茄，呆住了瞧他。我也不例外。因为我自以为我的见解比汪银林的合理得多，不料在霍桑眼中竟也同样认为不通。

我说："那么你还有什么更高超的见解？"

霍桑吐了一口烟，瞧着我道："银林兄所说凶手自己进门，你认为太凑巧，不错。但是你自己说是死者放他进去的，也未免太含糊。你想凶手进去见他，可是预先约定的？假使不是，那人在半夜人静时去敲门，怎能保得住死者一定肯开？而且敲门时即使不会惊醒同居的主仆俩，但那只哈叭狗的敏锐的感觉，是一定瞒不掉的，怎么也没有声响？"

我想了一想，辩道："我看他们是预先约定的。凶手敲门的时候，那狗果曾叫过一声，接着就被死者喝住，死者亲自出来开门。狗吠一声就给喝住，我觉得银林兄的假定很合理。"

霍桑道："你说是约定的？我也有几种相反的看法。第一，死者寄寓在亲戚家里，平日的行动又严守秘密。那女主人不是说过只有芝山出去看同学，同学们难得来看他的吗？那么即使有人要和他约会谈判，他岂肯约在他的住所里？第二，瞧了那卸除的硬领和铺好的被窝等等，显见他已经准备睡了。你想他如果真有秘密的约会，那约会又有性命交关的严重性，他会这样子从容吗？"

理由很充分，我一时没有反驳的话，只好努力吐吸着纸烟。汪银林也静默地消耗他的雪茄。

我顿了一顿，又说："那么你总也有建设性的意见吧？"

霍桑把烟灰弹去了些，眼睛瞧着火炉，答道："是，我也有一种假定。不过这假定的根据是我们目前所知的现状，是否确合事实，我还不敢深信。"

汪银林也鼓励地说："不妨姑且说一说。"

霍桑道："从现状看，凶手进去，也许是在钱芝山回家以前。他预先藏匿在钱芝山的室中，等到芝山铺床备睡，他方才出头露面。"

理解确是新的，不过太突兀。我和汪银林互相瞅了一眼，彼此都有一种不很满意的表示。

"那么，那人又怎样进去的？"汪银林抢着问一句。

霍桑丢了残烟，答道："我看见屋子正好在德仁里口的第一家，弄口上面就是看弄人的住所。若在上灯以后，门楼下面躲一个人，绝不会惹人家注目。那人乘机掩进谢家里去，原是很可能的。假使不然，谢家的仆人，就有得贿放进去的嫌疑。我认为后一层的想法更近情。"

我仍保守静默，心中在估量这两种理解的可能性。

汪银林道："假使你的后一层的推想是实在的，那个串通的仆人是谁？可就是那松江妈子？"

霍桑沉吟道："我瞧那老妈子似乎还诚实。"

汪银林说："可是这老太婆吃过死者的苦，串通的动机不一定只为钱。"

"唔，是的，也可能。不过除了这老妈子以外，不是还有一个当杂差的男仆阿四吗？"

"唔，是的，这阿四我至今还没有见过。第一次我得信到谢家的时候，阿四已经往浦东去报信了。后来我察勘了一会儿，直到将死尸移到验尸所去时，阿四还没有回来。方才我们再去，他又第二次奉命回浦东去了。"

霍桑点点头："这个人是案中的一个要角。他也吃过死者的亏，最近还吃过一个耳刮子——说不定还不止这一次；他又眼见过那个跟死者几乎动手的高个子的西装男子；晚上又睡在后门口，嫌疑比较重些。所以我迟早要见一见他。"

汪银林张目道："怎么？你是说这阿四本身有行凶嫌疑？"

霍桑皱眉道："我不能说得这样肯定，但是至少，我们若要知道凶手是谁和那黑狐裘女子的下落，阿四也许可以做一个线索。"

汪银林又追着问道："你说杀死钱芝山的凶手和那戴黑狐狸裘披肩的女子并不是一个人？"

霍桑摇头道："当然不是。我不敢说昨夜的凶案是一个女子干的。"

我把手中的余烟向火炉中一丢，插口道："那么室中的女子足印又怎样解释？"

霍桑低垂了头，瞧着火炉前的灰盆，似乎一时回答不出。汪银林也像触发了什么，拿下了雪茄。

他高声说："唉！霍先生，这里面有了矛盾点哩！你先前根据足印，说有一个女子在昨夜十一点半雨过后，才到死者的卧室中去，刚才你又说凶手预先伏在里面。两两相合，不是说不通吗？"

霍桑抬头道："喔，有矛盾点？我说凶手预先伏在里面，是一件事；先前说有个女子在十一点半下雨过后才到死者的卧室中去，又是另一件事。我并没说那女子就是凶手啊。"

汪银林的嘴角牵一牵："喔，你确信那留足印的女子和行凶的凶手一定是两个人？"

"是。"

"证据呢？"

"我虽还没有瞧见那尸身的惨状，但据你所说，已觉得残忍异常，断不是女子们所能下手。并且从情势上推测，那凶手必定一交手就把芝山打倒，又足见非有大气力的不能。还有那个石鼓磴足有二三十斤重。根据这几点，你想一个寻常女子可办得了？"

"可是一个不寻常的女子就不能一概而论。姓谢的女人说，那披黑狐狸裘肩巾的女子的个子是很高的。"

汪银林的辩驳不能说没有理由，可是霍桑仍维持他的原议。

他说："我的推断还有心理的根据。女子总不会这样子残忍，杀了人还要用石鼓磴击碎他的头颅。这在男子也少见，非有深恨宿仇而且有刚狠的秉性办不了。"

银林用力吸了几口烟，又问："那么你说这个男子凶手是个什么样人？"

霍桑抽出了一支新鲜纸烟，慢慢地烧着了，又用眼光向我瞟一瞟。我觉这一瞟似乎有某种含意，可是一时猜不出。

他慢吞吞地说："这固然还是一个谜，但就眼前已知的事实说，那个办过交涉的西装男子就是嫌疑人之一——"

汪银林兴奋地插口："喔，你说这个人为的是争风吃醋？"

霍桑摇头说："动机还难说，但我看他们间的交涉一定还没有妥帖。昨晚上灯后那女子大概是去听回音的，但是没有见到芝山。那男子耐不住，到了半夜，也许就采取决裂手段。"

我问道："那么这男子行凶的时候，那女伴可也一同在场？"

汪银林抢着回答："那当然。桑绶丹明明在十二点相近看见伊。"

我说："桑警士看见的是一个单身女子，并不是一男一女啊。"

银林说："也许他们是分开走的。"

霍桑举一举手："好了。我料这女子至少总也知情。所以第一步，就应当着手侦查这个女子。"

汪银林点点头，问道："你想从哪一条路去侦查？"

霍桑立起身来，说："我想可以从三条路进行。你先去找那阿四，问问他昨夜的究竟；再到上海大学去查一查有没有跟芝山相熟的同学；另外再往邮局里去问问，平日和钱芝山通信最多的是哪几个人。因为我瞧尸室中的信件完全消灭，绝不是偶然的。"

"好，准照办。"银林答应了，也立起来。

霍桑补一句："还有那只小狗的失踪也很可疑。你得向前后左右的邻居问一问，有没有见狗跑去。此外另有一条线索，不妨让包朗兄跟我去试一试。"

访　问

那晚吃过了夜饭，七点钟时，我和霍桑乘了汽车向白杨路俞天鹏家进行。原来霍桑所说的另一条线路就是指俞天鹏说的。钱芝山的被杀，恰在他揭破俞天鹏的隐私的晚上。这揭发的真伪姑且不论，论情势天鹏当然很可疑。我的脑膜上本已留着这个暗影，不料霍桑的视线也射到了同一方面。我瞧了他的郑重其事的态度，好似确有把握，又不能不使我惊疑。当我们离寓以前，我已经问过他，他却默然不答。在汽车中，我又禁不住重新提起那个问题。

霍桑不耐似的答道："包朗，你不要怀着成见。你知道我是佩服俞天鹏的一个读者，但除了在杂志上见过他的半身像以外，还没有和他会过面。这老作家昨夜里不幸遭了人家的侮辱，我们去慰问一次，难道不应当吗？"

他这几句话是由衷而发的吗？不，他分明要阻塞我的第三次问话。霍桑是一个理智健全的人，他的情感也并不逊于他人，不过他的感情是能受理智的控制的。在正义的领域之内，他欢喜仗义任侠。他看见俞天鹏无端受屈，因而表示同情慰问，原不能算怎样突兀。但是这时候他负着侦查凶案的责任，情势当然不同。若说他此行完全是出于友谊的慰问，和凶案绝没关系，谁会相信？

我们到俞家的时候，天已完全黑了。街路上的电灯早已灿烂放光。寒风也像上一晚一样凛冽，路上行人很少。我们进得那宅小洋房的门口，不由得大失所望。那守门的弯背男仆一见我们踏进门房，立即就挡驾。他说主人的身体不舒服，一概不见客，故而有不少客人和报馆访员都给拒绝了。

霍桑问道："你主人现在哪里？"

守门的答道："在卧房里休养。"

"他的卧室在楼上还是楼下？"

"在楼下书房背后。"

"那么我们进去见见他也很便利。"

"先生，这不关便不便利。老先生吩咐，今天不见客。请原谅。"

霍桑顿一顿，便说要另见秀棠小姐。那老仆正在犹豫不决，忽然有一个年轻的女仆从正屋中走出来。伊有十七八岁，穿一件旧黑花缎的棉袄，红红的嘴唇，乌黑的眼睛，生得倒也不俗。伊到了门房门口站住，似乎已听得了我们的话。

伊接口答道："小姐也吩咐过，今天有些头痛，不能见客。请先生们改日来吧。"

霍桑感到失望，但还不肯退出。他站住了沉吟一下，忽凑近我的耳朵说话。

他道："瞧这情形，我今天已不能够见他。但你和他有交情，不如就一个人进去。我在这里等你。"

我答道："你叫我进去代替你慰问一下？"

霍桑向我眨了一眨白眼："好了，别当场报复吧。你早已知道我们不是单单来慰问的。你进去见他，不必说我同来，但须临机应变，刺探他和钱芝山究竟有什么纠葛。"他向我要了一张名片，在片后注了"有要事密谈"五个小字，回头授给那仆人："你把这片子送进去。"

仆人拿了名片看一看，仍站着不动，还有些疑迟不肯。

霍桑说："放心，你只管把这片子送进去。你主人一定不会怪你。"

弯背的老仆悻悻地拿着名片走进去。我们附耳密谈的样子，似乎引动了那女仆的注意，伊站住在门房外面，采取着监视态度。霍桑移过一把椅子坐下，把手插在外衣袋里，故作矜持的状态，不再和我交谈。我心中很犹豫，不知道我的名片有没有效验。过了四五分钟，那男仆才出来回报，声言主人请我进去。我暗暗地欢喜，和霍桑点了点头，回身向正屋去。我且行且自寻思，他所以见我，可是就因为名片背后的五个小字？如果如此，他心中不是有了什么秘密吗？

俞天鹏的卧房就在楼下书室后面的次间中。我穿过了那"一日之隔盛衰不同"的客堂，就跨进卧房去。天鹏靠在一张挂白罗帐子的铜床上，头上戴着睡帽，头部下面垫着几个枕头。床前生着火炉，暖气扑面。我觉得室中的温度若和室外相较，至少相差一季。但天鹏拥着两条蓝绸面的厚被，似乎还很畏寒。室中的家具很精致，但式样已陈旧。床前的梳洗桌上放着描金花的茶杯茶壶。一枝红梅插在一只雨过天青的古瓶中，受了热力的引诱已嫣然开放。天鹏撑起些身子，张着眼睛瞧我。我从电灯光中看见他的眼圈微微陷落，脸色也很憔悴，好似他夜来曾经失眠。他第一句话就使我暗暗地吃惊。

他问道："包朗兄，你有什么要事要和我密谈？"

唔，他果真注意我的要事。这不就是情虚的表征吗？我姑且敷衍着。

我说："没有事。我因着你昨晚受了虚惊，特地来问候你。因为你不见客，我才写了那句——"

他忙说："包朗兄，你何必瞒我？你的神色明明告诉我你带了什么消息来哩。"

我微微一震。难道我的脸上果然已透露了什么？

我含笑答道："不错，我真有一件新闻报告你。你听了也许可以吐一吐气。"

他着急地问："什么新闻？"

我道："那个无赖的钱芝山昨夜里给人杀死了！"

他把身子仰起了些，惊异道："唉！真的？"

"自然真。俞先生，这消息你还不知道？"

"没有啊。"

"《上海晚报》上载得非常详细。"

"我……我今天还没有看过任何报纸。"

他的语调不大自然，目光也垂落着。我不禁暗暗怀疑：他当真还不知道？还是说谎？

我说："俞先生，你觉得怎么样？这无赖昨夜里实在太放肆了。"

他支吾地说："唔，真气人！"

"其实虚则虚，实则实。人家绝不会相信这无赖的话。"

"是，不过这流氓怎么会在昨夜里被杀？"

"事情的确很凑巧。"

我应了一句，默察他的脸色。他的目光仍留在棉被上。

他略一沉吟，问道："那么凶手是谁？警察们已经查明了没有？"

我摇摇头："还没有。"

他把眼光抬起来，和我的目光交接一下，立即闪开去；接着他又努力回过头来瞧我，问：

"包朗兄，你有什么意见呀？"

"嗯，没有什么。"

"不，我看得出你隐藏着什么事！你……你可是怀疑我？"

谈话已是开门见山；更想不到的，采取攻势的倒是他。他自己情虚了，企图先发制人吗？

我仍含糊地说："俞先生，你说我怀疑你什么？"

他直接地答道："疑我杀死这流氓！"

"唉，没有的事。"我依旧诡辩着。

他自言自语："唉！怪不得今天日间有好多人来见我。他们可就是因着这一件事怀疑我？"

我仍譬解说："不会。你不必多心。"

"包朗兄，你的话不错。他们如果疑我，那就走到迷路上去了。因为在昨夜我受了那无赖的侮辱以后，朋友们都不欢而散。我就回进房来。我女儿陪了我一夜，直到天明，方才睡着。"他叹一口气，"其实像钱芝山这样刻毒的无赖，跟他结怨的人一定不少。只要向着正路去查究，终可以水落石出。"

话明明是对我说的。他显然已经窥破了我的来意，才有这种使我移转视线的表示。我也只得趁机领受。

我答道："是。像他这样的无赖，死是应得的。昨夜听了他侮辱你的话，大家都觉得愤愤不平。他要不是一溜烟地逃了，有好多人会用武力对付他。"我顿一顿，就将话题引入正港："俞先生，我们都知道他的话是凭空捏造的，但这里面总有一个起因。你如果不见外，可能说给我听听？"

俞天鹏又把肩部靠住枕头，低头沉吟了一会儿，才叹息着说："包朗兄，这件事我本不愿意向别人说。你我至交，不妨谈一谈。他干了一件不名誉的事。我发觉了，将他辞歇。他因此怀恨，又怕我事后宣布出来，故而他先发制人，乘我宴客的时候，捏造了故事诬陷我。"

我进一步问道："他干了什么不名誉的事？"

天鹏疑滞道："他……他偷了一种东西。"

"什么东西？值钱吗？"

"当然值钱。那……那是秀棠的一只珠镯。"

"喔，他偷的是令爱的东西？"

天鹏的颧骨上红一红，他又低垂了目光，两只手在扭被头，好似在自悔失言。

他慌忙辩道："包朗兄，你别误会。他偷这东西，完全是因着金钱，没有别的意思。"

我又问："唔，他和令爱平时有没有交际？"

"没有，没有！他在这里每天只办事三个钟头，办完了就走。他……他没有机会和秀棠接触。"

"你雇用他已经多少时候？"

"还没有好久。他是去年夏天来的。"

我便更换一个题目："俞先生，你既然还留他的面子，没有宣布，他倒以怨报德。你当时为什么不加分辩？"

"我昨夜真是气极了。他的计划又非常狠毒，一时也不容易辩白。"

"为什么？"

"你知道他是我的书记，《爱与仇》的稿本完全是他一手誊写的。我即使辩白，他不是可以用笔据作证吗？"他顿了一顿，又道，"其实我当时也因为气昏了说不出话。假使他此刻不死，我少不得也要揭发他的丑行，控诉他的毁谤罪。"

我默然不答，仍用眼光偷偷地瞧他的神色。他的脸色有些青，不知道是怒是羞。

他打一个哈欠，说："包朗兄，请原谅，我不能多谈了。今天承情劳驾，感激得很。再见。"

他把身子向床里一侧，使我不能再问。我只得说一声珍重，退出来。

霍桑仍在门房里等候，一见我，拉了我往外就走，好像已经等得不耐烦。到了门外，他并不上车，只向司机附耳说了一句，那汽车便呜呜地开走。

我问道："我们还不回去？"

霍桑道："我还要等一个人。"

"等谁？"

"你马上会知道。"

我们来到福寿里口，里中都是五上五下的大石库门，静悄悄地没有人。霍桑领我走进弄口，到电灯光照不着的地方，方才立定。他把外衣裹一裹紧，又将衣领竖了起来。

他说："这地方既可避风，又瞧得见马路，我们就在这里等一下。"他顿一顿："天鹏的情形怎么样？"

我就把我和天鹏的谈话经过从头至尾说一遍。

霍桑略一寻思，问道："据你观察，天鹏的话可实在？"

我道："他真有些心虚不自然的样子。"

"是，我虽没有见他，但听你说的话，足见他说的是谎话。"

"谎在哪里？我还指不出。"

"他说钱芝山偷过东西，并说是见财起意。这明明就是谎话。"

"你怎样知道？"

"你已经知道芝山的家庭状况。他是兼祧子，拥有着相当的遗产；汪银林说他身上还有金表金链；刚才你也见过他的卧室中的铺张和留下的呢帽外衣。这种种都显得他的经济并不艰窘。那么他怎么会干那见财盗窃的勾当？"

我点头道："不错。他所以窃取珠镯，大概不是为财，或者他和秀棠有什么关系。因为我听天鹏一说到他的女儿秀棠，便竭力否认伊和芝山有什么交际。他说得太急，反而滋生人的疑团。"

霍桑先向弄口马路上瞧了一瞧，方才答道："是，也许如此。但若使进一步推想，连芝山盗窃的事或者也是出于天鹏的捏造。我看天鹏和芝山之间一定另有什么不可告人的秘密。故而他昨晚受了侮辱，一时竟气得说不出话。"

"你想他们中间有什么样的秘密？"

"你料得不错。或者芝山和他的女儿有某种关系。"

我也觉得天鹏竭力给他的女儿分辩，的确有些欲盖弥彰。我想起芝山案中本关涉一个女子，这女子莫非就是俞秀棠？

霍桑突地走出弄去，又回过头来，向着我举手招一招。我忙跟在他的背后，走出了弄口。他低声说："包朗，我已经寻得一个秘键的钥匙。再隔数分钟，内幕中的秘密便不难完全了解。现在快跟我来。"

霍桑跨步向马路上走去。我也裹拢了外衣，跟在后面。远远有一个人形，正向着我们走过来，只因距离尚远，我还辨不出是谁。

女凶手

一分钟后，来人已渐渐地走近，是一个女子。伊似乎在向我点头招呼。我仔细一瞧，伊就是俞天鹏家的那个穿黑缎短袄的年轻女仆。刚才伊回绝我们，小姐不见客，此刻怎么自动地出来？

霍桑低声向我道："这女子的面貌很慧黠，又喜欢多管事。伊叫巧林，可算得名副其实。方才我打发了十个银饼，才得请伊出来。"

女仆已到我们面前。伊的头颈上加了一条深灰色毛绒围巾，手中执着一块白巾，按住了嘴，又像畏寒，又像怕人瞧见。霍桑招呼了一声，便回身领着伊向街角走去。我们的汽车正等在那里。霍桑开了车门,叫巧林上车。巧林站住了,似乎不肯。

霍桑道:"你放心。我们只借这车子谈几句话,并不是要送你往哪里去。"

我们三个人上了车,霍桑便吩咐车夫,只需在附近冷僻的地方缓缓绕几个圈子。汽车既开,霍桑第一着就问伊的主人和钱芝山是否有过争吵。

巧林答道:"吵过两次。"

霍桑道:"因为什么吵的?"

巧林道:"就因为小姐。"

我暗暗惊喜。我们先前的料想果然已幸而中鹄。这里面大概有一页浪漫史吧?

霍桑又问道:"那姓钱的和你家小姐究竟有什么纠葛?你把你所知道的告诉我。"

巧林说:"钱先生来了不多几时,便看中了我家小姐。小姐似乎也有意思,常常瞒了先生——就是我的主人,他要我叫先生,不许叫老爷——跟钱先生出去玩。这些事自然瞒不过我的眼睛。不过先生当初也许也早已明白,只是假装不知;或是他当真被蒙在鼓里,我不知道。直到半个月以前,先生忽然和钱先生吵起来,样子很可怕。"

"他们怎样吵起来的?"

"先生不许钱先生和小姐来往。"

"他们说些什么?"

"先生禁止钱先生和小姐交谈。钱先生口口声声说什么自由不自由的话。后来先生发火了,拍着桌子骂钱先生,钱先生才闭口无言。那一次总算没有破口。可是上礼拜天他们俩又翻脸大吵。先生就把钱先生辞歇，钱先生也就绝迹不上门。"

霍桑点点头，又道："他们第二次大吵，又因为什么？"

巧林道："因为一条小姐的围巾——一条黑狐皮的围巾，是用整只狐狸做的，还有眼睛牙齿呢。"

这情报使我怔一怔。一条黑狐皮围巾！这个女子正是我们要侦查的啊！我向霍桑瞧瞧。霍桑仍不露声色，专心致志地凝视着巧林。

他接续问道："唔，一条黑狐皮的围巾？你说得详细些。他们怎么会因为围巾吵起来？"

巧林道："那天是礼拜六，小姐披了那围巾，说要往影戏院去，刚出门，忽被先生唤住。他问伊那条围巾的来历。小姐一时羞怯，低垂了头答不出来。先生一再催逼，伊没法，才直说是钱先生送给伊的。因为先生第一次骂过钱先生以后，钱先生和小姐的交情背地里还是老样子。钱先生讨好小姐，特地买了那条狐皮围巾，在一天晚上偷偷地赠给小姐。这些事小姐原避不过我的眼。这件事给先生发觉了，气得很，立即吩咐小姐将围巾除下来。第二天礼拜天早上，钱先生又来偷偷地约小姐出去。先生看见他，将围巾丢在地上还他，大家破口闹一阵。先生立刻赶钱先生出去。这一吵就吵出昨夜的事情来！"

我插口问道："昨夜的什么事？"

女仆向我瞧一瞧，又踌躇了一下，答道："先生，你昨夜不是一同在场吗？钱先生不知说了几句什么话，先生竟气得发昏。这不是就因着那天的争吵弄出来的吗？"

霍桑点头道："对，你的话不错。但昨夜客散以后，你主人的情形怎么样？"

巧林道："他醒转来以后，就回到房里去睡，到此刻还没有下过床。"

"你怎样知道他没有下过床？"

"昨夜小姐扶他回房以后，就陪在他的床边。直到我今天天亮起来，小姐依旧陪着，眼睛可红肿了，分明一夜没有睡，并且还像哭过的样子。后来小姐回到伊自己房里，我问伊，伊告诉我伊果真通夜陪着伊的爸爸。"

"这话确实吗？"

"自然，这是小姐亲口对我说的。"

霍桑忽喃喃自语道："奇怪，奇怪！"他忽低垂了头。

汽车仍在绕圈子，因着驶行得缓，轧轧声并不阻扰我们的谈话。车窗完全闭着，可是冷风还在继续袭击。霍桑皱紧了眉，有些失望，好似他先前已经假定天鹏和凶案有关，此刻听得了天鹏昨夜里没有外出，显然粉碎了他的推断。

巧林把灰绒围巾裹拢了些，又说："先生，我的话完了，放我下车吧。我是一向不欢喜搬嘴弄舌的，这一番话，你们绝不可说是我说的。"

霍桑的眼睛注视在他的鞋上，鞋尖微微地动着，似乎没有听得。这个不喜搬嘴弄舌的女子可天生着一副伶牙俐齿，人家雇用了伊，真有些危险。不过说句自私的话，这种人对于当侦探的最有助益。否则我们要探悉这里面的情由纠葛，就不能如此容易。

霍桑突然仰起头来："巧林，你们的电话号数是不是五一一七七？"

巧林怔一怔，才道："是的。什么意思？"

"电话箱装在哪里？楼上还是楼下？"

"楼下，就在先生卧房外面的书房里。"

"昨天电话可曾坏过？"

"没有啊。昨天白天先生打电话很多。"

"晚上也没有坏？"

"没有。……唔，我记得吃酒时李姑太太也用过电话。先生，你为什么问这个？"

霍桑不理会巧林的问句，但暗暗地点着头，似乎有所会悟。我想不出他问电话的用意。

他又道："我还要问一句。你们一共有多少人？"

巧林道："除了先生小姐以外，还有三个仆人，一个是看门的老毛，一个是张妈，一个是我。"

"老毛晚上可睡在门房里？"

"是。"

"你和张妈呢？"

"我俩同房间，在楼上小姐的卧房的后面——先生，你为什么又问这些？"

"你别管。你昨夜睡后，有没有听得什么声响？"

话题岔进了汉港，使巧林感到迷惘。伊又用白巾掩了嘴唇，瞠目地摇摇头。

霍桑自顾自继续问："譬如你小姐房中有什么声音，你们可也听得见？"

"听得见的。可是昨夜完全没有声息。因为小姐全夜陪着伊的爸爸，到天亮还没有上楼。"

"你确实知道伊没有上楼？"

"确实的。要不然，伊开房门关房门的声音，我总听得。"

霍桑的两手交握着，眉峰也越发蹙紧，眼睛还看着自己的鞋尖，好似他越问越觉模糊。

一会儿，他向车窗外瞧一瞧，说："好了，巧林，你回去吧。你的话我们固然可以守秘密，但是你自己也得嘴紧些。要是你自己在主人面前漏了风，那不干我们的事。"

巧林答应了。霍桑就叫车夫开回白杨路去，在一个隐僻所在停了车，放女仆下去。霍桑摸出一张钞票，向巧林的手中一塞，又和伊附耳说了几句，方才吩咐车夫开回爱文路去。

他问我道："包朗，你不如到我的寓里去坐一坐，再送你回去。"

我答道："很好。这件案子把我困住在迷阵中，找不着线路，正要请你解释解释。"

霍桑摇头道："唉，你不要希望太大。包朗，老实说，我此刻正和你一样模糊！"

"真的？这女仆的话不能供给你什么线索吗？"

"不，伊的话反而增加我的疑惑。我起先因着某种情况，很怀疑天鹏和这凶案有连带关系。我们到了俞家，又得到了几个印证：第一，他吩咐仆人拒客，似乎有些心虚；第二，我知道了他住在楼下；第三，你进去谈话，他又用假话骗你。这种种都足以证实我的推想。不料巧林的话不但不能给我一个最后的印证，却让我原有的想法也根本动摇了！"

"你原有的想法，可是以为昨夜俞天鹏曾到过芝山的寓里去？"

"是，我料他如此。"

"那么你以为谋杀钱芝山的就是他？"

"我敢说他至少有谋杀的企图。"

"事实上也有可能性吗？"

"有。他昨夜受辱以后，尽可能跟着钱芝山到温州路德仁里去，贿通了仆人进去行凶。"

"你确信如此？"

霍桑沉吟了一下，才道："确信虽还难说，但我在和巧林谈话以前，离确信也已不远。"

我追问道："现在据巧林的话，俞天鹏昨夜里明明没有出去过啊。"

"就因着这一层，我又惶惑起来。巧林既然斩钉截铁地说昨晚秀棠没有上楼，显见天鹏也没有出外的机会。若说父女俩通同，情理上又不合。"他咬着嘴唇停一停，加上一句叹喟，"唉，真困人的脑筋！"

静默中汽车把我们带到爱文路七十七号寓前。我们才刚下车，施桂已经开了门迎出来，报告里面有客人等候。我们踏进办公室，看见来客就是侦探长汪银林。他放下了他常吸的那种又粗又黑的雪茄，堆着笑脸，向我们招呼：

"唉！二位回来了！好极！天气冷得这么厉害，今天马路上又冻死了好几个人。我因着这件事劳你们俩在外面吃风受冷，委实过意不去。现在好了，这案子已经有了六七分眉目，谅来不久就可以结束哩！"

我向汪银林瞧瞧，他的神气果然很兴奋。难道他已经捷足先登，得到了什么线索？霍桑一边将外衣脱去，一边也诧异地瞧他。

他问道："银林兄，你说这案子不久就可以结束？"

汪银林含笑答道："是。现在请你们坐下来烤一会儿火，让我慢慢地说。"

我越发疑讶。汪银林当真已有了某种确切的把握吗？他是不是和我们走一条路？或是他另外发现了什么新路？大家在火炉旁坐下来。汪银林便开始陈说。

他说道："现在我先报告几句。第一，我已向各警区问过，今天日间并没有捕得什么小哈叭狗。德仁里的邻居们也说没有看见它。第二，那阿四我已经见过。他是一个二十岁的小伙子，似乎还老实，不像会杀人。我一再问他，他又一口说定没有得钱卖放的事。我想你们俩一定要亲自问问，已吩咐他少停到这里来一次。第三，我到上海大学去问过，只有一个姓杨一个姓车的还记得钱芝山。他们都说芝山的性情太褊狭，容易翻脸，读书的成绩并不好；可是喜欢玩新剧，登过两次台，扮女角有相当成绩；他以前常常跑舞场，有时也投投稿；他有一种本领，善于讨女子们的好，不过也没有结果，不久总会给人家看破。我问起钱芝山有没有特殊的冤家。他们也指不出，只说很可能有。第四，依姓车的同学的指引，我又去看过一个以前和芝山同学现在做报馆记者的陈霖春——"

我插口问道："陈霖春？可是《上海日报》的外勤记者？"

汪银林点头道："正是。包先生，你也认识他？这个人很精明，观察力特别强，思想又——"

霍桑不耐烦地道："好，好。这个人和这案子有什么关系？"

汪银林忙道："自然有关系。我因着他的指点，得到了两种证据，方才确定这凶案的真凶！"

霍桑仰直了身子，把纸烟取在手中："喔，你已经确定了那个真凶？是谁？"

汪银林吐出了一口浓烟，洋洋得意地答道："是个女凶手！我没有料错，凶手到底是一个女子！"

"哪一个女子？"

"伊叫俞秀棠！"

意外消息

汪银林的揭示不能不使我们惊异。因为昨晚俞家里的事情，我们还保守着秘密，不料他也自动地和我们走上一条路来。他回头瞧着我：

"包先生，这女子你不是也认识的吗？昨晚上伊的父亲天鹏做生日，你不是也去道喜的吗？"

我点头道："是的，当钱芝山去吵闹的时候，我也在场。不过我们正在搜寻证据。霍桑刚才说要进行的另一条线路就是这一条，因着没有把握，所以还没有和你说起过。"

汪银林道："那么你们也早已怀疑伊？"

霍桑代替我答道："是的。但是你可是单凭着昨夜的事情就认为秀棠是凶手？"

汪银林摇头道："不。我还有更确切的证据。"

"什么？"

"我曾经到邮局里去查问过，知道最近和芝山通信的，就是这个俞秀棠。三天前芝山还写过一封快信给伊。伊也有回信。我得了这个消息，当初还没有成见。后来我看见了陈霖春，问他关于钱芝山的事。他说他也正在竭力探访这案子，预备明天报上的资料。他本认识俞天鹏，很怀疑他，但他到俞家去探访的时候，被守门人拒绝了，没有见面。他所以怀疑天鹏，就因有个《国民日报》的编辑左一萍，昨夜也在俞家吃寿酒，目睹钱芝山到天鹏家里去吵闹的事。左一萍就把这回事告诉了陈霖春。陈霖春又告诉我芝山和秀棠本来有爱情。他好几次在影剧院里见过他们俩，因为陈霖春也认识秀棠的。他还说上礼拜五他看见秀棠披过一条很精致的黑狐皮的围巾。这是霖春自己说的，并不是我先有什么暗示。因这一来，桑绥丹昨夜看见的，和谢家女人所说的那个披黑狐皮围巾的女子都有了着落。霍先生，你想这岂不是一种可靠的证据？"

他不但走上一条路，而且还走得相当远，不过似乎是歧途。霍桑带着欣赏的神气在倾听，听完了也不发表批评。

我插嘴道："银林兄，你可是以为桑警士所见和谢妇所说的披狐裘的女子就是俞秀棠？"

汪银林反问道："难道还不是？"

"果真不是。你错了。"

"喔，错了？你凭什么证明我的错？"

"很多。"我想一想，又说，"第一，黑狐皮围巾是现在摩登女性的流行品，算不得特殊的证据。第二，我们知道俞秀棠在上礼拜六以前固然还有这样一条围巾，但在昨天晚上已经没有了。"

汪银林诧异道："喔，你知道得这样详细？"

"是，这是我们从俞家方面侦查的结果。此外还有一个更重要的异点足以证明是两个人，就是口音的不同。"

"唔？"

"谢妇说那个去办交涉的女子操杭州口音。但秀棠明明是久住在上海的，口音是本地音。虽则他们原籍是常州，可是就是杭州、常州的口音也相差很远，绝不至于相混。凭这种种，可见你的错误了。"我说完了瞧瞧霍桑，他似乎点一点头。

汪银林喷出了一口散乱的烟雾，抗辩地说："你怎知道秀棠不会说杭州话？伊为避免人家注意，也许故意变换口音。"

"不会。伊的家庭中没有说杭州话的人，并且杭州话也不容易学。"

"那么一定是那个姓谢的妇人听错的。"

"这也绝不会。谢妇是杭州人。杭州人听自己的乡音，怎么会弄错？何况他们又直接交谈过？故而我敢说那个办交涉的女子绝不是秀棠，是另一个钱芝山的同乡。昨夜桑警士看见的，当然也不是伊。"

汪银林沉默了，可是他咬住了雪茄，还是悻悻然。霍桑就进行排解。

他拍着椅圈，说："你们何必多辩？这问题最简单，有谢妇可以作证。那披黑狐裘的去办过交涉的女子是否就是俞秀棠，只需叫伊出来辨认一下，立即可以明白。"

汪银林忽把夹着雪茄尾的手摇一摇，大声说："不，我想用不着叫姓谢的来证明。我说伊是凶手，还有更可靠的证据！"

唉，汪银林的个性的确强，他还是不服气。不过我相信他也不会凭空坚持。霍桑也动神地注视他。

他问道："银林兄，你还有什么证据？"

汪银林道："我曾到新民路警区里去调查过，知道昨夜派在白杨路岗位的警士名叫邵根福。据他说在昨夜十一点半左右，他看见一个少年女子从俞天鹏家的后门里出来，状态上近乎偷偷掩掩。霍先生，你想这个女子是谁？除了秀棠以外还有别的人吗？"

我看见霍桑的脸部肌肉骤然紧张，已从轻意变成严肃。他先前惶惑的神色也突然消灭。他仰起了身子，丢了残烟，定了眼睛，呆呆地瞧着火炉。是的，汪银林最后说的真是一个有力的证据。要是警士的指证不错，昨夜里秀棠是出外过的！那么巧林的话不可靠，我们上了伊的当了。伊深夜出来干什么事？难道这样一个秀美娇弱的女子竟会干某种可怕的勾当？

我提出一个疑问："银林兄，邵警士看见从俞家后门出来的女子怎样打扮？可也披一条黑狐裘围巾？"

银林顿一顿，说："我问过他。他说他没有仔细看。"

"这也很奇怪。他既然觉得伊偷偷掩掩，怎么这一点倒不注意？你不是说桑警士就因着一条围巾才注意的吗？"

"人们的注意力也许不同。这也没有多大关系。"

"唔，没有多大关系？我倒觉得关系很大！你想如果没有围巾，这女子就算是秀棠，但出门后不一定往芝山家去，因为和桑绶丹的所见不相合。要是披围巾的话，可见这女子不是俞秀棠，因为我们知道秀棠昨晚上已经没有围巾了。"

汪银林皱眉说："这话我回答不出。总而言之，秀棠昨夜里是出门过的。你想伊半夜里出来，不是干凶案干什么？"

霍桑抬头说："唔，我们别空辩。银林兄，这当真是一个重要的发展。不过你的断语还太快。因为邵根福看见一个女子从俞家后门里出来，就算伊是秀棠；再姑且假定伊是到芝山寓里去的；但若因此就说杀死芝山的也就是秀棠，那还未免证据不足。"

汪银林道："怎见得我证据不足？你的意思可是说女子们不会这样子凶残吗？那也不能一律而论。往往有平时温静的女子，一遇到特殊的情形，举动便会反常。有一件事可以证明。去年冬天我家的邻居失火。他家里有一个女儿，年纪还只十七岁，平时是娇怯怯的。可是在失火的当儿，伊竟会独个儿搬着一只六七十斤的重箱子，从楼上下来。因此，我相信秀棠虽是女子，但是伊是个体育学校的学生，伊在发怒行凶的时候，那石鼓磴也未必抱不起。"

霍桑思索了一下，缓缓地答道："唔，这果然也有可能性。

但你想伊因为什么行凶？"

银林说："伊起先是和芝山有爱情的。但爱情这东西最容易变，尤其在这个时代，更保不住始终如一。他们俩的爱情大概是已经中变了，伊又因为芝山侮辱伊的父亲，就行凶报仇。那不是很可能吗？"

"你说爱情容易变动，理论上固然不错，但你可也有证据？"

"这是很显明的。秀棠谅必是另爱了别的男子，才有这个结果。你不记得姓谢的妇人说过，有一个西装男子跟芝山为难过吗？"

我又插口说："你还以为那个西装男子的女伴是俞秀棠吗？我已经告诉你，黑狐皮围巾也许是一样的，人是两个，你不能混而为一。"

银林咕哝着说："你这见解我还不敢接受。"

霍桑说："好，这问题姑且搁一搁。银林兄，你说的这个西装男子也许真是一个重要角色。你可已经查明这个人？"

"这……这个我还来不及。"汪银林的头略略低沉了些。

霍桑又淡淡地说："如此，你的结论还是下得太快。我相信秀棠缺乏行凶的动机。因为伊和芝山的爱情不一定像你所说的有什么中变。"

汪银林又仰起头来，用诧异的目光瞧着霍桑："你也有根据？"

霍桑点头道："是。证据还是你自己发现的。你不是说他们在三天前还曾交换过信札吗？而且最近芝山还赠给伊一条狐裘围巾，不过给伊的父亲退回了。从这两点推想，可知他们间的交情并没有完全决绝。伊对于父亲的爱也许更甚于爱芝山，伊或者不满意芝山昨夜的举动，特地赶去责问他。

你说伊就此行凶杀人，究竟还嫌证据不足。"

汪银林的一团高兴，被我和霍桑逐层地辩驳，好似炽炭上给浇了一盆冷水，不由得懊丧失望。我从电灯光中看见他的嘴唇开合了几次，好似还想要辩答，却到底说不出话。刚才我们进门的时候，他得意扬扬地问我们辞谢，以为案事马上可以结束，再用不着我们。这时候他的推想已给完全推翻，他自然要感到老大的不好意思。

一会儿他又问道："那么，霍先生，你的见解又怎么样？"

霍桑烧着了另一支烟，抬头答道："你说昨夜俞秀棠往死者的屋中去过，我也可以同意，不过行凶一层，我仍不变我的主张。我认为凶手是另一人，秀棠只做了一个引线。"

"引线？可是做凶手的引线？"

"是。但这一着伊是无心的。"霍桑略顿一顿，"现在案情既有开展，我们的推理当然也应更进一步。据情势推测，凶手进门的方式，我先前假定的预先匿伏，至今还没有佐证，可见不是事实。现在看起来，也许另有一种乘虚而进的可能。"

"怎样乘虚而进？"

"我从各方面观察，觉得秀棠和芝山的爱情不一定完全破裂。昨夜里伊因着芝山侮辱了伊的父亲，特地私自去见他，目的也许是申斥他，或是商量什么挽救方法。那时大概在十一点半过后，芝山回家不久，还没有睡。他知道了敲门的是秀棠，自然便静悄悄地放伊进去。就在那时，那大门大概虚掩没有锁，忽有第三人直闯进去，和芝山理论，结果就酿成了这件凶案。这一来，秀棠不是在无意之中做了那凶手进门的引线吗？"

汪银林弹去了些雪茄烟灰，答道："这样说，凶手动手的时候，俞秀棠势必是在场眼见的。"

霍桑点头道："我也料想如此。"

汪银林似乎抓住了什么破绽，忙道："唉，这里面也有些说不通哩。你说伊当时并没有行凶的意思，引凶手进去也是无心的，那么伊忽然看见第三者进去杀伊的情人，又怎么不叫喊求救？"

霍桑瞧在地板上面，慢慢地吐吸了几口烟，才道："伊或是有所顾忌。"

汪银林道："喔，顾忌什么？"

霍桑垂着目光，不回答。

银林又进逼一句："还有呢。那只狗怎么样？主人跟一个陌生人争殴，那狗怎么不吠叫？或是只叫了一声便停止？"

霍桑忽而用两手抱住了右膝，又蹙紧了双眉："唔，这一节的确很难解。因此我很注意狗的下落。这狗在这凶案中也许也占着重要的位置。"

霍桑的口气分明显示出他的想法也还有几分扞格不入，不能一线贯通。这案子委实太幻复了。我们逐步侦查，真像在一条黑暗的宽路上扶墙摸壁地进行，前面既看不到光明，是否走上了迷途，自己也无从知道。

汪银林又说："霍先生，我想无论如何，这俞秀棠总是案中的要角，我们尽可以把伊拘起来问问。"

霍桑迷惘地问道："你要问伊什么？"

"依你说，伊至少也眼见那第三者的凶手，问问伊总有作用。"

"这倒用不着问伊。那第三人我也知道。"

汪银林突地一怔，眼光中显出惊喜状来。我也觉得十二分惊奇。霍桑怎么有这突如其来的表示？汪银林张开了嘴，还没有发出声音，霍桑陡然从椅子上立起来。

他向汪银林摇摇手："慢，外面有人来哩。"

施桂果然推门进来，后面跟着一个二十多岁的少年，穿一套棕色爱国布棉袄裤，面目相当清秀。他走到里面，站住了向我们三个人瞧来瞧去。

汪银林先招呼道："阿四，你来了，很好。这两位先生也许有话要问你。"

我才知道这少年就是在温州路德仁里谢家当杂差的男仆阿四。他的面孔上稚气未脱，不像干出杀人勾当的人。霍桑向那少年点了点头，少年便向霍桑鞠躬。

他说："霍先生，少爷已经回来了。他的身体还在发热，不能来看你。他叫我送一张名片来，还有一封信。"

他从灰布棉袄袋里摸出一封信和一张名片来，双手拿给霍桑，随即把手指凑到嘴边去，呼呼地呵气取暖。霍桑把名片和信接过了瞥一瞥，随手放在桌上，又向这男仆点点头。

他突然问道："阿四，钱少爷死了，你觉得怎么样？"

"嗯，我很高兴……嗯……嗯，霍先生，你的话什么意思？"他显然觉得他不自觉地失言了，眼珠在乱滚。

霍桑接着说："喔，你很高兴？他平日待你太坏，是不是？"

阿四吞吐地说："我……我……霍先生，我说错了！嗯……嗯……"他在惶恐了。

霍桑仍婉声说："阿四，你不用怕。你倒很老实。我想你一定吃过他的苦，现在尽不妨老实说。"

阿四果真坦白地说："霍先生，我老实说，不妨事吗？……嗯，是的。钱少爷脾气太坏。他对少爷少奶有一副面孔，对我们底下人又另有一副面孔。他在外面受了气，回家来我们就倒霉。去年夏天他踢我一脚；上月里他要寄一封挂号信，我寄了平信，吃了他两拳；上礼拜天，我给他灌热水瓶慢了些，又吃他一个耳刮子！"

我的观察没有错，这少年当真还有些天真的稚气。霍桑也点头称赏。

他说："这个人的确太刻薄。那么你可知道他是给什么人杀死的？"

阿四摇头道："这个我不知道。不过……不过……"他停住了。

"什么？"

"我想他有了这副脾气，容易得罪人，和他过不去的人一定不少。嗯，我记得在好多天前，有个西装先生来跟他吵过。"

"这个人你后来再看见过吗？"

"没有。"

霍桑顿一顿，又问："那么昨夜里你可曾听得什么声音？"

阿四说："没有。我一睡着就像死掉，什么都不听得。"

"你是睡在近后门的。昨晚上可有什么人来敲后门？"

"没有。这位侦探先生已经问过了。钱少爷虽待我不好，可是拿了钱，半夜里放一个陌生人进去，我绝不敢。"

霍桑点点头："好，你去吧。你回复你主人，一有消息，我会来通知。"

阿四鞠了一个躬，就自己退出去。

汪银林早已把那封信拿起来。我也立起来看那名片。那是谢春圃的片子，背面写了两句，请霍桑尽力查明真凶，又说信是上灯时从邮局里送来的，也许有助侦查，故而差阿四送来。

"唉！这是一个意外消息！霍先生，你瞧瞧，可靠得住？"
这是汪探长读信后的警报。我放了名片，又走过去瞧。那是一张八行信纸，完全写满，用的是铅笔，又很潦草。

那信道：

> 我听得你家发生了凶案，现在有几句报告。昨夜十二点钟相近，我从你家门前经过，看见一个身材高大的男子从你家门口里出来。那人的行动鬼鬼祟祟，形状十分可疑。因此我向他注意了一下，虽没有瞧得清楚，但我明明看见他戴一顶红结的瓜皮乌绒帽，帽子下面，白发像雪，似乎那人的年纪已大。他身上袍褂的颜色怎么样，我虽不敢确定，但一定都是深色，非青即黑。我是你家同里的邻居，既有所见，不敢不告。不过这个人是否和凶案有关，请你们自己斟酌。

霍桑的目光在信笺上停留了好一会儿，忽而咬着嘴唇，瞪住了深思，接着他摇一摇头，把信笺授给我。

这信笺上下都没有署名，信面上只写着"温州路德仁里一号谢宅收"字样。信中所描摹的那个人，我明明认识。我记得俞天鹏的绒帽上果真装着一个鲜红的结子，并且那乌绒下的白发，黑白相衬，越发容易惹眼。此外天鹏的身材果真很高大，紫袍黑褂，当然也算深色。那么信上所说的这个人可就是俞天鹏吗？当我默自寻思的时候，霍桑和汪银林的眼光都像猎犬般地注射在我的脸上。

汪银林先问道："包先生，你在想什么？"
我踌躇了一下，没有回答。

霍桑也接着说："我明白。包朗，你对于信中所描写的人是认识的？是不是？"

我再能给天鹏隐瞒吗？事势上已不容我回护私交。我只得将我心中的怀疑，照实说出来。

汪银林听我说完，大惊道："就是俞天鹏吗？那么这信中的话一定靠得住了。"

霍桑仍不动声色交抱着两膝，缓缓向我说："你即使不说，我也早已知道。"

汪银林道："你也早疑心俞天鹏？"

霍桑点点头："我刚才已经说过，用不着秀棠的证明，我已经知道那第三个人。"

汪银林高兴地说："好极！我还以为有什么人挟嫌谎报，现在看起来，话是实在的。"

霍桑重新瞧瞧那封匿名信，答道："论情，这报告似乎是实在的。不过信是铅笔写的，虽然自称是同里的邻居，但写得很潦草，又不署名，显然要掩藏真相。这又是什么意思？"

汪银林忙道："我以为只要说话实在，别的都不成问题。即使要彻底追究，好在德仁里只有十几个石库门，也不难查出那个人来。"

霍桑低头不答，把信折好了，放在他自己的袋里。

汪银林不能再耐地说："霍先生，我们既然知道凶手是俞天鹏，应得立刻进行哩。"

霍桑站起来，重新烧着了纸烟，缓缓地答道："我看还得略略等待，不能够立即动手。"

汪银林着急道："还等什么？"

霍桑道："你总知道俞天鹏是社会上有名的人物。我们为谨慎计，不能不有充分的准备。我以为这件事等明天进行，绝不致有什么意外。你已经忙了一天，如果没有别的事，不妨早些回去休息吧。"

质　证

一月三十日星期一早晨，云阵稍见稀薄，但天气依旧严寒，气温降到零下三度，连书桌上的水盂都连底冰冻。我吃过早饭，加了一条毛质围巾，依约往霍桑寓里去，预备瞧瞧这件凶案的结局。据霍桑预料，这案子当天就可以了结。不过他上夜里既已指定行凶的是俞天鹏，为什么要再等待？他所说的准备是什么性质？或是对汪银林的托词？

我在路上买了一张《上海日报》，翻开来一瞧，果然有关系钱芝山凶案的新闻。这一定是陈霖春的成绩，他已把前晚钱芝山和天鹏的纠葛和盘托出，语调中也明明怀疑俞天鹏的女儿秀棠。新闻中虽然写着某名小说家的字样，并不指明天鹏和秀棠，但前晚上参加宴会的文化人很多，明眼人一见便知。这是一节惊人的新闻，必然会引起许多人的注意。但这案子究竟是不是俞天鹏干的？或者竟是他的女儿秀棠干的？假使属实，凭空里失掉一个健笔的作家，岂不要使许多人失望。就替天鹏本人着想，暮年盛名，却没有善终，也觉得怅然。我又回想霍桑的态度，分明也怀疑俞天鹏，而且像确有把握。因此我越想越觉得郁郁不乐。

我到了霍桑寓里，见他正在看《上海日报》，忙问他对于这新闻的见解。

霍桑放了报，答道："这新闻假定俞某的女儿是凶手；我却以为俞某本人比较更可疑些。"

我暗暗地叹了一口气，没精打采地坐下来。

我道："你可已确信是他？"

霍桑应道："我的设想如果不错，相信如此。"

"你只凭着设想？可有证据？"

"自然有。你昨夜回去以后，我又搜集得两种确证，足以证明这父女俩前夜的行动。"

"什么证据？"

"一只杯子和一只鞋子。少停你自然会知道。"

"如此，俞天鹏的余生只能消磨在铁窗之中了！"

我虽还不明白内幕，但已感到万分失望。霍桑秉性严正，公和私的界限绝不容丝毫混淆。他的眼光一经集中在真理的鹄的，他便像一架机器，断不许感情来动摇。我若请求他顾全私谊，他一定不会允许。他也不禁长叹一声。

一会儿，他忽喃喃自语道："虽然，世界上的事情变幻难测，真像秋天日暮时的云片，霎时间便会有异样的变化。包朗，你姑且不要太伤感。"

这慰藉未免太无聊。我低头不答，脑室中开始幻想俞天鹏的凄惨的结局。

霍桑忽然问我道："包朗，俞天鹏的体格不是很高大的吗？"

我应道："是啊。"

"那么他的气力一定也不小。"

"这却难说。你总知道他是执笔的人，身材虽高大，可不能和寻常人一例而论。"

霍桑不答，取出表来瞧一瞧："九点钟了。我约汪银林八点半来，他怎么竟失约？"他从书桌面上取过一张白纸，写了几句，又叫施桂进来。他吩咐道："回头汪先生来时，你把这张纸交给他。我们先走了，叫他马上到俞家去。"

我和霍桑离了寓所，直接往白杨路俞天鹏家去。霍桑摸出自己的名片，在名片后面写了两句话。那名片给弯背的老毛送进去后，约莫五分钟工夫，果然传言请见。我们就被引到那一间布置幽雅的书房里面。

书房中虽生着火炉，但俞天鹏的身上仍穿着那件深紫色的狐皮袍子，头上也还是那顶红结绒帽。他的脸色焦黄，眼圈也陷落了些，比昨天越发憔悴。他一见我们，忙着从沙发上立起来让座，一边向霍桑拱手招呼。

他说："霍先生，我已久慕大名，可惜到今天才得相见。"

霍桑也弯了弯腰，很恭敬地答道："彼此，彼此。我也常和包朗兄谈起，你实在是我非常佩服的一位作家。不过一直没有机会，今天我才——"

俞天鹏忽现出一种强笑，接嘴道："你说今天你才有机会来看我？……唉！二位的来意我早已明白了。你们不是因着报纸上的新闻吗？"

霍桑应道："是啊。俞先生已见过那新闻吗？"他的锐利的目光注射着对方的脸。

天鹏的双眉锁着，故意避去对方的目光，答道："是，我刚才读过。真是一派胡言！"

"正是。那新闻记者的推测实在是走错了路哩。"

"唉！霍先生，你也以为这新闻的推断不实在？"

"是。我知道这件事绝不是令爱干的。"

俞天鹏忽连连点头道："对啊！我女儿素性温柔，怎么会干得出这样可怕的事？霍先生，你可知道这件事究竟是谁干的？"

霍桑瞧着他，答道："我想这问题最好由你自己答复。"

俞天鹏呆了一呆，低声道："嗯，我怎么能答复这个问题？"

"俞先生，我想我们还是开诚布公的好。"

"嗯……嗯。我……我委实不知道。我……我不知道这事是谁干的。"

霍桑仍注视着他，缓缓地答道："那么，俞先生，请恕我直言，这件事不就是你自己干的吗？"

俞天鹏的身子向后一仰，靠住沙发的背。他的眼睛突地张大，眼珠似乎要突出来。

他略停一停，摇头道："霍先生，你误会了！"

霍桑仍不旁骛，答道："俞先生，我想我不会误会。我有证据。"

"喔？什么？"

"请问前天晚上那件不幸的事发生以后，宾客们一哄而散，那时候可是在十一点钟相近？"

俞天鹏低头斟酌了一下，答道："是啊。"

"请问你在十一点钟以后干过什么事情？"

"我就回到房里去睡。"

"你回房以后可曾再出去过？"

天鹏顿了一顿，很坚决地答道："没有。"

"确实没有出去过？"

"是。"

"那么你上床以后可是立刻就睡着的？"

俞天鹏的眼睛注视着地毯。他分明觉得霍桑的问题越逼越紧，他的答话也不能不加意审慎。

一会儿，他才说："那也不是。起初我翻来覆去地不能合眼，直到深夜才睡着。"

霍桑点点头："这是实话。你受了那股怨气，当然不能够立刻睡着。但在你翻来翻去的当儿，可曾听到什么声音？"

天鹏又仰起些身子，搓了一会儿手，终于目瞪口呆地答不出。其实霍桑这句话有什么用意，连我也莫名其妙。

霍桑又微笑地说："你不能回答吗？这就是证明你回房以后曾重新出去过的一种有力证据，也是我对于你的第一个疑点。"

俞天鹏仍呆瞧着不答，但他的脸色却在和他的白发掩映媲美。

霍桑又淡淡地说："俞先生，我告诉你。当前夜十二点钟缺十分的时候，我曾打过一次电话给你，竟没有回话。我略略有些疑讶。等到十二点敲过，我又打第二次电话，仍旧没有人接。论情，电话箱既然在这书室中，你的卧房就在隔壁，当然听得见。我已经查明，电话并没有坏。可是两次无人答应，可见那时候你并不在卧室中！"

这是一个新的揭露。我才知道霍桑所以怀疑天鹏，还有这一个依据。但他为什么打电话给天鹏？他既从不曾和我说起，所以我始终困在疑团中。霍桑含着笑容，先回头向我瞅了一眼，又瞧到俞天鹏的死灰色的脸上去。

他又婉声说："俞先生，我刚才已经表示过，我是佩服你的一个人。因为现在社会上有不少小说作者，只知道迎合一般读者的卑劣心理，把他们所需要的种种色情、神怪之类的颓废作品尽量供给。能写出那种有意义、有思想、足以指示人生道路的纯正读物的作者，真像凤毛麟角。你就是凤毛麟角中的一人，值得我敬仰佩服。所以前晚上我听到包朗兄讲起了那件事情之后，便料是钱芝山因着某种怨嫌，含血喷人。我觉得很不平。所以我在包朗兄回去以后，就打一个电话给你，一来慰问你一下，二来还准备毛遂自荐，打算和你接洽一下，把那个无赖钱芝山警戒一番。不料两次电话都没有打通。我起先还只私自诧异，想不出什么缘故。第二天芝山的凶案突然发生，我推度情势，就不能不想起上夜的事情而开始怀疑你。"

俞天鹏低垂了头，握紧了拳，但仍没有承认的表示。

霍桑继续道："此外我还有两种证据，都足以证明你前夜到过钱芝山家里去。第一，有人看见你在十二点钟时分从钱家里出来。"

天鹏忽然抬起头来："有人看见我？嗯，这是谎话！"

霍桑道："不是谎话，同样有凭据。你自己瞧吧。"他从衣袋中摸出那封匿名信来给他。

俞天鹏接了信笺，簌簌地展开来，急急从头至尾念了一遍。

他连连摇头道："胡说！胡说！"接着，他又把信笺凑近眼睛，似要辨认信上的字迹。他忽惊异地失声道："哎哟！怪事，怪事！……霍先生，这封信你从哪里得来的？你可知道是谁写的？"

霍桑道："这信是昨天傍晚投到钱芝山的母舅谢家去的。瞧信封上的邮印，是在昨天早晨十点钟方才发出。发信人的姓名，我们还没有查出。你可是已经辨认出来？"

老作家张开眼睛在地板上凝视了一会儿，忽举起右手拍他自己的额角，又兀自摇头。霍桑的目光在闪动。他瞧瞧天鹏，又瞧瞧我。

他又问道："俞先生，你可是认得出这笔迹？"

天鹏摇头道："不，我不认识！"

霍桑又瞧我："你呢？"

我诧异地答道："你问我这笔迹吗？我怎么会认识？"

霍桑闭紧了嘴唇不回答，好像很失望。他的视线又回到老作家的脸上去。

天鹏大声说："霍先生，别相信。这……这话是完全捏造的！"

霍桑依旧瞧在他的脸上："喔，捏造的？俞先生，像你这样的人，怎么也畏首畏尾地用谎话骗人？你说前夜里你没有往钱芝山家里去过吗？喏，我还有第二个证据。"他又从衣袋中取出一个硬纸包，打开来，是一把假象牙的小刀，那就是我在尸室的门背后发现的。"俞先生，这东西你带到芝山的卧室中去后，无意中遗落在那里。现在我给你带回来了！"

俞天鹏震了一震，身子又靠住椅背。他的嘴唇上的血色完全消失了，但他仍抵赖不认。

他摇头道："不！这刀不是我的！"

霍桑仍用和婉的语调，辩道："刀明明是你的，你何必赖？这是一把书桌上应用的裁纸刀。你当时怀着杀机，一时没有适当的凶器，就顺手带了这把裁纸刀去。但你看见了钱芝山，在动手的当儿——"

俞天鹏突然直立起来，双手叉在腰部，怒睁着双目，他的呼吸也急促异常。

他厉声说："霍先生，你不必再说下去！你的话完全不实在。这把刀是普通的东西，你怎么说定是我的？"

霍桑紧皱着双眉，似乎也失去了忍耐力。他把刀放在沙发上，也立起身来。

他庄严道："俞先生，我很可惜。你是一个有知识的人，何必也学那些没勇气的懦夫？你须知我们做事，完全凭着公道，所希求的是真实，不愿受骗。我们固然不赞成那种徇私情而抹杀正义的态度，但你如果有什么委屈，也不妨据实说明。我们在公道范围之内，也当尽可能给你设法，绝不会使你含怨到底，做法律的牺牲品。现在你一再说我的话不实在，好像我故意要诬陷你。这未免太过分了。那么，请你瞧瞧这最后的证据！"霍桑又从大衣袋中取出一只白瓷金花的茶杯。他指着茶杯继续说："这杯子总是你家的东西吧？瞧，那边茶几上的瓷盘中还有同样花纹的五只，那分明是一组。昨夜里你喝牛奶时所用的就是这一只杯子。因此，你在这杯子上留下了三个显明的指印。"他又取起那把刀来："这刀上也有几个指印，内中一个很清晰。经我比对的结果，它和杯子上的三个中的一个两两相同。你如果再不服，不妨将你右手的中指再印一个下来比一比。"

这时候俞天鹏的抵抗态度已没有维持的能力了。他的头垂得很低，两只手撑在椅子背上，像是个没有生气的石像。这情状看了怪可怜。我恨不能替代他。他已到了无可辩赖的地步，唯一而且聪明的举动，只有把事实的真相完全告诉我们。我一眼不眨地瞧着他，希望他会马上仰起头来，直供他的罪史。可是他似乎没有那股勇气，兀自低垂着头站着。他的鲜红的帽结也似减了些色彩。

笃笃！……笃笃！……

在这情势紧张的当儿，书室门上忽然有弹指声音。第四个人进来参加这幕悲剧了。

变　化

一刹那间室门开了，走进一个身材袅娜的少年女子。我一见便认识是天鹏的女儿秀棠。这时伊的玉容惨白,两条细眉蹙拢了,一双美目水汪汪地包着泪珠。伊穿着一身黑色的衣裙,手中拿着一只原色缎子的鞋子。伊一进门来,便俯着颤动的身子,向我们俩鞠了一个躬。我也立起身来,与霍桑照样还礼。伊用一只手抚摸伊的父亲的背。

伊说:"爸爸,坐下来。……霍先生,你的来意我早已料到。不过我刚才听了你的话,知道你的看法还有一部分错误。你说杀死钱芝山的是爸爸?不是!你错了!"伊将手中拿着的鞋子抬起来:"霍先生,这是我的鞋子。前夜里我就穿了这鞋子往芝山家里去的。那时下过些小雨,鞋上的泥痕足以证明我的话。所以打死芝山的是我,不是爸爸!"

局势起了剧变。不但我料不到,连霍桑也显然出乎意料。他的惊异的眼睛注视着这窈窕的少女。他把刀和茶杯放在茶几上。

他顿了一顿,说:"俞小姐,你的话一部分我早已证实。因为你的别一只鞋子昨夜里已经到了我的手中,而且已经和我得到的足印比对过。"

秀棠点头道:"喔,怪不得有一只不见了。是巧林拿给你的?"

霍桑也点头道:"是,还有这一只鞋子呢。但你不能怪巧林,是我强制伊做的。"

"既然如此,你又何必还牵累我爸爸?"

"我不相信你能干这件事。这鞋子只能证明你前夜往钱家去过,但不能证明你曾经行凶。"

"他实在是我杀死的。"

霍桑沉吟了一下,问道:"你有什么理由杀死他?"

秀棠道："因为他侮辱我的爸爸。"

霍桑道："我知道你和他有爱情。他侮辱你的父亲，你虽然不满，但至多也不过绝交而止，何致竟行凶杀人？"

俞秀棠站在天鹏的椅子旁边，目光凝注在地上。天鹏目定口哆地在发愣，好像他的知觉已失了常度。霍桑静默地瞧着这父女俩。我也呆坐着，静待发展。

一会儿，秀棠仰面回答道："我觉得他既然能够凭空侮辱我爸爸，可见他不是一个诚实的人。他虽然因着与我相爱被爸爸阻梗，不得已出此，但是他竟信口毁坏我爸爸的名誉，不顾爸爸的生死，他居心太残忍了。这样的男子不但可怕，而且可鄙。因此我也变了心，决意替我爸爸报仇。"

理由很充足。伊的凛凛可畏的神气也显得伊确像有下这毒手的能耐。但霍桑仍以为行凶的绝不是秀棠，是天鹏。他的料想不会有错误吗？我瞧瞧霍桑，他仍静穆地凝视在秀棠的脸上，又不时回眼偷瞧伊的父亲。当秀棠进来的时候，天鹏也曾显露一种诧异的样子。他给秀棠扶到沙发上后，就呆木地坐着。他一听得伊自认凶手，忽又坐直在沙发椅上，张着惊骇的眼睛，静悄悄地不发一言。

霍桑又问道："俞小姐，你怎样杀死他的？"

俞秀棠仍靠着天鹏的沙发站着，一只手在卷伊的那件玄缎皮袄的衣角。伊定一定神，好似在把伊的脑中的思绪整理一下。

伊说："前夜我爸爸昏倒以后，回到房中，神志虽然恢复了，但精神已受到严重的打击，辗转反侧地睡不着。我自然非常心痛，因为这件事明明是因我而起的，我决不能不理会。所以到了十一点半光景，爸爸叫我上楼去睡，我就乘机脱身，预备和芝山去拼命。当时我为避免任何人的注意，走出了爸爸的卧室，并不上楼，就悄悄地直接从后门出去。"

这供认破除了一个疑点。秀棠不曾上楼，上一天女仆巧林实际上倒并不曾说谎。并且警士邵根福的所见也证实了。

霍桑又问："你从家里出去时，就有谋杀钱芝山的意思吗？还是到了那里才发生凶念？"

秀棠道："我已经说过，我早就预备和他拼命。所以我一看见他，就——"

霍桑又举一举手止住伊："慢，你说得太快了。你进门时的情形怎么样？"

秀棠呆一呆，才道："我……我在门外叫了一声，他便自己开门让我进去。"

"唉，他自己开的门？那么你可记得你在叫门时有没有听得狗吠？"

"唔……没有……我不留心。"

"好。以后怎么样？"

"我进了他的卧室，就申斥他不应侮辱我爸爸，问他有什么挽回的方法。他……他不接受，还说了几句无礼的话。我……我一时发火，就取起书桌上的一方石砚，向他的头上一掷，他顿时血流如注，倒地死了！"

"喔，你是用石砚击死他的？这石砚呢？我们可没有看见。"

秀棠低沉了头，说："我把它带出来丢掉了。"

霍桑的嘴角牵了一下，斜着眼光向我瞅一瞅，似暗示我伊的故事不完全实在。我也觉得伊不曾提及石鼓磴的事，显见有所脱漏。

秀棠继续道："我在他的书桌抽屉中搜寻我给他的信件和照片，然后就从他家里退出来。"

霍桑道："你的照片和信件可曾拿回来？"

伊又疑迟了一下，应道："拿到的。但当我走出门口的时候，看见门背后仿佛有一个人。当时我不敢仔细瞧，匆匆地走出来。我走出了弄口，又看见对面停着一部黄包车，我起先还不在意。等我回到家里，先进爸爸的房里去，瞧瞧他是否睡着。不料床上是空的，爸爸也出去了。我才知道爸爸叫我去睡是有作用的——他也要悄悄地去看钱芝山。但他坐了车子赶到那里，已在我事成之后。所以他后来虽也曾走进芝山的书室里去，惊惶中又遗落了这把裁纸刀，但他实在没有犯罪。霍先生，你现在总可以明白了。杀死钱芝山的是我，有什么处分应当由我一个人承受！"

故事很动人，但我看不透它的真实性到什么程度。因为凶器的差别是一个最大的疑点。霍桑仰起些身子，正想要发表判断，忽因俞天鹏的动作而中止。天鹏突然把两只手挥一挥，挣扎似的撑起来。他颤巍巍地立直了以后，又摇着手。他浑身都在颤动了。

他说道："先生们，我真是十二分惭愧！我委实太多顾虑了，早先不讲实话，破费你们的工夫。真该死！霍先生，我老实说吧。钱芝山实在是我杀死的。秀棠所以承认，无非想代替我受过。其实依照新陈代谢的原理，少年人对于社会的责任比较重，生命也比较可贵。像我这样年纪，再活不到几年；秀棠却像一朵含苞的鲜花，正在欣欣向荣。现在伊一时昏懵，竟愿意为我断送前途，这是伊受了愚孝的遗毒！我若是默认不说，真是太自私，太不人道！二位先生请不要相信伊的话！现在我来告诉你们。"

"爸爸，你……你不能！"秀棠的刺耳的声浪又传过来，

"霍先生，别信他！凶手是我！"

"霍先生，不是，不是伊！是我！"

我仿佛进了梦境。这种杀人的凶案，父女俩竟互相争认，使我想起了"难兄难弟"中的朱荣邦洪伯道两个主角。这真是无独有偶的事。但到底谁是真谁是伪？霍桑又将怎样处置？我和霍桑面面相觑，室中忽然静下去。俞秀棠走前一步，似乎又要向我们分辩。

铃铃铃！……铃铃铃！……

电话箱上忽然铃声大震。电话是打给俞天鹏的，理当由他们接话。但那时候父女俩都失了常态，静立着不动。我为权宜计，就走过去接话。巧极，打电话的是汪银林，本要找霍桑谈话。霍桑便走过去接谈。不到两分钟，他就挂上听筒回来。

他摇着头对我耳语道："唉！包朗，这件事玄之又玄！我仿佛给厚雾包围着。现在我总算有了一线光明。我们已经走进了迷途哩！"他回头瞧着那父女俩："这案子的真凶此刻已经在警署里了！你们俩互相争认，实在都是虚话。现在你们得休息一下哩。等我弄清楚以后，再来听你们的小说故事吧！"

这个迷离而紧张的局面会这样子下场，委实令人想象不到。外面的冷空气刺醒了我的近乎模糊的头脑。所以我跟着霍桑从俞家出来时，仿佛走出了天方夜谭中的境界，回到了现实。这案子真是变化莫测。霍桑的话是实在的吗？或是借此做一个搪塞的下场？到了白杨路转角，霍桑才告诉我：

"我的话是实在的。银林说有一个凶手到警署里去自首。他已经查问实在，所以叫我们快去。"

我道："你想这自首的当真是真凶？"

霍桑疑迟道："我真说不定。变化太多了，我的脑子也给弄模糊了！"

我们到了警察总厅，看见了汪银林，才知那自首的凶手是一个女子。这又是出乎霍桑的预期的，因为他根据着心理的因素，一再表示过这血案不是女子所能干的。这女子才十九岁，姓王，名叫宝球，就是我们无从推拟的那个披黑狐裘围巾的女子。汪银林说他正要动身到霍桑寓所去，这女子忽然来自首。他听了伊的供述，又招谢妇来警署里辨认，证实伊的确就是两次到谢家去过的那个女子。桑警士的报告也有了印证。我看见那女子有个圆形的脸，肌肉丰腴，皮色略带苍黑。伊穿一件蓝绸的皮袄，黑缎裙，肩上有一条黑狐裘围巾。伊的身材相当高，神气上显着一种坚毅无畏的样子，体格也似乎很壮健。假使伊和一个寻常的男子搏斗，胜负也正难定。伊见了我们，也没有羞怯之色。大家在汪探长的办公室中坐下来。霍桑就请伊将经过的情形重说一遍，伊便侃侃地讲出来。

王宝球说，伊和钱芝山本是同乡。钱芝山在杭州秀州中学，宝球在之江女子师范，校址相距不远。宝球在浙江省立女中联合运动会中得过四百米赛锦标，芝山也是短跑健将，因此他们俩早已相识。经过了一年多的往来，他们俩的交情非常亲密，已达到了恋爱的境界。芝山曾向宝球求过婚，宝球也同意了。但芝山自从中学毕了业，到了上海来，便渐渐对伊冷淡起来。起初宝球还不疑心他，后来连信息都不通，才料他必已弃旧恋新。到了本年的寒假，宝球耐不住，特地到上海来私下调查。伊果然探得芝山已别有新欢。伊曾和他见过几次面。他起先用虚话敷衍，后来便避而不见，明明欺伊是一个没有父亲的弱女，只会忍气吞声，绝没有什么对付方法。宝球气不过他，才把这件事的委曲告诉了伊的堂兄王维成。维成在上海一家煤公司中办事，宝球到上海来，就住在他的家里。维成听得了这回事，一面很严厉地责备宝球，说伊不应瞒了母亲，私自和男子勾搭，一面就蓄意去找钱芝山理论。

当一星期前，维成就寻到芝山家里去，二人因谈判而发生争吵。那时宝球果真等在门外，听得里面的声响，恐防吵出祸来，才赶进去排解。当时芝山曾答应伊，等他写信回去征求他的母亲的同意，约定一星期后给伊回音。伊相信了，才将伊的哥哥劝出来。从这事以后，伊仍留在维成的家里，等候芝山的回音。维成常申斥伊，说伊无耻。伊忍受不住，益发恨芝山的薄幸。

过了一个星期，回音还是没有。到了二十八日，星期六上灯时分，宝球去讨回音没有见到芝山。伊以为他故意躲避，所以到了深夜，就悄悄地往芝山家去，准备和他开一次最后谈判。结果就造成了一件凶案。

霍桑听到这里，问道："那么那晚上你到底进去没有？"

王宝球道："进去的。我知道他每夜归家的时候很迟，所以在十一点光景，我就到德仁里口的门楼底下去等候。等了一会儿，他果真从外面回来。他突然间看见我，不无有些惊怪，但他并不怕我。他先叫我在门外等一等，接着便开了后门领我进去。"

霍桑和汪银林的眼光不期然而然地交接了一下，似乎彼此在暗示，当时大家虽各拟想过一种见解，但这样的进门方式却都不在料想中。

那少女继续道："我到了里面，还没有说什么话，他不提回音，忽然不怀好意，又想用无礼手段。我当然拒绝。他从衣袋中摸出一把刀来，想要挟制我。我慌了，正想叫喊。他一只手举刀，一只手伸过来扼我的咽喉。那时我的性命危险了，就奋命地夺他手中的刀。他当然也拼命挣扎。争持间，那刀尖忽然在他的太阳穴上一触，他就倒下来了！"

霍桑遏制着惊异的情绪，问道："这样说，他是在争斗间被误杀而死的？"

王宝球指一指汪银林，答道："是。那把刀我已经交给这位先生。刀上还有血迹呢。"

汪银林点头道："我刚才已经瞧过，的确有不少血迹。"

霍桑又问："他中了一刀就死的？"

那女子点了点头。

霍桑又问道："这一刀恰正中在他的太阳穴上？"

王宝球照样点点头。

霍桑咬着嘴唇，沉吟了一下，回头问道："银林兄，你那天可曾在尸体上发现这样的刀痕？"

汪银林寻思道："这……这个我没有注意。那头已差不多被敲碎了，就是有，也一定看不出。"他摸摸耳朵，又说："今天十一点钟，夏医官就要检验。你不妨亲自到验尸所去瞧一下子。"

霍桑取出表来瞧瞧，点点头，又问那女子道："他死了以后，你又怎么样？"

王宝球道："我因着恨他入骨，还不甘心，所以到天井里去拿了一个石鼓磴，把他的头颅击碎，方才悄悄地开了前门出来。"

"你动手的时候，有没有被别的人瞧见？"

"没有。"

"有什么声音吗？"

"也没有。"

"你可曾瞧见一只哈叭狗？"

伊疑迟了一下，又摇摇头。

霍桑又问："你出门后怎么样？"

王宝球沉倒了头，说："我……我就回到我的哥哥家里去！"

"慢，你走出了谢家的前门，可曾看见什么人？"

宝球的头沉得更下了，犹豫着不答。

汪银林提一句："你走出德仁里弄口时，不是看见一个警察吗？"

女子连连点头道："是，我看见的。"

问答停一停。霍桑低垂了头在深思。那女子忽也含羞似的垂落了目光。汪银林用两手抱着他的右膝，安闲地等待下文。我的情绪很紊乱，还看不透这案子的最后结局。

霍桑又皱着眉头，问道："你为什么到今天才来自首？"

伊道："我起先以为这个人死有应得，原打算隐匿不说。但是我看见今天的报纸上载着此事已连累了别的没罪的人。我想芝山明明是我自己误杀的，即使有罪，也应当由我担当。假使我不出首，岂不是反而害了人家的性命？"

霍桑又咬着嘴唇，低垂了头，似乎想再搜寻什么问题。我觉得王宝球的故事很近情理，回想刚才俞秀棠的话，便越觉得牵强。那么这案子闹了一回，却是一件误杀案。现在王宝球自首了，论情度势，在法律上伊也没有多大的罪过。不过那俞天鹏父女既然没有干系，何以彼此争认凶手？这里面究竟还有没有隐情呀？

霍桑又问道："你调查的结果怎么样？可知道芝山的新恋人是谁？"

王宝球踌躇了一下，答道："我……我听说是一个姓俞的女子……我……我不大仔细。"

"你可曾和这姓俞的女子会面过？"

"没有。"

语声又静一静。汪银林立起来，打了一个呵欠，走到书桌面前，从桌面上拿起一张照片。

他说："这照片就是伊带来的，也是一种证据。"

宝球站起来，立在书桌边。我也走近去。照片上有一男一女并肩地站着，背景是西湖中的三潭印月。女的就是王宝球，男的是一个身材瘦小的少年，比宝球还略略短些。他的身上虽穿着本国式袍子，但我一见便知是钱芝山。

王宝球说："这照片是去年春天在西湖拍的。那时他甜言蜜语，说等我师范毕业就结婚。谁知他竟是一个没心肝的流氓！"

霍桑接了照片，似乎全神贯注地在寻究什么，没有听得宝球的话。一会儿他好像怔一怔，抬起头来，向宝球的上下身打量了一会儿，接着又把眼光移到我的身上，照样地端详了一会儿。一种变态突然呈现在我的眼前：先是他的眉峰间的皱纹深刻化；接着他的右手摸到他的下颌上去；他的眼睛也张大了，眼光中露出惊奇的神气。奇怪！为什么？

霍桑突地立起来："哎哟！我太糊涂了！"他急急地掏出表来瞧一瞧："银林兄，十点四十分了。我立刻赶到验尸所去，大概还来得及。你好好地招待王小姐，别的事再谈。"他又回头招呼我："包朗，你回去吧。我怕这案子也许还有变动。等结束以后，我再约你细谈。再见。"他点一点头，拢一拢大衣，匆匆向外面奔出去。

近乎浪漫的事实

隔了一夜，到次日一月三十一日星期二那天，我仍旧没有得到霍桑的消息。难道这案子还没有结束吗？我打电话去问，据施桂回答，霍桑一天到晚在外面，似乎很忙碌。我暗忖王宝球的口供如果属实，这案子大部分已有了着落，霍桑再忙些什么？我记得分别前他的变态，他临行时又曾说过怕案子又有变动的话。可是再变些什么？我只能承认我的脑子太迟钝了。我把各报的新闻仔细翻阅了一遍，有几家虽然已登着王宝球自首的消息，可是一鳞半爪，多半出于牵强附会，还不及我那天亲耳听得的详细。除此以外，更没有新的发展。

一月三十一日下午四点钟光景，我赶到霍桑寓里去。他不在。我等到天黑，还不见他回来。好容易又挨过了一夜，到了二月一日星期三的清早，我又打电话到霍桑寓里去，问问他究竟如何。不料接电话的仍是施桂，霍桑又一早出去了。

太奇怪。这样寒冷的天气，霍桑一清早就出去，难道他还是为着这案子奔走着吗？但他从哪一方面进行呢？莫非关于杀死芝山的凶手另有什么新线索吗？我知道霍桑办事很着重顺序，又喜欢集中精力，一案未了，他绝不接第二件案子。况且他允诺案事结束以后要和我细谈。这时他音信全无，仍在外面仆仆奔波，显见这一件案子还没有全部结束。那么这案子还有什么样的变化呢？我越想越觉纳闷，真像旅行人距离目的地越近，盼望到达的心却越发急切。

早餐完毕了，我忽然在《上海日报》中得到一段消息，果真出我的意料。

那新闻道：

温州路德仁里钱芝山被杀的凶案，本报已一再记载。这案子离奇幻变，实在出人意料。现经总署侦探长汪银林和私家侦探霍桑协力侦查，已将凶案的真相完全查明。犯案的真凶不止一人，是小说家俞某和一个姓王的女子通同合作。

日前那姓王的女子投警署自首，声言钱芝山的死是由于伊自己误杀。伊的目的无非想借此脱罪。但据侦查的结果，才知伊的供述谎而不实。因此俞某见真情已经揭露，想服毒自尽。汪探长现已将俞某送入博爱医院，是否有救，还没有把握。俞某的女儿受此惊变，不日将回常州原籍，请亲族到上海料理。至于谋杀的情由和一切详情，待开庭审讯以后，再行续登。

唉，变化真太多了！这案子由谋杀而变成误杀，又由误杀而证实被杀。这样一层层的变化，我不知道也在读者们的想象中吗？

这新闻给予我的刺激太强烈，我的佩芹也认为太出意料。我再按捺不住，又赶到霍桑的寓所里去。霍桑仍没有回来。施桂告诉我，他是化装出去的，分明要侦查什么秘密。施桂又说这两天中霍桑碌碌不宁，连吃饭都没有一定的时间。

闷葫芦又是一个。据报上的消息，这案子大体既已结束，他还在外面忙什么？这一次我准备等穿他。我坐在火炉边，尽力消耗纸烟。直等到午膳将近，忽见一个衣衫褴褛的苦力闯进来。我定睛一瞧，是霍桑。令我感到更奇怪的，他的眉尖几乎交接，中间刻着深纹，面色也黯淡异常。从他的外貌上估量，他经历的辛苦一定不少，成绩却未必见佳。

他卸下了一件棕色的破外衣，又脱去了破鞋，先开口道："包朗，很抱歉，劳你久待了。这件案子的变幻太多，不但你意想不到，连我也几乎始终被困住在迷阵里面！唉！真危险，我险些陷入无可逃脱的深渊！"

我惘然地问道："霍桑，到底怎么一回事？"我觉得他的表示太突兀。

"总而言之，这是一件绝无仅有的奇案。在你历来的记录之中找不出第二案！"

"当真？现在这案子既然结束了，你能不能就把这离奇的情形说给我听听？"

霍桑连连摇头道："结束？还远，还远！我不知道几时才得结束！"

我不能不惊讶："那么今天《上海日报》上的新闻难道不实在？"

霍桑道："哪里会实在？老实对你说，这只是我的一种策略，希望可以早一些结束。不过这策略有效无效，我还没有把握。"

报纸上的新闻不但不实在，还是一种策略！这真使我摸不着头脑！从种种旁证和他的神气上推测，他的话又绝对不像说笑。

我问道："俞天鹏究竟有危险没有？"

霍桑摇头道："没有。他此刻在博爱医院里。你尽管放心。"他吁一口气："包朗，你不是觉得很诡异吗？是的，这不能怪你。原因是这事本身实在太离奇。等到全部结束的时候，我把案中的曲折说给你听，你少不得要惊奇地出神。"

"现在你能不能先说个大略？"

"对不起。我还不能说。"

"那么你所说的策略又是什么一回事？"

"请原谅。现在也没有到发表的时期。包朗，你再耐心些等一下子吧。"

霍桑说完了，便上楼去更换服装。一会儿他重新下楼，很疲乏似的躺在椅子上，和我谈别的事情，绝口不再提起这件凶案。他留我吃午饭，吃饭时他默默无言；吃过饭后，我也始终没有开口再问的勇气。霍桑吸完了一支纸烟，仍旧扮着苦力模样，重新出去。我也只得抱着整个的疑团回家去。

这是一个最难消受的下午！我想这钱芝山真是个怪人，忽而被杀，忽而误杀，再忽而又是被杀。谁又捉摸得定？现在据霍桑所说，这里面又另有变化，他自己也险些陷入迷阵——说得坦白些，也许他还没有从这迷阵中解放出来！这是件什么案子？他说我的日记中没有第二案，当然就是说他的经历中的第一次！那么它会有什么结果？霍桑说全案的结局还没有把握，当然真相披露的时期，不知道更在何日。

可是事实的发展又是出乎意想地迅速！

当天晚上八点钟，霍桑忽然打电话给我，叫我马上就去。这消息真像一种警报，我仿佛战线上的军士得到了紧急的军令，不敢有一秒钟的怠慢。我立刻冒着刺面的寒风，赶到爱文路。

电灯光映照下，霍桑的面色已和日间的模样完全不同了。他的眉峰舒展了些，那里的皱纹也像给烙铁烙过一下。他正独个儿进晚餐。他脸上的肌肉是舒展的，嘴唇咂咂地吃得津津有味。他的神经显然是完全松弛了。

他含着笑容招呼我："包朗，你吃过晚饭了吗？假使你因着案事没有结束，曾经减少过饮食，那么此刻应得放量地补吃一碗！我告诉你，这件钱芝山的案子在三个钟头以内就可以结束了！"

我惊喜道："那好极！谢谢你，补吃用不着。但这案子怎么样结束？此刻大概已到了发表时期了吧？"

霍桑点点头，放下碗筷立起来走进办公室去，烧着了一支纸烟。

他坐下来，才缓缓答道："发表似乎还嫌太早，不过我不致再使你怎样失望。"

我卸下了黑羔皮大衣，也坐下来烧着纸烟："现在你能告诉我些什么？"

"我已经忙了两天。我去看过王宝球的堂兄王维成；又去拜访过死者舅父谢春圃；我又跟王宝球和天鹏父女俩彻底谈过两三次。"

"那么这疑案的症结一定已给你揭破了，是不是？"

他点头道："是。我不妨先解除你一部分的疑团。你不是替天鹏父女俩担心吗？我告诉你，他们俩实在没有罪，绝不会受什么刑事的处分。你可以放心了。"

"真的？那么天鹏为什么要服毒？"

"他何曾服毒？我刚才不曾告诉你那新闻不实在吗？"

"但是你不是也告诉我他在博爱医院里吗？"

"是的。但他往医院里去是我授意的，也就是我破案上的一种策略，并非他当真服毒。"

"你能不能说得明白些？这策略究竟有什么作用？"

"好！我来从头说起。他们父女俩当初不是都争认凶手吗？这里面的原因的确很困人的脑筋。其实他们到芝山家里的时候，凶案早已发作。只因彼此误会，所以等到我们去追究时，他们就抱着牺牲主义，互相争认。"

"我还不明白。他们怎样误会？"

"那天秀棠的供述伊从伊家里出来起始，一直到钱芝山家的门前为止，句句都是实在的，但以后的故事却是伊虚构的。"

"那么实在的经过是怎样的？"

"伊去见芝山，并没有谋杀的意思，只要叫他想出一种悔罪的方法，恢复伊父亲的名誉。因为他们间的爱情并不曾完全断绝，我果然没有料错。

"秀棠到芝山家里的时候，看见前门半开着，不禁微微诧异。伊走到里面，电灯亮着，忽然发现芝山已倒在地上，血肉模糊。这使伊吃惊不小。伊本想立即退出，但一转念间，伊又觉自己已处于嫌疑的地位。伊为灭迹计，放着胆子，走到书桌面前，预备将伊给他的信札和照片一起取回，以免人家怀疑。可是伊抽开了抽屉，照片和信札已完全不见。伊失望了，也不敢多留，就急急地退出。"

霍桑停一停，吸着纸烟。我又提示一句：

"伊说的伊看见门背后的人影也是虚构的？"

"不，这倒是真的。伊出门时果曾看见门背后有一个黑影，弄口又停着一部车子。那时伊仿佛记得伊到达德仁里的时候，那车子早已停在弄口的对向，只因伊一闪而进，没有细瞧，故而不在意。因此，伊就疑心那门背后的人一定比伊先进芝山家里去。那人因为某种原因已将芝山杀死；等到伊进门的时候，那人刚巧事成出来；正在那时，伊闯进门去，那人就避在门后，又乘势偷看伊的举动，预备嫁罪；一直到伊走出来时，那人仍伏在门背后，大概还想瞧清楚伊的状貌以便之后指认。

"这是秀棠当时成立的假定。因此伊越想越惧,深悔有此一行。不料伊回到自己的家里,悄悄地走进伊父亲的卧房,想瞧瞧他是否安睡,忽然看见床上空空,才觉得那先前伏在芝山家大门背后的凶手不是别人,就是伊的父亲!"

我醒悟地说:"那么,伊实在是误会的。就情势而论,天鹏到场也是在芝山被杀以后,是不是?"

霍桑吐出了一口烟,答道:"正是。天鹏到时,还在秀棠进门以后。那时他看见卧室门半开,室中有人走动,就伏着偷听。后来他看见一个女子走出来,竟就是秀棠,实在出乎他的意料。"

"天鹏去看芝山,大概是有报复计划的。是吗?"

"是的。那晚上他受了芝山的侮辱,确有拼死行凶的意念,故而他先把秀棠打发开去,然后取了小刀,一个人悄悄地从家里出来。他雇了车子到温州路,先到前门口去听听,看见前门半开着。他冒着险走进去,觉得芝山的卧室中有个女人在走动。他静伏了一会儿,蓦然瞧见他的女儿走出来。他还怕自己眼花瞧错了,竭力忍耐着不敢声张。他等秀棠走出了门,回想他离家的时候,自己家的后门也虚掩没闩,起初还以为是仆人的疏忽,经此一证,才知道必是他的女儿比他先出,但他还不知道伊去见芝山的真正目的。后来他走进芝山的卧室中去一瞧,疑问立即解决。他相信那地上的陈尸就是秀棠替他复仇而杀死的。"

我赞同道:"这误会的造成很自然。"

霍桑又说:"那时天鹏惊慌失措,手中的那把裁纸刀便不知不觉地失手落在地上。回家以后他看见秀棠正在他房中掩面啜泣。这时父女俩各怀心事,面面相觑地都说不出话。天鹏以为秀棠是行刺芝山的凶手;秀棠也以为杀死芝山的就是伊的父亲。这是一个僵局,彼此都没有剖解的勇气。直到我们去侦查究问，他们俩仍各抱着误解。后来他们俩各因感情的冲动，都抱着牺牲自己而成全所亲的见解，于是就出现那争认凶手的奇事。"

我吐了一口浓烟，惊叹道："这真是一件绝无仅有的奇事！在这个人主义抬头的社会中，竟会有这种近乎浪漫的利他的爱的表现！这委实是意想不到的！"

室中静一静。两支烟的烟雾在交袅着。火炉中发出些毕剥毕剥的微响。

一会儿，我又问道："霍桑，这一席实话，他们起先为什么不说？你又用了什么方法，才能使他们吐实？"

霍桑道："这一着我费了不少力。天鹏庇护他的女儿，起初不惜说谎抵赖；后来秀棠自己揭发了，他索性回护到底，把罪责拖在自己身上。秀棠也采取同样的态度，掩护伊的父亲。他们俩都抱着决死的心，始终不肯吐实。若不是我另外找得了线索，指破他们的误会，他们俩也许至今还固执成见。"

"你得到了什么线索？"

"嗯，好险哪！假使我没有触发的机缘，那不但他们的误会没法解释，连我也到底被围在迷雾的圈子里！虽则事实的真相终于可以水落石出，但是我的失败却已无可避免哩。"

"喂，我还不明白。什么是触发你的机缘？"

"机缘不止一端，我现在先告诉你一节。当我们把那封匿名信给俞天鹏瞧时，他不是连说着奇怪吗？这一着给我一个触发。我瞧他的情况，好像信中的字迹，他是辨认得出的。那时我想请你给我印证一下。你拒绝了。你想这个人的笔迹如果能被天鹏认识，那人不是和天鹏相识的吗？你再想一想，有一个和天鹏相识的人，写了一封不实在的匿名信来，那有什么用意？这明明是落井下石要证实天鹏的罪！"

"是。这样看，这个写匿名信的人目的在陷害天鹏，是天鹏的仇人？"

"当然！"

"这个人汪银林可曾查出来？"

"没有。他曾往德仁里去一家家查过，并没有这样的人。那人自称邻居的话也完全是假托的。"

我顿一顿，吐了几口烟："你说匿名信中的话不实在？"

"是。我当时就怀疑，现在已经证实了。"霍桑应了一句，又舒一口气。

"哪几句不实在？我记得信上说他看见天鹏从芝山家里出来。但天鹏不是的确去过的吗？"

"不错，但他说天鹏穿着深色的袍子马褂，戴着红结的绒帽，这就是不实在的。因为天鹏后来告诉我，那晚上他出门时穿的是一件西式大衣，头上也戴着一顶西式呢帽，装束完全不同。此外时间问题也不相合。因此，他当时一瞧那信，虽然还不敢直说，心中却明知有人在诬害他。"

"你想这个写匿名信的人是谁？"

霍桑摸摸下颔，迟疑地说："对不起，我此刻还不能回答。但我相信不久你就可以知道。"

我停一停，又问："还有那女子王宝球，究竟和这凶案有关系没有——"

铃铃铃！……铃铃铃！……

电话铃声打断了我的问话。霍桑立刻丢了残烟，从椅中直跳起来，赶步进入电话室去。他显然正期待着什么消息，这时候他的期望大概已经实现了。

另一女子

三分钟后，霍桑已回进来，走到衣架旁去，拿下他的那件黑色厚呢大衣。

我问道："电话谁打来的？"

霍桑道："汪银林。他已经预备出发，问问我有没有动身。快十点钟了，我们也应当走哩。"他将外衣穿上了，又开了抽屉，拿出一把最新式的手枪，放在外衣袋里。

"你现在往哪里去？"

"捉凶手！"

我也立起来。他带着手枪去捉凶手，今夜里还有表演武剧的可能吗？

霍桑接着说："今夜我特地请你来，希望你在捕凶时能助我一臂。"

我立即应道："那当然。但是我没有带枪。你可能借一支给我？"

霍桑摇摇头："不必。我料想今夜不会出什么大乱子。你用不着带枪。"

他已取了呢帽等我穿上外衣跟他出去。

门外西北风呼呼地肆威，吹在面上像刀割一般，冷得着实厉害。霍桑早已雇好一部汽车。他向司机说了一句，便和我一同上车。霍桑裹紧了大衣，靠着坐垫叹息。

他道："这一星期来，不知已经冻死了多少贫苦同胞！社会的分配制度欠完善，造成了贫富悬殊的畸形现象。人们看惯了墙阴屋角的倒毙的路尸，宝贵的同情心也给弄麻木了！真可怕！"

我默然不答。这果真是上海社会的畸形现象。少数人凭着祖宗的遗产，或是利用着权位和压榨手法，获取了大量的金钱，便密室暖房金衣玉食地享受过分的淫乐，而大多数民众却只能挺着瘦骨，与无情的西北风搏战！执政者如果没有调整革新的决心，前途的确非常危险。

汽车在静寂中驶行了一会儿，我禁不住问：

"我们往哪里去？"

"北火车站。"

"趁夜车？"

"我想不必。如果顺利的话，我们只需候在站上，等那凶手自己投到罗网里来。"

"你知道凶手今夜要乘夜车逃走？"

"我料他如此。"

"你只是料想如此？"

"是，不过我也不是凭空的。今天傍晚我得到确实的消息，所以我预料不会落空。"

"那么这凶手到底是谁？'

"你马上可以看见了。"

汽车已到车站。问答自然结束。我们下车走进车站。站上电灯明亮得像白昼。大钟刚指十点一刻，距开车还有三刻钟。但是站上已有不少乘客聚集在票房的左右，等待买票。霍桑把衣领翻了起来，先混在众客之中，向群众逐一辨察。

他低声问我道："这里面你可有面熟的人？"

我也向四周瞧了一回，答道："没有。你说汪银林已经先出发，他也是到车站上来的？"

霍桑点点头："他也许已经在月台上。我们走过去瞧。"

电报房门前一带，也有许多乘车的客人。我瞧见汪银林果真已站在铁栅栏门口。我想走近去，霍桑忙用手肘抵抵我的左胁。

他道："听他去。不必招呼。"

我跟着他走到电报房前。霍桑向里面的一个穿黑呢外衣的年轻职员打了一个招呼。彼此是认识的。

霍桑道："我们想在这里面站一站，可碍事吗？"

那执事笑道："不妨。你们有公事？"

霍桑点头笑一笑，便和我走进去，站在一边。这地方的确妥当，外面的人既不注意我们，我们瞧那从铁门里出去的乘客，却一个个都很清晰。

我向霍桑道："时候还早。你何不趁空再给我解释几个疑点？"

霍桑低声道："这不是解释的时间啊。"

"简单些说几句总没有关系。"

"你的问句还是'真凶是谁'这一句？是不是？"

我道："你没有猜中。我刚才问王宝球有没有关系，恰被电话打岔了，你还没有回答我。"

霍桑想一想，又低声道："宝球也和俞天鹏父女俩一样没有关系。二十八日晚上七点钟时，伊的确去找芝山讨回音，没见面，但半夜时分伊实在不曾去。伊的下半截的故事是杜撰的。伊交出的一把刀是水果刀，刀上的血是麻雀血。"

"真的？"

"我想伊用不着再骗我。"

"那么那警士桑绥丹看见的披狐裘的女子又是谁？"

霍桑迟疑地说："我不知道。嗯，也许……嗯，这女子也许没有关系。"

我又问:"那么王宝球为什么用这假造的故事去自首?"

"伊所以自首,假说钱芝山是自己误杀,目的想替天鹏父女俩销罪。"

"奇怪!这女子也认识天鹏父女俩?"

"自然。不但认识,而且关系很密切。不然伊也不会冒险自首。"

我乘势问道:"事情真想不到。这里面又有什么曲折?"

霍桑道:"曲折很多,不是三言两语说得明白的。……喂,瞧,乘客们已在陆续上车。我们留意些吧。"

霍桑侧着头张目向外望,全神贯注在络绎不绝的乘客们身上。我只得闭口了。

我相信一个性急的人要练习忍耐,霍桑倒是一个最好的伴侣,尤其是在案情将近揭露的当儿,这机会更多。他对于"真凶是谁"的问句既然筑好了一堵钢壁,我自然没法攻破,可是我的脑子仍禁不住活动,俞天鹏父女和王宝球三个人既然都没有关系了,那么真凶到底是谁?王宝球的堂兄王维成吗?这个人确有嫌疑,但汪银林当初的调查既没有结果,霍桑似乎也并不特别注目。那么不会竟是钱芝山的舅父谢春圃吗?据说他那夜里正在卧病,在浦东,但是否实在,还没有证明。莫非他因着某种关系,悄悄地将芝山杀死了,事后才回浦东去装病不起?如果如此,那谢妇和松江老妈也势必知情,怎么又不露一些迹象?霍桑已经去看过这两个人了,结果究竟怎么样?末后我又假定芝山另有什么仇人,恰在那夜中乘机将他杀死。但这里面同样有冲突之点。因为凶手进门的情形,我们曾经有两种假定:一是芝山自己放进去的;一是仆人的出卖。但是谢家的阿四和松江老妈子都不像有通同的嫌疑；若说芝山自己放一个不知谁何的仇人进去，情势上又觉得不可能。十分钟的脑细胞的消耗，结果还是一团漆黑！

我偶然向电报房的外面一望，忽而失声惊呼：

"哼！那个女子——"

霍桑急急靠近我："轻声些！你不是瞧见了俞秀棠？"他的眼睛里射出火焰，灼灼地瞧着外面。

我应道："是。昨天报纸上说伊要回常州去，这一节倒是实在的？"

霍桑不答，忽而低声惊呼："唉！真想不到！"他向人丛中指一指："瞧，秀棠后面还有一个女子呢！"

我看见秀棠穿一身黑衣，提着一只手提皮包，已经走向铁栅。伊的后面果真另有一个提包袱的女子。伊上身穿一件绿色毛葛的皮袄，下面系着玄缎裙子，肩上披着一条黑狐裘的围巾！

奇怪！这女子是谁？王宝球？不是。伊面部的一部分给那狐狸裘围巾掩住，我瞧不清楚。

我问："这个披狐裘肩巾的女子是谁？"

他作简语道："这才是巡逻警士桑绥丹看见的那一个！"

"喔，除了俞秀棠跟王宝球，还有第三个女子？"

"唔！"

"那么伊是谁？"

"是凶手！"

真奇怪，凶手到底是一个女子！

我又问："你早就知道伊吗？"

他摇摇头："不，以前我只有一个疑影，此刻才知道。"

"那么这女人叫什么？"

霍桑不答，问道："你已瞧见伊的面貌没有？认识不认识？"

我摇头道："不。伊的面庞只露出一半，走路的姿态也很生疏。"

霍桑不再问，拉了我走出电报房。我看见那披狐裘的绿衣女子和前面的秀棠之间隔着几个闲人，彼此并不接近。因此，那女子时时引颈仰望，好似怕丢失了秀棠的踪迹。伊的身材很短小，当伊向前面探望的时候，还踮起了足，很惹人注目。霍桑赶紧一步，我也急步追到了铁栅面前，我们已经追近了那个狐裘女子。我从侧面瞧伊，伊的面容清楚些，果然很熟悉，可是一时我又记不起伊叫什么名字，和在什么地方见过。

我低声说："霍桑，很面熟，可是记不得是谁。"

霍桑道："嗯，你觉得面熟？是不是和钱芝山相像？"

"唉！是！"我给提醒了，又说，"对！不但面貌相像，连身材的长短也仿佛。"

前面的秀棠正站住在验票的出口边，后面的狐裘女子也将票子高举在手中，预备给验票员检验打洞。

我一边更逼近伊，一边问道："伊是芝山的姊妹？"

霍桑只摇了摇头，似已来不及作答。他跨上一步，举起手来扬一扬。

他高声喊道："验票先生，别放这位围狐狸围巾的小姐走！"

那验票员接了这女子的票子，正要在票子上打洞，一听得霍桑的大声疾呼，呆了一呆，将票子留住在他的手中，果真不放伊出去。霍桑奔上前去，伸手抓住那女子的肩膀，用力地将伊拉回来。我非常惊奇，因为霍桑用这种鲁莽的手段对待女子，在我的经验中还是第一次！

霍桑把那女子拉过一边，说："喂，小姐，对不起得很，我来扫你的兴。你不必动身哩！"

嗯，什么意思？还是莫名其妙。那女子给霍桑一拉扯，那条黑狐狸围巾松落了，露出了伊的灰白的面颊。伊一言不发，忽举起一只手来和霍桑对抗，动作非常悍猛。

秀棠已离了出口。乘客们大半都为着自己的前程，只投射出诧异的眼光，很少站定了看，这纷扰并不怎样扩大。我虽还不大明白，但霍桑事前既约我相助，我自然不能袖手旁观。我走近那女子的另一边，轻轻抓住了伊的提包袱的左臂。经我们俩左右夹持，那女子便给挟到了一个比较空疏的地点。伊依旧在表演没效果的挣扎，可是始终不开口。霍桑又有一种更不文明的举动，伸手在那女子的头上一掠。我才看清伊的真相，又不禁惊呼：

"唉！你……你是钱芝山！……你没有死！"

霍桑说："包朗，你猜着了！"

他的两手仍不放松这假发落下了一半的钱芝山，他仰起了足尖，向人丛中挥一挥手。我看见汪银林排开了众人，挺着大肚子，昂头急步地走过来。

霍桑说："银林兄，这个凶手交给你。如果有什么口供，请你通知我一声。这里不方便，快走为妙。"

他遥遥地向那个验票员举一举手，随即引着我匆匆走出车站。汽车仍等在站门口，我们毫不留顿地上了车。车子立即开行。

霍桑不等我开口，先说："包朗，今天午饭时我对你说过，这案子全部结束时，会使你惊异出神。现在怎么样？"

我点头道："这样的结果真是意想不到！"

"你的纪录中像这样的奇案大概不多吧?"

"是,简直找不出第二案!它的变化层出不穷,最后一变更是出乎想象!"

霍桑嘻一嘻,把他的大衣领翻下来,又向车窗外看看。

我又说:"我本以为钱芝山是被害者,谁知他竟是凶手。那么,被杀的又是哪一个?"

霍桑道:"那人姓马,叫和尚。"

这个姓名太生疏,我从来没有听得过。怎么半路上杀出程咬金来?

我问道:"这马和尚又是什么样人?芝山为什么要杀死他?"

霍桑道:"话长哩。我们到家里去细细地谈。"

汽车到了爱文路七十七号门前,我们赶忙下车。霍桑打发了汽车,和我一同进去。他先藏好了手枪,脱了大衣,又在火炉里装满了煤;接着,他又从壁角的小橱中拿出一瓶国产张裕白兰地酒,斟了半盏,先送过来敬我:

"包朗,你也喝一些解解寒气。"

我接过了一饮而尽。霍桑也饮了半杯,才回身开了抽屉,取出一罐白金龙来。他给我一支,自己也取了一支,走到炉旁的安乐椅前坐下。他擦火烧着了烟,靠着椅背,伸长了两腿,闭着眼睛缓缓地吐吸。每逢在做长时间谈话以前,他往往有这种状态。我习惯了,只得静悄悄地等他。我坐在霍桑的对面.也烧着纸烟吐吸。他的纸烟上的烟雾袅娜屈曲,上升得很缓,和他苦思时怒喷狂吸的绝对不同。室中完全静寂,只有火炉中的煤块偶然发出些爆裂声。玻璃窗给风先生震撼,不时发出叮叮的微响。

水落石出

经过了五六分钟的养神，霍桑才慢慢地张开眼睛，丢了烟尾，搓搓手。他的故事开场了。

他说："我现在先把钱芝山和俞天鹏的关系告诉你。像芝山这样的人，虽然阴毒可杀，但在色情狂热洪流激荡之下，借着自由的名义而弃旧恋新、玩弄女性的人原也不在少数。芝山是所谓兼祧子，大概从小娇纵惯了，意志薄弱了些。他受不住这洪流的激荡，就随波浮沉了。我们平心而论，也不能单单苛责他。总而言之，他是现在都市社会中的所谓摩登少年中的一个！"

这段开场白不禁引起了我的叹息。钱芝山是受过高等教育的青年，竟会干出这样违法乱纪的事来。社会上这种人又不只他一个，那么我们已往的教育的失败实在是不能讳言的。

霍桑继续道："当芝山在杭州的时候，先和王宝球有过关系。他到了上海以后，是否另外骗过什么女子，我们虽然查不到确证，但他所以投到天鹏家里去当书记，目的就在秀棠。据秀棠告诉我，伊第一次见芝山，就在伊跟着伊的父亲到上海大学去演讲的那一次。那时芝山是学生招待员之一，在天鹏演讲完了，招待茶点的当儿，芝山对于这父女俩已经献过一回殷勤。接着，他利用天鹏招聘书记的机会，就踏进了俞家。这也可见得他的色情狂热的一斑。芝山生着一副天然的柔媚神态，身材面貌也与女性相近。献媚讨好，他又有专长。你知道一个世故较浅的女子，对于这种男子简直无法防御。所以不久秀棠对他也有了意思。当初天鹏本来也赞成的，直到最近，忽然产生了阻力，才正式警戒他，不许他再和他的女儿接近。于是他们的争端就因此开始。"

我问道："这阻力是什么？"

霍桑道："就是那王宝球。宝球起先说，伊因着失恋到上海来和芝山理论，那是事实；但伊说伊只知芝山的新恋人姓俞，并不知道俞家的底细，那是谎话。伊从上海大学方面打听得很仔细，知道他在天鹏家当书记，醉翁之意不在酒。伊好几次在天鹏的门外等候芝山。彼此见了面，芝山总是假敷衍。宝球不得要领，便想釜底抽薪。伊第一次写信给天鹏，告诉他芝山的行径；天鹏才产生阻婚的意思，正式警告芝山。第二次——一月二十日——宝球亲自进去见天鹏，坦率地诉说芝山的寡恩薄幸。天鹏很同情伊，就和芝山发生第二次决裂，把他赶出来。"

我领悟道："喔，因此之故，宝球后来听得天鹏父女杀死了芝山，伊过意不去，才挺身出来替他们洗刷？"

霍桑点头道："是。芝山被逐出来之后，眼见那将要上钩的鱼儿凭空溜走了，心中自然恨天鹏。那时宝球知道天鹏帮助伊，釜底的薪抽去了，伊便告诉了伊的堂兄维成，维成就赶去办交涉。芝山起初还推诿，因此吵起来。后来维成表示诉诸法律，宝球也说天鹏肯帮忙。芝山有些怕，才软化下来，答应写信问问他的母亲，随后再订婚。他约伊一个星期听回音。这兄妹俩方始退出去。实际上芝山只是搪塞伊。他离了俞家，仍私自和秀棠通信。秀棠仍给他迷恋着，恋恋不舍。因此，芝山就越发怨恨天鹏从中阻梗。他是个睚眦必报的促狭鬼。到了天鹏的生辰，他就下了个狠心，实施他的报复手段了。"

"他这样子报复，不但显得手段卑劣，也是损人不利己。"

"是。他说他被天鹏所欺骗，那不言而喻完全是捏造的。但他事后追想，觉得这一着对于他本身也不利，未免有些畏惧。他就布置第二种计划。这计划的内幕怎么样，虽然也不难推想而知，但现在芝山既然被捉住了，不怕他不实供。你不如再等一会儿，汪银林总会有电话来报告的。"

故事到达最高潮，忽然中断了！霍桑故意卖关子？不。他说的是实话，实供自然比推想更切近。不过我的忍耐力太脆弱，只觉得耐不住。

一阵门铃声凑趣地成遂了我的愿望。那个近乎臃肿的汪银林冒夜赶来！

他因着大功告成了，来报告钱芝山的口供。在三条烟雾交纠之下，汪探长说明他用过些小小的手法，迫使钱芝山照实供出来。口供的前半部和霍桑先前所说的完全相同。接着他便说到钱芝山在一月二十八日晚上从俞家出来以后的情形。

汪银林道："他到俞家去的时候，怨恨填满了他的心胸，一心只想报复，什么都不顾了。他本准备报复成就了，一走了事，目的地是南京———一则逃避俞天鹏的控诉，二则避免王宝球和伊的堂兄的麻烦。他起先约定一星期给宝球回音，完全是假的。因为他知道一星期后是天鹏的生辰，他发泄了怨气，悄悄地走掉，便可以脱然无累了。我们发现的那两只整理好的皮包就是他预备逃走的行李。可是他一出俞家的门，比较清醒的脑子使他推想后果，却又不寒而栗。他觉得一走还不能了事。他明知俞天鹏在社会上有相当的地位和名望，他的侮辱的话一经证实，法律上的处分他当然逃不掉；还有宝球方面也不容易应付。除非他逃到天涯海角去，不然说不定有一天会落网。他急急地奔回去，在进德仁里街口的当儿，忽然被绊一绊，几乎跌倒。他俯身瞧一瞧，是一个乞丐，直僵僵地横在路口，原来已经冻死了。"

我惊异到："一个冻死的乞丐？"

霍桑向我点点头，带笑说："是。别打岔。你姑且听下去，自然会明白。"

汪银林继续道："芝山一触便悟出了一个一不做二不休的新计划。他看见那乞丐的身材和他仿佛，就——"

霍桑忽举一举纸烟，接嘴道："不，那乞丐的高度至少比芝山长二寸光景。"

汪银林呆一呆，睁目道："喔，你怎样知道的？可是已经比较过？"

霍桑道："是，我是间接比较的。那天你对我说，尸体的长度是五尺二寸。但芝山本身至多只有五尺。"他回头瞧我："包朗，你刚才曾和他并肩立过。他的头的高度在你的什么部分？"

我答道："我记得只在我的肩部以上，的确很短。"

霍桑点点头，又向汪银林道："好了，你说下去。"

汪银林说："那时候芝山就想一箭双雕，一面自己躲避，一面嫁罪于天鹏。并且他自以为计划如果成就，他还有和秀棠圆满的希望。他进门以后，悄悄地把那乞丐的尸体抱到里面，先用水替尸身洗了一个浴，又给他修个面，剪剪发，然后就将自己身上的衣服脱下，替他穿上。那尸体的面貌当然不相像，芝山怕人家辨认出来，特地将一个石鼓磴抱到里面，把那丐儿的面目完全击碎。可是那乞丐早已死了，当然没有血液流出来。他就——"

我放了纸烟，失声道："唉！那只哈叭狗有下落了！"

我听了芝山替死乞丐洗浴的话，已领悟到松江妈子听得的放水声音，尸室窗外的冰块，和尸室中面盆里的结冰的水脚都有了正确的解释，霍桑起初的洗血手的假定还是错误的。从修面剪发上，我又佩服芝山的心细如发，同时又解释了霍桑在地板上捡得的短发的疑点。这时我又听得银林说起死乞丐身上没有血，我自然联想到了那只哈叭狗。

霍桑也换言道："是的，尸骸上没有血，当然不像样，他就借狗血来代替。不过这小狗实在困过我的脑筋。"

汪银林点点头："正是。我们起初费尽脑力，想不出那哈叭狗怎样失踪，谁知是他自己杀死的。当他杀狗时，那狗也许号叫过一声，可知那松江妈子第二次听得的狗声，实际上也没有听错。"

霍桑问道："那只死狗，他藏到哪里去了？你问过没有？"

汪银林道："问过的，据他说他后来连同死乞丐的破衣，洗抹的毛巾，一起带到外面，丢在马路旁的阴沟里。但他在出门以前，先把抽屉中的信札照片拣出来，又仔细布置了一下，装作在将睡时遇害的样子；接着他换上了女子的衣裳，披了那条狐狸裘围巾，以便掩蔽一部分的脸；又收拾些细软，打了一个包裹，悄悄地走出来。因为他演过新剧，早装备有好几套扮旦角的行头。他认为逃走时装扮女子比较方便些。真刁滑，这一来果真迷乱了我们的眼！所以他穿的那套衣服和假发本是他做戏时的行头。"

我又插口说："怪不得他的没有带出的皮包中还有一条女子的裙。"

霍桑咕哝着说："唉，真狡猾！"他嘻一嘻："不过那条围巾并不是他演戏时的行头，是一种璧还的礼物。银林兄，他没有告诉你吗？"

银林皱皱眉，说："不，他也说明的。因为这劳什子曾迷乱过我的眼睛，我曾特地问过。"

霍桑点点头："好，请说下去。"

"他为着完成他的阴谋，只能将金表和皮包等物暂时放弃。他出门时还只十一点三刻光景。他让电灯亮着，又将前门虚掩。他走出德仁里时，的确看见一个警士——桑绶丹——恰在弄口走过。他避过了警士，丢掉了死狗破衣，随即往法治路的一个名叫利远的小栈房里去过夜。第二天早晨，他就写了一封匿名信寄到谢家，预备陷害俞天鹏。那信就是我们后来接到的。他匿伏了三天，看见今天报纸上说凶案已破，侦探们果然把俞天鹏当作真凶；他又看见王宝球也有通同的嫌疑，更是暗暗得意；新闻上又说秀棠不日要回常州去。他的色心不死，便打发一个客栈伙友悄悄地往俞家去打听，秀棠究竟几时动身。据那看门老毛回答，秀棠当夜就要动身。于是他算准时刻，赶到车站，预备跟上了火车，再和秀棠相见，不料就落在霍先生的圈套中。"

汪银林的叙述告一个段落。它刺破了好几个我先前索解不得的疑团。事实的经过实在太幻复，太曲折，在揭露以前，我承认我万万看不透。大家静一静。霍桑立起来开一扇窗，原因是两支纸烟一支雪茄连续地烧吸着，室中的烟雾太稠密了，简直有些窒息。一阵冷风冲进来，又卷出去，把空气滤得清洁了些。我的呼吸感到舒爽些，其实这不单是物理的原因，一部分是属于心理的。

我问道："霍桑，这案中的疑团现在都有了归结了，可是你在什么时候才瞧破他的诡计的？"

霍桑皱眉道："这一着提起了真难受！我们被困在迷阵中，险些出不来！不过追究主因，这错误应得由银林兄负责。"

汪银林的身子微微一震，肥圆的脸也顿时涨红：

"唔？霍先生，什么错误？"

霍桑含笑道："银林兄，你别生气。当案子发生以后，你既然觉得独个儿办不了，就应得早一些通知我们。可是这一次你偏偏违反了向例，直到检察官到了那里，医官把死尸移到了验尸所去以后，才来叫我。所以第一着错，就在我们没有瞧见尸首。那天又恰逢星期日，验尸所例不办公，也是铸成大错的一个因素。以后几乎满盘都错，都是从这第一着错棋上发生出来的！"

汪银林搓着他的雪茄尾，嗫嚅着道："唔，这果真是我的不是。不过……我起初还不知轻重，以为这是一件寻常的谋杀案，我自己也许解决得了，故而踌躇了一下，不敢来惊动二位。那夏医官本来说过尸体的血迹有些异常，所以吩咐将尸体移到验尸所去仔细地检验。但是我万万想不到会是一出假戏！"

霍桑不再多辩，但点了点头，继续说："我们因着没有瞧见尸首，以为死的果真是钱芝山，故而初步的侦查，便完全向着虚伪的目标，在暗中摸索。唉，我委实不能宽恕我自己！"

他停一停，鼻梁上的线纹加深些，嘴里在叹气。我静默着，瞧瞧汪银林。他呆看着火炉，沉了脸动也不动。

霍桑继续说："试想我们起先所争论的凶手入门时的情形，第二次的狗叫只有一声，狗的失踪，屋中人没有一个听得任何争斗的声响，还有把石鼓磴当作凶器等，在情都觉得不合常态。论理，我早就应得回头了。可是事有凑巧，我们在尸室中发现了一把裁纸刀和一双女子的足印；谢夫人又告诉我有一个披狐裘的女子跟一个穿西装的高个子男子去办交涉的事；在上一天晚上，包朗兄又目击过芝山当众诬衊俞天鹏；我又打过电话给天鹏，竟没有回音。这种种物证和事迹都是引诱我们走上迷路的引线。后来迷路都撞了壁，那封匿名信给予我一星微光，可是我太蠢，还不能回头。因为我看见过芝山写的那篇没写完的论舞艺的文稿，字迹和那匿名信上有几个字的撇钩很相像。不过论文稿是钢笔写的，信是铅笔的草字，又故意掩饰，我还看不透。直到俞天鹏读那封匿名信时连声称奇，我才发生第一次的反省；他们父女俩的争认凶手也违离事实；王宝球的自首，才使我回过头来。自然，我不是说伊的不真实的故事，而是指伊当作证据的那张照片。照片上芝山和伊并肩站着，但芝山的身材，比宝球还略略短些。那时我借你一证，才觉得这里面发生了绝大的误点！"

霍桑又顿一顿，向我瞅了一眼，分明那句话是指我说的。汪银林也回头瞧我。我自己还有些模糊。

霍桑又说："包朗，你的高度不是五尺六寸吗？但我看见宝球的高度，略略过些你的肩膀，和你相差有四五寸光景。芝山既然比宝球还短些，这样一比，可见那芝山的高度至多也不会过五尺。但银林兄在尸室中的地板上，明明画着五尺二寸的长度。这不是显然不符吗？虽则那照片还是一年半前摄的，但是按照生理发育的程序说，一个男子，年龄已到了二十六七，一两年中绝不能增加二寸的高度。因此之故，我便开始醒悟了，死的不是钱芝山，我们走上了歧途哩！我便急急赶到验尸所去，才知道那人实在是先冻死而后被击碎头颅的。验尸的夏医官当时也非常诧异。他已验明死者的头发新近剪过，剪得长短不齐；尸脸上的血液也是另外涂上去的，但还不知道是人血或是动物的血。于是我就明白钱芝山本人实在没有死，只借用一个乞丐的尸首，杀了一只哈叭狗，实施他的李代桃僵的狡计！"

"唉！亏他想得出来！"我禁不住插一句。

"第二步，我就准备把钱芝山捕住，了结这件公案，以便给那父女俩和王宝球洗刷冤屈。可惜我还不知道他藏匿在哪里。我曾到各旅馆去调查，没有消息，因为我想不到他会扮了女子走。我也不曾到利远客栈去。我又访问谢春圃，问问芝山在上海有没有别的亲戚，也没有头绪。我预料他不会走远，便安排了一个小小的计策：一面和报馆里商通，暂时把真相掩藏，另外假造了一段新闻；一面再和天鹏父女俩秘密接洽。我又乘空去看宝球兄妹，查问经过的实情。那时候秘幕既已揭破，他们都和我开诚布公。天鹏才告诉我匿名信的笔迹，他实在认得出是芝山的。但当时他也深信芝山已死，死人当然不会再写信，故而觉得很奇怪。我为布置周密计，特地叫天鹏往博爱医院里去暂住，又叫秀棠吩咐看门的弯背老毛，如果有人去探问秀棠动身的日期，无论哪一天去问，只说当夜就要动身回常州去。

　　"这罗网布置好以后，我虽信芝山的热恋不会消灭，一得消息，或许会投进网来。但我还不知道几时才可以收效，心中也着实不耐。不料他竟比我更加性急，今夜里就使我们成功。那委实是非常侥幸的。"

　　我听了这一番解释，前后的曲折已完全明白。这件事我们起先既不幸走错了路，险些不能回头。后来的转变，我仍不能不佩服霍桑的敏悟。

　　汪银林又道："还有一节，那冻死的乞丐叫什么名字，我查过一回，还没有知道。不过这一节是无关重要的。"

　　霍桑答道："虽然，我倒费过好一会儿工夫，化装了苦力，到那班流浪群中去查问。这乞丐有两个生理特点，招风耳，尖下颌。直到今天下午，我才查明那叫马和尚，还只二十一岁，是个'燕子窝'①的小开。他起初不花钱地吃上了鸦片，又没职业；父亲死了，又从鸦片升级到白面。白面的毒深入骨

① 指抽鸦片烟的场所。

髓，无论什么年龄的人沾染了它，寿命不能维持到三年以上。这马和尚大概因着冷得厉害，起先躲在街口里门楼下避风，后来受不住寒威的侵逼，终于倒在地上。"他深深地叹一口气。

叹息声引出一片静默，延续到半分钟以上。汪银林就起身辞出。

我又说："如此说，钱芝山虽然可恶，但他在法律上却没有多大处分。"

霍桑道："是。他只杀了一只狗，毁坏了一个尸体，又有一种栽赃图害的行为。我不知道在法律条文上他应当受怎样的罪，但这一来多少总可以处治他一下。"他又叹一口气，站起来："包朗，夜深了，你就住在这里吧。不过你在睡以前，我还有一件最后的任务，不能不烦劳你。"

我问道："什么事？"

霍桑道："你得马上把这回事的真相草一节简短新闻。我打电话到《上海日报》报馆去，叫他们立刻来接稿，以便在明天报上登出来。你总知道这一着对于俞天鹏父女的名誉很有关系。你总也愿意为朋友尽力。像俞天鹏这样有主义有思想的作家，现在找不到几个，我们应得爱护推崇。所以这一回事，我们得竭力注意，不使他的名誉受到任何影响才好。"

我自然一口应承。但我写的新闻，二月二日星期四的早报来不及披露，直到当天的晚报出版方才刊出，内容也充实了不少。晚报上除了我所草的一篇记载以外，另外又有一节新闻，也和这案子有关。那一位色情狂热的少年曾在拘留所中企图自缢，可是没有成功。这大概是他的悔罪的觉悟吧？唉，我深深地祝祷他能够如此！

案 中 案

一个死人

"包朗，天已经晴了！……唉！红润润的朝霞布满了蔚蓝的天空。多么可爱！……快起来，跟我一块儿出去散一散吧。"

这是一个秋天的清早，霍桑比我先起床。他的右手拿着一支双十牌的牙刷，左手执着一只江西出品的五彩花鸟的漱口杯，正凭着东窗的窗口，在刷牙漱口。他回过头来，向着我的床发出那几句富有诱惑力的呼叫。

霍桑起身特别早，已成了固定的习惯，无论风雪严寒，从来没有变动过。他起身以后，总须往外面空旷的所在去兜一下子，一则活动一下肢体，一则吸收些新鲜空气。这是他每天唯一的运动功课；除了在案子急剧进行的当儿，万不得已偶然停顿以外，二十年来他从不肯放松一天。当我和他同居的时候，我起身的时间总比他迟些。但他逢着春秋佳日，天气晴温，往往要把我从睡梦中叫醒，拉着我一块儿出去散步。

那天我被他唤醒以后，先向窗上一望，那可爱的晴光也催促我一骨碌地从床上爬起来。五分钟后，我漱洗已毕，身上已穿好了一身淡灰色国产哔叽的单西装。

霍桑向我说："你把那件章华出品的薄呢外衣也穿上了吧。昨夜里刮了一阵大风，寒暑表上已降低了四度。"

我推开了窗，探头向窗口外望了一望。一阵清冽的寒风从我的面颊上拂过，使我感到寒凛而舒爽。

我应道："是啊，冷得多了。天气要是不变冷，也不会晴。"

霍桑说："这是入秋以来第一个冷汛，大概有好几天可以晴哩。"

最近接连阴了几天，沉沉的阴霾像破棉絮似的塞满了天空，连绵的细雨蒙蒙，使人非常闷损。这一天突然放晴，陡觉秋高气爽，虽是冷些，精神上却舒畅得多。

外面的空气的确是澄鲜异常。松爽的感觉，因着嗅神经的媒介，顿时展布到全身。一轮红艳的晓日已从东方推升起来，红霞缕缕渲染着蔚蓝的晴空的一角，煞是美丽。道上的泥泞，经风姨一夜的收拾，也已完全干凝。我们沿着那树荫下的侧径慢步行进。干黄的树叶在树头籁籁地颤着，一阵风过发出萧萧瑟瑟的哀音，又一片片落在我们的身上。

我不禁怅触地说："唉！这些叶子的生命已经到了归宿期了。人们的生命也正像这叶子一般地短暂，归宿的期限也只在转瞬间哩！"

霍桑回头向我瞧了一眼，问道："包朗，怎么？这是你的秋兴？还是秋感？"

我应道："是的，我承认秋是容易兴感的季节。你的头脑是科学化的，难道机械得连秋感也没有？"

"唔，秋感？是的，我也有，不过跟你的不同。"

"不同点是什么？"

"你所感到的，不是秋的肃杀和凋零吗？我可不是。我只觉得秋是结实收获的季候。它给予我的是一种反省，只有警惕，没有伤感。你却因着木叶的凋谢，连带地引起了对于人生短促的悲哀。这是一般颓废诗人的消极观念。要不得，包朗，要不得。"

我默然地走了几步，又说："霍桑，你好像已经看透了生命的哑谜。你的议论有些近乎庄周的'一死生齐彭殇'的观念。"

霍桑摇摇头："不。我以为生命不能无死。死有什么可悲？不过从人群相互关系的立场看，人们在瞑目以前，若不能给人群做几件事，不能发挥一些天赋的创造本能，不能在这个世界上留几条利他的痕迹，却只白白地消费了自然的赐予和他人的劳力，而庸庸碌碌悠悠忽忽地死去，那才觉得可悲——那才是无可补救的悲哀！"

霍桑的意志非常坚强。他的人生观可以简括地用"积极敢为"四个字来代表。所以他有着孜孜不息的服务精神，我果真比不上他。我的人生观也不能不承认和他的略有差异。

霍桑继续说："包朗，一般人对于罪恶的见解怎么样？他们不是只把犯法作恶才算是罪恶吗？不是！那是消极的看法。你得知道那些饱食终日无所事事，和韩昌黎所说的'薄功而厚飨'的人们虽不为非作歹，却只知自利而不知利他，也未始没有罪——"

他说到这里，突然停了脚步，闭了嘴，作倾听的模样。我们正向东行进，这时候已走近大通路口。我留神一听，果真有一种脚步声音，在大通路的水泥人行道上很急促地行进。那人的口中还在不住地嚷着：

"一个死人！……一个死人！"

那声浪在清晨静谧的空气中振荡，非常清晰刺耳。我随着霍桑抢前一步，已踏进了大通路口。一个穿灰布短衣的人迎面奔过来，嘴里仍在高声喊叫：

"警察……一个死人！……一个死人！"

霍桑急急迎上去，问道："哪里？死人在哪里？"

那人举手向后面一指，答道："在后面桃源里。"他说完，仍继续向爱文路奔去。

霍桑也不阻拦，目送着让他过去。他向我招一招手，就迅步向桃源里走去。

那时街上行人稀少，只有一两部空车在街边慢吞吞地荡着。我们走进桃源里时，家家关门，也仍静阒没人。平常发案的人家的门前，总有许多闲杂人聚观，此刻却完全没有这种现象。因此我们竟不知道那短衣人所说的死人究竟在何处。我看看几条弄中的人家都还闭着大门，地上又不见陈尸。当然，我们也不便冒失地叩门查问。

霍桑忽指着第三弄里，说："瞧，那里不是有一个死人吗？"

我依着他所指的方向瞧去，看见第三弄的中部，靠近一家后门，有一个女子靠墙壁站着。这就是死人吗？死人怎么还能立着？可是我仔细一瞧，便又看见那女子的两足实在没有着地。

我失声道："唉！伊还吊在那里呢！"

我们奔到了后门的近旁。我看见那女子的身材相当短小，上身穿一件玄色镜面呢圆角的夹袄，下面系一条玄色纯锦缎的裙子，足上穿一双黄色半高跟皮鞋，装束很新式，但衣裙有些杂乱，已失去了整齐的美观。我更瞧伊的头部，头颈里有一条黄色的丝带，吊在一扇后窗的铁直棱上端的横条上。伊的脸部虽向着墙壁，但我从侧边瞧去，那失血枯黄的面色已足使人寒凛。伊的时式的"S"式发髻，那时候非常蓬乱。霍桑仰起了足尖，伸手翻一翻伊的发髻，在伊的头上摸了一摸，又摇摇伊的垂落的手，随即摇了摇头，表示已不能挽救。

我开口道："伊大概是被人勒死的吧？"

霍桑正要答话，忽用肘骨在我的身上抵一抵。我听得呀的一声，旁边的一扇后门开了，走出一个穿黑布夹袄的老妈子来。伊一眼瞧见了挂在墙上的女尸，忽而倒退一步，也失声骇叫：

"哎哟！……不得了！……不得了！"

那老妈子仿佛受了催眠似的嘴里乱呼着，身子却呆立着不动。伊的两眼大张，只盯在尸体身上。伊仿佛没有瞧见我们。

霍桑急忙婉声问道："老妈妈，不要怕。你可认识这个女子？"

那老妇的年纪足有五十左右，瘦损的面颊上刻着许多深深的皱纹。这时在伊受惊之余，面上已没有血色，那枯皱的肌肉益发显得干燥老丑。伊听了霍桑的问话，便把惊骇的目光仰起了些，从尸身上移到我们两人的身上。

伊答道："这……这是少奶啊——是我的主人。我昨夜等了半夜，不见伊回来，正自着急，却不料会这个样子！——先生，伊可还救得活？"

霍桑摇头道："来不及了。伊的肢体已硬。我看伊大概已经死了好几个钟头。"

老妇颤声道："那么伊怎样死的呀？"

我插口道："伊大概是被人勒死以后吊上去的。"

霍桑忙摇摇头，改正我道："包朗，别乱说。这模样像是自己吊死的。"

我听了这句驳语，有些不服。因为那女子的两足离地足有四五寸光景，地上只有一把竹丝扫帚，并没有石块或别的垫足的东西。若说自尽，伊自己怎样能套进带环里去？但这时候已不容我置辩。那斜对面的一个石库门开了，走出一个矮小的男子，披了一件栗壳色哔叽的袍子，一边在扣衣纽走近来，一边像在摇头叹息。这人似乎是被我们的声音引出来的。同时那起先在街上呼叫的短衣人，也领着一个穿黄制服的警士匆匆地从弄口进来。霍桑等那警士走近，先向他低低地接洽了几句，接着便开始指挥。

他说："你快去打电话报告汪侦探长。你说我已经到这里，请他就来。"

那警士答应了一声，果然又回身奔出弄去。但那报警的短衣人仍站在我们旁边，向我们呆瞧着，似乎在诧异他跑了不少路，好容易找到了一个警士，我们怎么轻轻地把他遣开去，同时又怀疑我们有什么权力，竟能指挥警士。

霍桑问他道："你是谁？这死人是你发现的吗？"

那人答道："我叫金三，是这弄里的看门的。今天清早我照常起来打扫。扫到这第三条弄的时候，起先还不在意，直到这后门口时，我抬头一瞧，才看见这朱医生吊在墙上。我吃了一惊，在后门上敲了几下，没有回音，我才丢了扫帚，奔出去叫警士。"他随即把丢弃的扫帚拾起来。

老妈子也接口说："我原是被敲后门的声音惊醒的。昨夜我等候少奶，直到天快亮了，才倦极睡去。刚才我听得了敲门声音，以为是少奶回来了；但我因着怕惊醒小主人馨官，故而不敢放声答应。谁知我穿好衣裳下楼，便看见少奶已经这个样子——哎哟！可怕啊！"

霍桑问道："你家里有男主人没有？"

老妇摇了摇头。旁边的金三忽抢着答话。

他说："现在伊家里只有一个挂号的戚先生是男人，此外还有一个小弟馨官。朱医生的丈夫叫宋杏园，已经死了一年哩。"

我一听这个姓名，便插口问道："宋杏园？可也是做西医的？"

金三连连点头道："正是，正是。以前那位宋杏园是外科医生；这位朱仰竹是看内科的。他们都是好医生。我们请朱医生看病，朱医生总不要钱，还反而给药。"

这宋朱夫妇俩本来都在红十字会中服务，很有些声誉。三年前上海发生了时疫，他们俩着实尽过一番力。我在报纸上时常读到他们的名字，故而至今还没有忘怀。但这孀妇何以会遭这样的惨死，确是一个值得注意的问题。伊究竟是被人勒死的？还是自己吊死的？假使霍桑的说话属实，伊是自己寻死，那么死的方法很多，伊为什么采用这吊死的方法？并且为什么这样子吊死在伊自己的后门外面？这种种疑问，一经汇集在我的脑府，我的好奇心顿时受了刺激而活跃起来。

一封信

二十分钟以后，我们仍守伺在尸体旁边。看热闹的邻居又添了两个。一个是四十左右的女人，另一个妇人年纪轻些，像是佣仆。她们俩在窃窃私语，脸上都显着惊诧，又像是惋惜。最先那个穿栗壳色袍子的男子也还远远地站着，只在运用他的耳朵和眼睛，却不开口。霍桑向这几个邻人瞧瞧，好像要开始向他们搭讪，乘机探听什么。可是他还没有开口，那个方脸肥胖的警厅侦探长汪银林已匆匆地赶来。汪探长是我们的老朋友，已经联手办过不少案子。霍桑先和他谈了几句，就决定先把那女尸放下来。我才瞧见这死妇的面容。

伊的年纪在三十左右，瓜子形的脸，生前一定相当美丽，这时候却两眼微张，灰白色的辅颊向内陷落，显得很瘦。伊的嘴唇张开，舌尖微微从牙关中吐露，嘴角上也有口沫的干斑。那明明是一种缢死的证明。霍桑又把那条丝带的结扣察验了一下，指给汪银林瞧。汪银林在日记上记了下来，顺手将带解下。那窗的铁棱上面，本有许多灰尘锈屑，带子上染着了不少。

我们不顾忌讳，将尸体从后门里移进了屋子，放在客堂中的一张睡椅上，同时关上后门，禁止任何闲杂人们进来观看。那客堂是兼做诊室用的，除了沙发睡椅以外，有一张书桌和一口药橱，布置很简单整洁。壁上有一张朱氏夫妇的半身小影，一旁有一张诊例，末行还附着"贫病免费"字样。这在西医倒是罕见的。

霍桑先揭开些衣角，在尸体上略一察看，才说："这条丝带本来是伊束裙用的。"

汪银林问道："霍先生，你以为伊是自己寻死的？"

霍桑正偻着身子察验那女尸的手指。那手指很纤细，洁白无尘，但那种白是没血色的死白，见了也觉可怕。霍桑把尸手放下了，指着伊的头颈里的一条痕迹，向汪银林回答。

他说："是，我相信伊是自己吊死的。瞧，这一条缢痕，两端不交，不是恰成一个八字形吗？"

我凑近去瞧瞧，那前颈上的带痕果然是从耳后斜向上去，后颈上并不交接；颈后有松乱的发髻掩蔽着，一时瞧不清楚。

我说："若说伊是自己吊死的，离地既高，伊又怎样套进带环里去？"

霍桑含着笑容，答道："伊难道不能用手攀住了丝带，使身子吊上去些，然后再仰头套进去吗？"

我道："这个动作非习过柔术的人不行。这女人如此瘦弱，伊的手臂似乎不会有这样的气力。"

霍桑不答，但皱了皱眉，又低着头察看那夹袄上的纽扣。

汪银林道："这个纽子一部分已经脱线，似乎被什么大力的人拉断的。你以为怎么样？"

霍桑依旧静默，但点了点头。

我又插口道："这样，又足见得伊是曾挣扎或被什么人殴打过的。合着我被人勒毙的推想，不是更近一步了吗？"

霍桑正在招呼那老妈子走近些，预备问话，听了我辩驳的说话，忽回过脸来向我霎一霎眼睛，似示意不要多说。我才明白他所以说是吊死，不是勒毙，大概有所顾忌，并不是由衷之谈。那时他见我认真辩难，一时又不便说明，所以只得给我一个暗示。

霍桑问老妈子道："你刚才说昨夜你等候主人回来，伊可是昨天晚上出去的？"

老妇答道："正是。"

"什么时候出去的？"

"约莫十一点光景。"

"伊为了什么事出去？"

"伊是出去看病的。"

"你确知伊出去看病，不是为别的事？"

"是，我确知伊不为别的事。"

"你怎样知道的？"

"因为伊临走时带着那只出诊用的皮包，还对我说往沈家去医病。现在那皮包也没有了哩。"

汪银林的惊呼声音突然打断了霍桑的问话。

他说:"唉!这里有一种重要证据呢!"

当霍桑向老妇究问的时候,汪银林卷起了那件宽大的黑缎夹袍的袖子,一个人还在察验尸体。这时他忽不自觉地喊了一声。我们都不由得回头去瞧他。他手中正执着一张信笺,眼光凝注在笺上,露出一种得意之色。

他将信笺授给霍桑,说:"霍先生,这封信是我在伊的内衣袋里检出来的。你瞧,可有些意思?"

我凑近去瞧。那是一张白色的洋纸信笺,用钢笔写的,墨水是蓝黑,有八行之多。

那信道:

仰竹夫人:

　　我已好几天没有见你,不知你的身体更有些进步吗?咳嗽已经停止吗?你是当医生的,在理应当知道怎样保养。你虽怀着济世救人的心,在医务上不惜劳瘁,但也应为你自己的身体着想。你眼前虽觉孤寂,生活上没有充分的兴味,但论你的年龄,未来的生命正长,又有你的馨儿做伴,安知将来没有更愉快的境地?因此,你的意志不应太趋消极,应得努力珍卫,多多休息,以便恢复你的康健。我进这忠告,自问不无冒昧,但你若能鉴我的愚诚,俯加采纳,那我真是十二分荣幸了。

薄一芝上

十月三日

霍桑读完了那信,沉吟了一下,便舍了那女仆,向汪银林说话。

他问道："你以为这封信怎么样？"

汪银林答道："我瞧这信是男子的笔迹。"

我暗暗点点头。那信的笔力非常有劲，并且用钢笔写的草体也很自然，果真不像是女子的手笔。

霍桑说："这一点我也赞同。但你认为这东西是一种要证，有什么意思？"

汪银林道："我瞧信中的语气，似乎这姓薄的男子和死者有什么密切的关系，也许竟是恋爱。"

霍桑道："何以见得？"

"我觉得信中的语气太恳挚。"

"这也是友谊所许。"

"可是男女间的友谊竟如此密切关怀，似乎应当别论。"

"唔，你这话未免少见多怪吧？"

霍桑微微一笑。汪银林红了红脸，又用手摸着他的肥阔的下颌，低垂着头。

他又说："我的话虽然率直，但无论如何，他们中间的关系一定非常密切。现在这妇人的死，明明有许多可疑之处，那么这一个关系密切的男子，又怎能保完全没有干系？"

霍桑紧蹙着眉峰，忽也同样地向汪银林丢一个眼色，似示意不应在仆妇面前发表这种话。于是我更相信霍桑先前所说那妇人是自己吊死的话实在是别有作用。

霍桑又说："你从这封信上着想，说他们关系密切果然很近事实，不过在我们查明这妇人死亡的原因和真相以前，薄一芝究竟有没有关系，还不能轻下断语。现在你姑且先听听这老妈子的话，然后再打算进行的步骤不迟。"他又回身问那仆妇道："老妈妈，你把昨夜的事情仔细些说。你说昨夜十一点钟模样，你主人被人请出去看病，是不是？"

老妇点点头："是。"

"那时你可曾安睡？"

"还没有。我在楼上扎鞋底。但馨官已经睡着。那时少奶一个人在楼下看书，伊是每夜如此的——日间给人医病，虽是穷人看病付不出钱，伊总也一样尽力，晚上还要看书看报，不到十二点钟不睡。我们这里除了那挂号的戚先生以外，连小主人馨官一共只有三人。晚上戚先生既已回家，越发冷静，所以我每夜总要等少奶上楼回房以后方才睡。"

"昨夜里怎么样？"

"昨夜十一点钟光景，我先听得一阵子门铃响，接着便听得少奶和人讲话。我因此走下楼来，看见伊正打点皮包，准备出去。伊一见我，便道：'蔡妈，我还要往沈家去看病。你先睡吧。'昨夜天气忽然变冷，少奶病后的身体还很虚弱，我很怕伊抵挡不住。但我探头向前门外面瞧瞧，有一个女仆等候着同去，又觉得不便劝阻。我向少奶说：'外面很冷呢。'少奶已经提起了皮包，向我点点头：'我知道。但是人家有急病，我怎么能怕冷不去？他们有包车来接，不妨事。蔡妈，你先去睡。'伊回身走出去，随即拉上大门。但听得刮的一声，门已锁上。我也就上楼去了。"

霍桑微微点着头，感喟地说："这倒是个好医生，可惜！"

这句慨叹引起我深切的同情。像这样一个富于同情心的医生，一旦死于非命，实足令人惋惜。要是内幕中真有什么阴谋，平反昭雪，实在是我们无可推诿的职责。

汪银林接着问道："伊昨夜出诊，事前可曾和你说起过？"

蔡妈道："没有。伊是临时被人请出去的。"

"伊在出诊以前，可曾说过伊还要到别的地方去？"

"也没有。"

"平日伊在夜间可是常常出去的？"

"伊除了看病以外，晚上是不出门的。"

"那么伊晚上的诊务忙不忙？"

"不忙。夜间出诊是难得的，一月中不过一两次。"

汪银林把回答的话在日记上记了几笔。霍桑就乘机开口。

他问道："你刚才说昨夜你主人是被一个姓沈的人家请去的。你可知道这个姓沈的是什么样人？"

蔡妈点头应道："知道的。沈家是个老主顾，住在平桥路上，前天日间也曾来请过。"

"这姓沈的是男是女？叫什么名字？"

"这……这个我不仔细。回头你可以问挂号的戚先生。"

霍桑觉得这老妈子有些吞吐不决，也开始怀疑起来。他又瞧着伊做进一步的究问：

"蔡妈，你既然没有知道底细，怎么又一口说定是老主顾姓沈的请去的？"

"少奶告诉我的。"

"我听你说，你主人只说到沈家去看病，不曾说老主顾啊。"

"我认识沈家的那个女佣人。因为在这一个礼拜中，伊来请过两次。昨夜里我听声音是伊，才知道是平桥路的沈家。"

"你不会听错？"

"不会。我不但听得伊的声音，还看见伊站在前门口。"伊低头想一想，"我……我记得看见伊身上穿一件青布的衣裳，前面还罩一个青莲色绵绸的围身。"

"喔，你瞧得这样清楚？"

"是，先生，绝没有错。"

霍桑的眉峰忽似皱缩了些，他的牙齿也咬着嘴唇，显得踌躇不决。

汪银林在旁边连连点头接口道："那已够了。霍先生，我们就从这条路进行吧。"

这时候忽有一个瘦脸的男子从后面走进客堂。那人的年纪已在五十以上，戴近视眼镜，上唇上有些稀疏的黑须，背有些弯。他穿一件灰色旧绸的薄棉袍子，罩一件黑呢马褂，装束非常朴素。蔡妈一瞧见他，便点点头上前招呼。这人就是姓戚的挂号员。他一望见睡椅上的陈尸，不禁惊骇地愣住了，分明朱仰竹这样惨死也出乎他的意料。霍桑忙温语招呼，又把发现的经过情形约略地向他说一遍。汪银林似已急不待缓，忙把蔡妈所回答不出的姓沈的人家的问题向他究问。戚某应了一句，便开了一只靠窗的挂号小桌的抽屉，取出一本挂号簿来。霍桑和我都凑近去瞧。

他一边用颤动的手指将簿子翻开，一边自言自语地说："要问姓沈的吗？……唔，前天十月五日，平桥路五十九号，姓沈的来请过一次；十月三日也来请过一次。……九月二十七二十八日两天，海关路松柏里第三弄十五号，有一家姓孙的接连请过两次。"他又翻了两页："从上月二十三日起，朱夫人病了三天，没有出诊。……唉，九月二十一日，另有一个叫作沈辅仁的曾来请过，他家里住在老西门内仓桥街……唉，这里有一个夜间的出诊。那是九月十九日，姓毛，住在方浜路——"

汪银林忽摇手作不耐状，道："喂，你别唠唠叨叨地搬出这许多人来。我们只要知道那个住在平桥路的姓沈的究竟是个什么样人。你但把这个人的情形告诉我们，别指东话西，乱我们的思路。"

挂号的把号簿合拢了，又像惊慌，又像抱歉似的连声应道："是，是。我记得平桥路沈家里是一个女仆来请的。"

汪银林向我们瞅了一眼，又微微点点头，似乎示意这话已和蔡妈刚才所说的吻合。

他又问道："你可知那害病的是男是女？"

挂号的说："据那女仆说，生病的是伊家的小姐。"

汪银林忽皱着眉峰，作失望状道："你确实知道害病的是个女人？"

"这是那女仆在挂号时告诉我的，谅必不会说谎。"

"朱医生看病回来，可曾说起过没有？"

戚某摇了摇头。汪银林也不再问，回头来向霍桑商量。

他走到霍桑身旁，问道："我以为这是唯一的线索，我们就从这方面进行。你看怎么样？"

霍桑用右手抚摸着他自己的下颔，仍在端详那横在睡椅上的尸体，现着迟疑不决的神色。

他缓缓地反问道："你打算怎样进行？"

汪银林道："我们先往沈家里去探问死者昨夜诊病时的情形怎样，伊是不是在这沈家里有什么气恼，或在半路上出了什么岔子，才使伊回到家门，便起了轻生的意念，吊死在后门外面。"

霍桑的眼睛忽又向那蔡妈和呆立的挂号员瞟了一瞟，随即凝视在地板上面，默默地不答。他似乎正运思出神，没有注意汪银林的话。汪银林有些不耐，正要催促，霍桑忽又仰起头来，凑近汪银林的耳朵。

他低声说："我老实说，这妇人实在不是伊自己吊死在后门外的！"

无意中的线索

霍桑这一句话，声调说高不高，说低不低，我在他的旁边也听得清楚。这话的意思，在我本早已有同样的猜测，但银林却有些诧异。他起先似听信了霍桑的表示，当真信作朱仰竹是自己吊死的。这时他呆呆地向霍桑瞧了一下，又回头瞧那老妇。老妇正侧了脸和挂号的密谈。汪探长便也低声反问。

他问道："这样说，伊是被人谋死的？"

霍桑点点头。

汪银林又问道："你怎样知道的？"

霍桑道："你刚才不曾看见那后窗的铁棱上满积着灰尘锈屑吗？假使伊是自己吊死的，当伊将丝带穿进铁棱里去时，伊的手指上多少总要沾染一些灰锈，是不是？现在你但仔细些瞧瞧伊的两手，便可以明白。"

这话竟提醒了我。当时我也明明看见死人的两手洁净无尘，那条黄丝带上却沾了不少铁锈。我要是能够着眼在这一点上，那么对于霍桑的另有作用的表示，早就用不着辩了。

汪银林的眼睛果真又向尸手上瞥了一瞥，方连连点头："不错。那么伊是被人谋死了后偷移来的？是吗？"

霍桑又照样点了点头。汪银林把日记收好，藏进他的黑缎夹袍的袋里去。

他紧闭着嘴唇，作坚决声道："这样，更显得那姓沈的女子一定和这凶案有些关系。"

霍桑皱眉道："一定的话还难说。你姑且不要抱定成见。"

汪银林似乎不大服帖，辩道："可是事实上我不能不疑。你想死者平时既不常有夜间的诊务，昨夜里这姓沈的请了一次，便送掉伊的性命。事实如此，你也能说是出于偶然的凑巧吗？"

霍桑低垂着头，仍忍耐地答道："这果然是非常可疑的。但若仔细推想，这里面问题还多。你所料的这姓沈的女人或许设计害伊，那固然是一种可能的假定；可是说不定另外有一个人，却从中利用这个机会。再进一步，昨夜里来请出诊的这个姓沈的人，究竟是男人还是女人，住在哪里，也还难说。我看见号簿上有两个姓沈的，另一个叫沈辅仁的似是男子。此外还有一个姓孙的，沈和孙发音也很相近。因此，昨夜来请医的一家，究竟是哪一个沈家，我还不敢说定。"

汪银林并没有放弃他原来的见解，立即答道："这又何用怀疑？蔡妈不是已经确切证明了吗？伊说是平桥路的那个沈家啊。"

霍桑的脚尖在地板上移动了一下，仍低垂着头不答。我也觉得这一点刚才既已证明，霍桑未免过虑。

一会儿，霍桑仰起头来："也好。我就先往平桥路去走一遭。但我们三个人用不着一块儿去。银林兄，你去报告法院，随后把这尸体送到验尸所去；一面再派人在这里附近探听一下。"

银林问道："探听什么？"

霍桑又低声道："昨夜深夜，可有人看见什么车子停在弄口，或车进这弄里来。"

汪银林似乎仍不理解："这有什么意思？"

霍桑又低声道："据我料想，那人把尸体移送到这里来时，一定也是用车子的。否则，扛了或背了尸体在马路上走，虽是深夜，谁也不会有这样的胆。故而我们若能够查明那车子的来踪去迹，实在是很重要的。"

这见解倒得到了汪银林的同意。他点点头，不再反辩。霍桑又问老妇，弄中的邻居们有没有和死者往来密切的人。据蔡妈回答，死者为人和蔼，对邻居们都很亲善，但是也没有特殊密切的人。霍桑又问起那个写信的姓薄的人，是否和死者时常来往。老妇说这薄一芝是一个画家，本是死者丈夫宋杏园的好朋友，自从杏园死后，他也常来存问。霍桑把探问的情形也在日记册上记了下来，便和汪银林约定，分头办事。我仍跟着霍桑往平桥路去。

那时我们还空着肚子，但好奇的心理控制了我的意识，竟不理会胃肠间要求补充的警报。死者是当医生的，忽而被人谋死，究竟那人有什么动机？为钱财吗？我瞧伊家中的陈设器用，并不见得怎样富有。为恋爱问题吗？这是一个职业女性，又是孀妇，并且伊已有一个七岁的儿子，似乎也不近情理。此外虽另有怨仇、嫉妒等原因，但这时漫无根据，在势也不能凭空武断。

平桥路五十九号沈家是一宅双幢的石库门屋，门前很清洁，屋子也是新建的。霍桑向门口左右瞧了一瞧，便上前去敲门。开门出来的是一个年约三十的女仆，身上穿一件玄色布的棉袄，外面果真罩着一个青莲色的绵绸围身。蔡妈的说话果然一部分证实了。我又瞧伊的状貌，有个尖下巴的脸，一双黑目，两条浓眉，有几分姿色，又似乎很聪明伶俐。

霍桑劈口问道："你家小姐今天好些吗？"

那女仆在门口里面站住了，一边用伊的黑而俏的眼睛向我们俩上下打量，一边点了点头。

伊应道："好得多了。先生是谁？"

第一句已经中鹄的，案子的进行不能不算顺利。现在伊要问我们的来历，霍桑自然不便回答，我不能不设法岔开。

我抢着说："伊不是昨夜里服药以后才好起来的？"

那女仆又点头道："是的。"伊顿一顿，忙又改口："唉，不。药，伊还是昨天傍晚时吃的。"

我乘势进逼一句："昨夜里你家小姐不是又请过医生的吗？"

那女仆开始有些怀疑了。伊瞧瞧霍桑，又向我呆瞧了一会儿，才摇摇头：

"没有啊……先生们到底是谁？"

这女仆的口气变了。莫非伊已从怀疑而有所准备，故而抵赖不成？

霍桑给我解围似的说："我们受了朋友的委托，顺便来问候你家小姐。现在伊既然好一些，我们也可以回复了。……唉，昨夜里请过医生以后，你家小姐难道不曾再吃药？"

女仆又摇摇头："没有。昨夜里没有请过医生。医生还是前天日间请的。"

我有些失望。霍桑却只点点头，接续着发问：

"唔，你们请的是哪一位医生？"

"大通路桃源里的一位姓朱的女医生。"

"一共请过几次？"

那女仆想了一想，答道："两次。三天前也请过一次。"伊的身子略略转侧些，似乎要关门退进去的样子。

霍桑略略疑迟，似在考虑要不要接受这女仆的逐客的暗示，或是索性进去见一见。我不肯放松，又抢到了发言的机会。

我问道："出去请医生的不就是你吗？"

女仆冷冷地答道："是的。"

我又说："那么，昨夜十一点钟，你不是又带着包车去请过一次朱医生吗？"

伊沉下了脸，着急道："我早说昨夜不曾请过医生，况且我们也没有包车。"

我带着强笑说："你何必瞒我？昨夜里明明有人瞧见你。其实这也没有关系，更与你不相干，你用不着骗人。"

那妇人忽而睁着黑目，愠怒地说道："先生，你说什么话？我昨夜里没有出过门。我为什么骗你？昨天下午薄少爷来过，他说小姐病势减轻得多了，用不着再请医生。你怎么硬说我去请过？先生，你们是谁？到底有什么意思？"

伊的脸上蒙上一层严冷的霜气，声音也增加了高度，我又有些应付不了。但霍桑的眼光霍地闪了一闪，又像解围又像交替似的代我作答。

他婉声说："你别发火。我们随便问问，没有什么歹意。现在请你进去通报一声，我们要见见你家小姐。"

他索性跨进了石库门，摸出一张名片来给那女仆。我也跟了进去，在天井中站住。伊慢吞吞地接了名片，又迟疑地向我们瞧瞧，才悻悻地走进客堂后面去。客堂的陈设是新旧参半，除了供桌方桌以外，两边却排了几只西式沙发。我正在看那镜框中的画屏，霍桑忽走近我的身旁。

他低低地向我抱怨道："你问得太操切了。此刻已给你弄僵。"

我答道："我瞧这女人的神气有些靠不住，伊的答语一定不实在。"

"照你这样问法，伊当然不肯向你说什么实话。不过伊在无意中漏出一句话，那倒有些关系。"

"是不是漏出了一个薄少爷？"

"对。"

"你想这姓薄的就是那个写信给朱仰竹的薄一芝？"

"也许就是。姓薄的很少，和薄字谐声的姓也不多，说不定就是这一个人。"

"假使属实，你想有什么关系？"

"这三个人既然互相认识，这里面也就耐人寻味。"

"你的意思怎么样？莫非说这姓薄的？"

霍桑忙止住我道："别多说，回头见了那患病的女子再谈不迟。……唔，外面有人来了。留神些，别再乱发问题。"

我们本站在那一方小小的天井里面。我回头一瞧，一个头发稀疏年约六十岁的老妈子，提着一篮菜蔬，弯腰曲背地从石库门里缓缓走进来。我们索性走进了客堂，自动地在那沙发椅上坐下来。那老妈子一见我们，便放下了菜篮，反手关上大门，把提篮的手凑在嘴上呼了几口气。

伊堆着笑脸招呼道："好冷啊！先生们可是来瞧我家老爷？他还没起身哪。天气这样冷，他也就乐得在被窝里多窝一会儿。你们请坐一坐，老爷大概快要起床哩。"

老妈子这几句敷衍，给予我一个伊喜欢多嘴的印象。伊和先前的那个铁板面孔的年轻仆妇截然是两种典型。我们若从这老妇身上刺探，也许可以探出些真情。但霍桑已关照我不许多问，我就不便贸然发言。霍桑的身子弯了一弯，点点头，满面笑容的似乎正要乘机搭讪的样子。可是事不凑巧，一阵楼梯上的声音破坏了他的企图。那年轻的女仆已从后面走出来，手中仍执着霍桑的那张名片。

伊仍沉着脸，冷然说："先生，对不起。小姐说伊和先生素不相识；并且伊的身体还没复原，不能下楼。请先生原谅。"

哼！伊居然下逐客令了。这可就是伊情虚的表示？我们是负着侦查的任务来的，伊这样子拒绝不见，我们又怎样应付？霍桑的反应又出我的意料。

他立起来伸手接过了退还的名片，含笑说："既然如此，我们也不一定要进见。请你回复你家小姐，我们是薄先生的朋友，顺便来问候伊，并无别事。请伊保重些。"他向我瞅了一眼，便先自回身出去。

我们到得外面，踏上了马路，我自然急不待缓地要问他为什么就轻易退出。霍桑忽先开口问我：

"包朗，你不觉得肚子饥吗？我们有时候因着急于进行侦查，往往做'废止早食'流派的信徒。其实这是违反生理原则的，原是不得已的办法。但今天的早餐并没有废止的必要。我们快回去。"

"我们难道就白走一遭不成？"

"白走？唔？我们这一趟所收获的已经不少，你怎么还不知足？"

"你已得到些什么？"

"例如：那女仆说定昨夜不曾请过朱仰竹，无意中又说出那个姓薄的人来。这不都是重要消息吗？"

"伊说昨夜不曾请医生，你相信这是实在的？"

"是，我相信如此。"

"仅仅是相信？"

"此刻我虽还不能下确切的答语，但不久就可以证实。"

"你用什么方法证实？"

"那就要借重刚才和我们招呼的那个秃发老妈子。这种老妇最能给我们利用，如果探问得法，不难明白真相。我还想从这老婆子身上查明那个姓薄的究竟是否就是写信的薄一芝。假使是的，这个人和那患病的女子有什么样的关系？不过第一个人刚才既已问僵，这第二条线路我们不能不特别审慎些。"

"你打算第二次再去？"

"是。论眼前的情形，我们应急急补救我们的错误，减少他们的疑心，使他们没有防备，然后再着手探问。这个老妇既然常在外面走动，要和伊会面接洽，我相信不是难事。"

我不再多问，便默默地步行回去。太阳渐渐地升高，秋晨的晓寒给调剂得融和了些。我默默地思忖。我疑心那年轻女仆的说话不诚实，霍桑却和我相反。他还怪我问僵，语气中不无抱怨的意思。其实蔡妈说得非常切实清楚。伊明明说昨夜请医的是沈家的女仆；不但听得出伊的声音，还瞧清楚伊的打扮。假使这女仆的说话是实在的，岂不是那蔡妈反而说谎？我瞧蔡妈的状貌似乎很忠实，不像会说谎。并且伊为什么要说谎？难道伊对于主人的凶案本来知情，特地诬攀平桥路的沈家，想借此替真凶卸罪？

我们回到爱文路寓里时，我们的仆妇苏妈已经预备好早餐。我因着思潮起伏不定，食量大减，霍桑却仍如无其事。吃完了早餐，我们坐在窗口，都烧着一支纸烟，暂时静默起来。

一会儿，霍桑向我笑道："包朗，你为什么这样子郁郁不乐？你别生气。我方才并不是抱怨你，只说你性子太急，问得太操切了些。"他吸一口烟，唇角上浮出一丝笑容："其实因着你问得急切，才使那女仆不及防备，无意中漏出了这个姓薄的人来。这也不能不归功于你。"

霍桑分明在敷衍我了。我只笑了一笑，默不答话。

他又说："包朗，我料这一件案子绝非寻常的可比。就我们眼前所得的线索推测，内幕中说不定有某种骇人的阴谋。这女人像是个有医德的医生，我们不能不出一些力，给伊申冤。现在你也得振作些精神才是。"

进一步了。这不单是敷衍，还含着显明的鼓励。我仍不回答，但我的怏怏的情绪果然已缓解了些。

霍桑取出表来瞧了一瞧，又道："九点半了。我打算换一身装束，再往平桥路去走一趟。"他丢了烟尾立起来："包朗，你暂时休息一下吧。"

我应道："好。"我开始烧第二支烟。

他又瞧着我说："不过你休息的时间，至多只许半个钟头。"

"为什么？"

"我知道验尸所中十点钟方始开验。刚才汪银林已经准备将尸首送进验尸所去，你得去瞧瞧检验的结果。"

我疑讶道："你莫非在那勒死吊死的问题上还有疑惑？"

霍桑皱眉道："不。但这里面也许还有意外的发现。你不妨再走一趟。"他随即上楼去。

五分钟后，霍桑已换了一件深灰色细条纹绸的本国式长袍，又戴了一顶灰色呢帽，一副淡墨晶眼镜，装成一个商人模样。若不是熟朋友，骤然间谁也辨认不出。他向我点一点头，便悄悄地走出去。

那时还只九点三十八分。我一个人枯坐无聊，随手把当天的报纸翻了一翻，也觉得枯寂无味。其实报纸上的材料并不比往常减少，我因着这件没头脑的凶案，胸中兀自纳闷，便觉得一切无聊。到了九点四十五分，我整一整衣冠，预备往验尸所去。我才刚走出前门，忽然看见一部汽车在门前停住。车里跳下一个穿黑衣的人来，正是那肥胖身材的汪银林。

他问道："包先生，往哪里去？"

我答道："我要往验尸所去瞧瞧检验的结果。"

汪银林忙摇着两手："这事何必劳驾？我早已派了一个探伙杨林在那里，一得结果，他自然会来报告。霍先生在里面吗？我带了好消息来哩。"

酸溜溜的问题

我陪着汪银林回进办公室时，便告诉他霍桑已重新出去，他不妨稍坐等待。他坐定以后，吸着他自备的雪茄，先向我发问。

他道："你们不是往平桥路去过了吗？"

我承认了，把经过的情形约略说了一遍。

我补充说："这一次不巧，第一个爆仗便不响，碰着那个口齿伶俐的中年女仆，一时问不出真相。此刻霍桑又重新往那边去探听了。"

汪银林皱眉道："其实他这一遭是多余的。我假使早来一步，倒可以省他走一趟了。"

我忙道："那么你也去探听过了吗？结果怎么样？"

汪银林喷了一口烟，点点头，做得意状道："结果并不坏，连这凶案的目的，我也已经得到了八九分。"

"喔？那么这是一件什么案子？谋财吗？还是色的问题？"

"都不是。这是一个酸溜溜的问题。"

"唔，这里面的详情怎么样？"

汪银林吸了几口烟，才说："这姓沈的女子名叫咏秋，今年十九岁，在一个美术学校里学画。伊的父亲沈清田，本来是一个药材商，现在因上了些年纪，只在家里安闲享福。这老人只有一男一女，那儿子还比咏秋小三岁，此刻在一个中学校里读书。老人的年纪虽大，头脑却并不像寻常的老年人一般地顽固。他对于儿女们抱着放任主义，所以咏秋就成了一个'摩登女子'。伊家里时常有一班男朋友们出进，老人却全不过问。伊的男友中有一个姓薄的人，和咏秋的交谊格外密切——"

我不禁插口道："姓薄的？可就是写信给死者的薄一芝？"

汪银林点头道："是，正是那个画师薄一芝。这人是一个挺秀的少年，才和貌都很出众，莫怪那咏秋迷恋着他。伊就因着嫉妒的缘故，竟不惜设计行凶。"

我又惊讶道："行凶的就是沈咏秋？"

汪银林用两个手指搓弄着那半截雪茄，疑滞地答道："这一点虽还不能说定，但据我看来，伊即使不是实行的人，却一定是内幕中的主使人。"

"有什么根据没有？"

"我知道伊和薄一芝的交情非常密切，早已踏进了恋爱的泥潭。但那薄某方面似乎并不一心专属。我们但瞧他写给朱仰竹的一封信，语意缠绵，便可见他对于那孀妇也很有意思。这一点谅必已被沈咏秋知道了，伊怕朱仰竹从中阻梗，占夺伊的恋人，故而忍心下此毒手。你以为这推理可近情？"

我沉吟了一下，答道："理论上虽很可能，但只凭理论，未免会走入歧途。你可有什么实际的根据？"

汪银林道："我听得那沈咏秋这一次并不是患什么重病，只是寻常的感冒，本没有请医生的必要。但伊却一定要请，并且指定要请朱仰竹，这就是一个很有力的证据。因为伊家里本有一个熟识的国医，名叫郑国桢。往日里每逢伊家里的人有病，总请教这郑国桢。这一次伊特意另请朱仰竹，显见别有用意。并且请到那朱仰竹以后，咏秋对待伊的态度也十二分奇特。原来仰竹开了药方，咏秋并不曾照方服药。从这两点看，咏秋请仰竹的用意不是已很显明了吗？"

我疑惑道："你说咏秋没有服过药？但据那女仆说，咏秋在昨天傍晚也曾服过药。难道这也是谎话？"

汪银林道："药是的确服过的，不过伊所服的只是寻常的阿司匹林。仰竹两次所开的方药，伊完全不曾服过。"

我仍半信半疑，问道："这些事都实在吗？你怎样知道的？"

汪银林道："一部分是从沈家的邻居，一个年轻女仆嘴里查明的，另一部分就是从你们所看见的那个秃发老婆子嘴里探听出来的。这老婆子姓张，喜欢多嘴。但这些事实都是伊自己说出来的，我并不曾下什么暗示，所以一定可信。因为朱仰竹的被害，伊既全不知道，并且那薄一芝和朱仰竹有什么关系，伊也茫然无知。伊只因看见小姐花钱请了医生，却不服药，才暗暗觉得奇怪。我们若把所知道的事实互相参证，便知沈咏秋所以请朱仰竹去，实在是别有作用的。"

我寻思道："这样说，沈咏秋对于那女医生果真有些酸素作用了。此外你可还有什么别的根据？"

汪银林又吐吸了一会儿雪茄，才道："据张老婆子说，咏秋两次请仰竹去，彼此曾密谈过一会，谈些什么，张妈没有听得。不过朱医生在第二次临走的时候，脸上似乎非常不快。从这一点上着想，咏秋所以请仰竹去，目的无非想探听仰竹和一芝间的关系已到了怎样地步；后来咏秋探听得实，也许冷语讥讽，使仰竹觉得难堪。咏秋受了妒焰的刺激，还不肯罢休，就在昨天夜里再托词去请仰竹。仰竹不料伊竟会有此阴谋，仍应命出去。伊到得外面，便落进了预伏的圈套，随即遭害。后来他们将尸体移到仰竹家的后门外面，装作伊自己吊死的样子，无非想借此乱人眼目罢了。"

我把汪银林这一番议论细细地想了一想，觉得在理论上确很自然，事实上也尽有可能，莫怪他要喜形于色，以为全案的关键已有八九分在他的掌握之中。

我问道："这设计谋害的一点，你可也有实际的根据？"

汪银林道："我是根据死者家里的那个蔡妈的话。"

"但沈家的那个年轻的仆妇，却不承认昨夜去请过朱仰竹。"

"蔡妈明明瞧见这女仆的。蔡妈和伊无怨，势必不会凭空攀咬。这年轻的仆妇名叫李阿凤，本是一个伶俐的人物。伊所以不认，显然想说谎卸罪。"

"虽然，你既然说那姓张的老婆子靠得住，你可曾问伊昨夜里沈家有没有再请过朱仰竹去？"

"问过的。伊虽然也说没有，但他们既然要设计谋害仰竹，行动一定秘密，而且实行时也一定另有地点，绝不会仍旧领仰竹到沈家里去。"

"请朱仰竹的既然是那个李阿凤，阿凤昨夜里出外，张老婆子总也应当知道的啊。"

"这一节我也问过。据伊说伊睡在楼上亭子间里，阿凤却住在楼下。故而阿凤昨夜是否出去，张老妈子却不知道。不过还有一点，也足以证实死者的老妈子蔡妈说的话。"

"哪一点？"

"据张老婆子说，阿凤昨天果真穿一件青布罩衫，那玄布棉袄还是今天换上去的。"

我默想了一下，又提出一个问题："那么这凶案的实施地点和帮同行凶的人，也都得查个明白，是不是？"

汪银林道："这个自然有法子查明。"

"你已有了入手的方法？"

"是。我已得到一条线索，不过急切间还不能成功，只能耐性些等待。"

"什么线索？"

"我问过那个桃源里看弄的金三。他说昨夜十一点钟光景，看见有两部空车停在弄口，一部是私家包车，一部是寻常的黄包车。他当时不知道是去请医生的，并不在意。但现今看来，这两部车子明明就是李阿凤领去接朱仰竹的。不过那包车是从哪里来的，接得以后，他们又往哪一条路去，这却还待侦查。"

"这就是一个重要的课题，你自信有把握没有？"

"我已派了几个探伙往各处车行里去调查，也许可以查得那个黄包车夫。"他瞧瞧表，站起来，"十点半了。霍先生怎么还不回来？我等不及哩。"

这时候电话室中的铃声突然琅琅地响起来。我正待起身接话，汪银林忽反客为主，丢了雪茄，抢走上前。我只得重新坐下。

不到一分钟工夫，汪银林已挂了听筒回进来。我一看见他的模样，不由得吃了一惊。他先前的那种得意和自信的神气，已经完全消失，面色忽也变成灰白。他的两目呆定，嘴唇紧闭，越显得他的下颔的阔大。他的额角上也湿津津地缀着多许冷汗。

我立起来问道："这电话是给你的？"

汪银林不答，但点了点头。

我又问："什么事？莫非有什么恶消息？"

汪银林期期然道："不是。这是杨林打来的。他在验尸所里得到了检查的结果，特地来报告我。"

我记得先前霍桑曾派我往验尸所去，原说或者有什么意外的发现。现在大概已经证实了。

我忙问道："检验的结果怎么样？"

汪银林缓缓地答道："据说死者头颈里有两条痕迹，一深一浅，伊实在是自己吊死，并不是被人勒死的！"

唉，这一个问题变化太多了！起初我认为这妇人是给人谋杀的，霍桑却说是伊自己吊死，后来他又同意我的见解，说是被人谋害的。现在法医又说是自杀，这委实太出人意料。它不但打破了银林的美妙的推理，连我也料想不到。

我又问道："可还有别的发现？"

汪银林皱眉说："据法医说，这妇人在未死以前，曾经受过蒙药，伊的下身还有被男子用强奸污的痕迹。伊的右手臂上有几个指爪抓出的伤痕，也是遭过强奸的证据。这一点实在是出我意料的！"

对，我也不能不十二分诧异。这妇人果真是自己吊死的，霍桑最初的断语原属实在。同时伊又被人奸污过，霍桑可也看透了没有？现在汪银林的推理已经被根本推翻，怪不得他要现出那种失望状来。

我说："照这报告而论，那设计害朱仰竹的人显然是一个男子。你方才假定是那姓沈的女子，当然已不成立了。"

汪银林呆呆地站着，他的肥重的身子靠着椅背，仿佛不靠会站立不住。他慢慢地摸出一块白巾，抹着他的额角，又紧皱着眉头，一时似乎不知如何回答。一会儿他的神色宁静了些。他不再坐下，也不再急于辞别，只在室中踱来踱去。我很同情于他的失败，找出了一句慰藉的话。

我说："银林兄，失败是成功之母，你用不着发愁。"

他突然站住了："不！我的推理还不能算完全失败！"

"喔？那么这男子也早在你的推理之中？"

"是。我早说沈咏秋只是主谋的人，实际动手的一定另有其人；或者那串通行凶的男子所以干那无耻的勾当，也是奉命的，目的在于泄愤。"

"唔。论情势，这个串通的人，其恶毒也不下于主谋人。这个人是谁？你可有方法查明他？"

汪银林又半晌不答，再度在室中绕了几个圈子，方才立定。

他道："眼前有两条路可以进行。一条就是昨夜去请朱仰竹的女仆李阿凤。这女仆既有说谎串通的嫌疑，从伊身上追究，少不得可以明白真相。还有一条，就是那薄一芝。瞧眼前的情形，这个人确也有明显的可疑处。"

我道："怎样可疑？你可是说用强奸污的就是他？"

汪银林忽似定了主意，摇头道："这句话我还不能答复。但无论如何，这个人总是案中的一个要角。……包先生，此刻我不能耽搁了。少停霍先生回来，请你转致一声吧。"

汪银林走时已是十点四十五分。我等到十一点过后，仍不见霍桑回来。阳光渐渐地从南窗口里溜出去，换进来的是刺肤的秋风。我一个人枯坐无聊，心里非常纳闷。老仆施桂曾探头进来望一望，随即像怕撩动我的思绪般地退出去。我就开始默想。

朱仰竹的死虽是自尽，但受辱而死，情更可怜。据我的主观，那人用兽性欺凌这一个柔弱无助的孀妇，可恶已极，论罪比杀人的还要加等。但汪银林似乎怀疑这个人就是那个写信给死者的薄一芝，我却不敢赞同。因为薄一芝是个美术家，似乎不会有这种惨无人道的蛮举。在汪银林的推理之中，另外还有一个受沈咏秋指使的实际凶手。这推理也太凭空无据，当然寻不出什么结果。我在茫无头绪之中自然又想起了霍桑。他对于这案的见解怎么样？总比我更清晰些吧？等他一回来，这个黑漆似的疑团总可以有解释的希望吧？

十二点钟了。晴丽的日轮，恰正悬在天空。我才见乔装的霍桑从外面进来。我急忙立起来欢迎。他向我点了点头，神气上似乎有一种得意地表示。这更使我格外兴奋。

他含笑说："包朗，你等得不耐烦了吧？对不起，请你再忍耐几分钟，等我换了衣服跟你细谈。话多着呢！"

不速客

霍桑有一种特技，在紧急的关头，举动的敏捷会出于人们的意想。有一次我见他卸去西装，换上一身苦力装束，又用颜料涂染了脸部，前后不过二分零六秒钟。但这一天他换去了袍褂下楼，足足费了十多分钟。我满望他下楼以后，就要开谈，不料他故作难似的先吩咐苏妈备饭。吃饭时他照例不肯多说话，我只得再耐着性子。好容易等到饭罢，我看见他烧着了一支白金龙纸烟，坐到了那张藤椅上面，才禁不住开口。

我问道："霍桑，这件事究竟怎么样？你可已得手了没有？"

霍桑微微一笑，答道："对不起，我在答复以前，还得先问你几句。我委托你的任务可办妥了没有？"

我答道："我本来准备往验尸所去的，汪银林忽而赶来，说他早已派了一个探伙杨林在那里，我不必再去。但那检验的结果，我此刻已经知道。"

我随即把那探伙杨林在电话中的报告说了一遍。霍桑听了，只叹一口气，神气上并不显出诧异。

我问道："这样的结果，你可是早已料到了？"

霍桑点头道："是。我从缢痕不交的证迹上推测，固然早知伊是自己吊死的；但是我说伊是被人家谋死的，也并不冲突。因为伊所以要自杀的缘故，我当时也已猜到了七八分。"

"喔？你凭什么猜到的？"

"你想一个年轻的孀妇，深夜里被诱骗出去，一瞧那发髻的蓬乱，衣裙的参差，甚至衣纽也有脱落的，当然可以假定是受了歹人的凌辱，才羞愤而死。这样，你想我就说伊是给人谋害而死，可能算得过分？"

我默然不答，但点了点头，心中又勾起一种愤慨，恨不得立即把那凶手捕住了送进法网中去。

霍桑问我道："我知道汪银林已到沈家去探听过。他可曾发表过什么意见？"

我就把银林探听所得的情况和他所构成的推理，一层层告诉了霍桑。

霍桑沉吟了一下，微笑着说："这也亏他。他的朋友们常说他不肯用脑，其实是冤枉的。他近年来在推理上确有进步。这一次他的推理虽未必中鹄，但也不能说完全没有根据。"

我乘机回到了我的原题，问道："现在你可以说了。你在沈家里探听的结果怎么样？"

霍桑道："我的情报来源和银林是相同的，也是花了代价，疏通了那个秃发的张老妈子。我所得的结果也和汪银林的大致相同，不过略为详细些。"

"你瞧这张老妈子可靠得住？"

"我听伊的语气前后一致，绝非伊的脑力所能臆造，也不像是背熟的故事。我也相信沈咏秋请朱仰竹去的确别有用意。我又知道昨天日间薄一芝又到过沈家，咏秋见他时态度冷漠，彼此还曾口角过几句。这就可以推知汪银林的推理确有成立的可能，咏秋对于仰竹果真含着妒意。"

"汪银林以为案中主使的人就是咏秋。这一点你可也同意？"

霍桑呆瞧着地板上那条温州地席，又连连吐了几口烟，才道："这个还难说。就情势上推测，银林认为沈咏秋和朱仰竹处于对立的地位，这是有可能性的，但他说咏秋就是这阴谋的主使人，未免太觉主观。若使没有事实的佐证，我还不能轻下断语。"

"你说他这个推想还缺乏事实的证明？"

"事实是有的，不过它不但不能证实他的推理，却反而和这推理相反。"

我动神道："喔，那么这是一个什么样的事实？"

霍桑皱一皱眉，弹去了些烟灰，摇头道："我在寻得别的线索以前，还不能说明。请你原谅。"

霍桑这一种类似卖关子的习惯，我是最不同意的。可是他的脾气，我素来知道，他既然不肯说，我也没奈何。但好奇的火焰几乎灼穿了我的脑膜，我实在忍耐不住。

我又问："你所说的别的线索是指什么说的？"

霍桑道："我设想中的线索不止一端。例如那个薄一芝，就是最明显的一个。"

"这个人与此案究竟有关系没有？"

"还难说。但我觉得有和他会会面的必要，故而我已经去寻过他一次。他住在长浜路三十九号。我寻到他的寓里时，他已出外，我们没有见面。他有一个母亲，年纪已近六十，还有一个十八九岁的妹妹。我听说他家里时常有年轻的女朋友出入，这一点也足以使我们注意。"

"这人平素的品行如何？你可已探听出来？"

"还没有。这就是我们第二步进行的目标。"

"我想这个人既然是个画师，画师的品格总是清高的，谅必不至于怎么无赖。"

霍桑把背靠着椅背，冷笑道："包朗，你说这话，足见你阅世的经验究竟还不够深。在这机诈相尚的乱世，尽有许多貌似高尚，但是内心卑鄙龌龊而套上风雅面具的人们，作奸犯恶的程度却比什么人都厉害。你若只凭着虚声论人，未免太浅见了。"

我沉默了一下，又问："现在你可是就打算从这个人身上进行？"

"这个人当然重要，但汪银林此刻一定已向这条路进行，不久总可以找到他的踪迹。我还有别条线路，不妨和他分头并进。"

"那别的线路是什么——？"

铃铃铃的一串电话铃声忽把我的问句阻住了。电话是汪银林打来的，果真不出霍桑所料，他正在努力追寻薄一芝的踪迹。据他探询所得，昨夜里一芝曾经出外，直到深夜两三点钟才回家去；今天早晨，他又悄悄地出外，临行时并不说明往什么地方去。因此，汪银林对于他越发怀疑，已经派了探伙，在一芝家门外悄悄地守候，预备将他捕住。他连带提起调查黄包车夫的事还没有结果。

霍桑忖度了一会儿，向我道："这一着确有注意的价值。如果薄一芝不能充分说明昨夜里他深夜回家前的行动，他的嫌疑当真逃不掉。"

他坐下了，翘起了他的右足，又烧着他的纸烟。他的眼睛仰视着天花板，不时地眨动，眉峰也忽紧忽弛，显见他的思想正纷乱不定。

我默想霍桑方才的议论虽似近乎太苛，但社会上果真也有貌似上流的伪君子。这姓薄的表面上虽是一个美术家，内心如何正也不易测度。他真会因着兽欲的冲动干出这种昧良心的事来吗？这人现在既然踪迹不明，是否已畏罪逃避？若使如此，汪银林还能不能把他捉住？

我们正沉默寻思的时候，忽见施桂走进来报告有客，手中还拿着一张名片。霍桑接了名片一瞧，忽而丢了烟尾直跳起来。

他叫道："快请进来！"

奇怪，他为什么如此惊异？霍桑不等我开口，早已把那名片递给我瞧。原来那来客正是我们所惦念和怀疑的薄一芝！

一个穿西装的少年跟着施桂走进办公室来。那人身材颀长，脸形略长，一个隆直的鼻子，配着一双美目，两条浓眉，面貌果然非常美秀。他穿一套深青柳条哔叽的西装，外面罩一件淡蜜色春呢外衣，手中拿着一顶玄色呢的铜盆帽；此外那深墨绿色鲜艳的领结和光亮的黄皮鞋，都显得他的装束很入时。他走到里面，立定了脚步，一双澄澈的眼睛在我们的身上瞟了一瞟，便向着霍桑弯一弯腰。

他开口问道："足下就是大侦探霍桑先生吗？"

他的声浪微微有些颤动，面颊上也露出些惝遽的颜色。他的两手都握在帽子的边上。

霍桑也回一个礼，应道："不敢当。鄙人就是。"他露着微笑，回头向我道："包朗，俗语说：'说起曹操，曹操就到。'那真是再巧没有！"

薄一芝怔了一怔，问道："霍先生，你说'曹操'，可是指我？"

霍桑点点头："是。我们的那位老朋友汪侦探长正急于要找你。你此刻竟自己枉顾，真是出我们的意料。"

薄一芝似乎有些着急，咬一咬嘴唇，忙问道："汪探长？他为什么要找我？"

霍桑淡然地答道："这一点似乎用不着我饶舌，你自己总应当明白吧？"

"可就是因着宋夫人的凶案？"

"聪明人究竟不同！一语便能够破的！"

霍桑的声调既很冷峭，锐利的眼光也盯在来客脸上。来客的面色也变异了。

他期期地说："这……这样说，你们……你们竟疑心我吗？……那实在是冤枉的。……霍先生，你是明白的，你得知道——"

霍桑摇摇手阻止他："薄先生，你不用着急。我们就事实论证，绝不会强人入罪。现在先见见这位包朗先生。来，我们坐下来细细地谈。"

薄一芝果真向我深深地鞠了一个躬，接着瑟缩地坐在我们的对面。我看见他的面颊绯红，呼吸也加增了速度，他的拿呢帽的右手也簌簌地颤动，处处都显出他内心的惶急。

霍桑婉声问道："你此刻枉顾，有什么见教？莫非你因着人家怀疑你，要我替你辩护？"

薄一芝摇头道："不，我完全不知道有人疑心我。我要给我的死友雪冤，特地来请教先生。"他的神态宁静了些。

"你要为朱仰竹雪冤？"

"正是。宋夫人实在是被人害死的。霍先生，你谅必早已知道？"

"不错。我们已经得到了检验的结果，朱医生实在是受了强暴地污辱，羞愤而死的。"

薄一芝一听，忽而挺直了身子，两眼大张，嘴唇紧闭，显出一种非常愤怒的神气。

他作坚决声道："唉！……对！……那一定是这个可杀的流氓！"

霍桑接嘴道："流氓？你指谁？"

薄一芝答道："我就指那个欺害宋夫人的恶徒！"

薄一芝的突然造访，已使这案子得到一种意外的开展，不料他的话又有特殊的吸引力量。我的心头怦怦然，不得不敛神倾听。

霍桑问道："你知道这个人？"

薄一芝应道："当然。"

"是谁？"

"孙仲和！"

这个姓名确有某种力量，竟使霍桑也同样地仰起了身子。我也益发动神。

霍桑问道："这个人住在哪里？"

薄一芝道："海关路松柏里，第三弄十五号。"

霍桑的眼光闪了一闪，向我点点头。我记得朱仰竹家里的挂号簿上，果真有海关路姓孙的记录。大概就是这个人了。

霍桑又问："你说这件事是这个孙仲和干的？有什么凭据？"

薄一芝迟疑道："凭据我虽说不出，但我相信一定是他干的。"

霍桑冷然道："薄先生，你总知道这件案子关系很大。你若使没有根据，怎么能够信口诬人？"

薄一芝忙道："我不是信口乱说。因为他曾亲口向我说过，要想方设法勾引伊入彀。这个人本是一个无赖，阴谋不遂，尽可以干出这种丧良心的无耻勾当来！"

霍桑沉吟了一下，便道："我听你的话，似乎这里面有段小小的因果。你可能说得详细些？"

薄一芝低头定一定神，才道："我和孙仲和本来是同过学的，但因着他行为不端，我往日不大和他接近。他从小便死父母，喜欢和一班下流为伍。三年前他承袭了他伯父的遗产。他的伯父是做皮毛商的，名叫孙柳汀，很有些钱。因此仲和陡然间就成了富人。他又把他当律师的母舅于企年做了护身符，便益发作威作福。他并无职业，虽已娶了妻子，却仍在外面恣意放荡。他是一个急色儿，宿娼狎妓，简直无所不为。近来他看见我在宋夫人家里出进，又知道伊是个孀妇，有一天他竟向我表示非礼的意思，说什么伊的姿色不错，还说——"

霍桑忽剪住他道："慢。你自己和朱仰竹又有怎样的交谊？"

薄一芝庄容道："伊是我的朋友宋杏园的妻子，我和伊当然也只有朋友的交情。自从杏园兄死后，伊郁郁不乐，得了肺病。我为着慰藉伊起见，不时在伊家里出进。后来我听得了孙仲和的话，当然严词申斥，并且从此和他绝交。不料他恶心不死，昨夜里竟生生将伊害死。霍先生，这件事总要请你主持公道。"

"你只凭着这层理由，就说定朱仰竹是他害死的吗？"

"不，还有一个理由。刚才宋家的蔡妈告诉我，昨夜里宋夫人被一个姓沈的请出去。但'沈''孙'两个字，上海的口音相差不多，一定是蔡妈听错的。我又看见挂号簿上，孙仲和确曾请过两次。这足以证明他早存恶意。我相信他前两次托名医病，实际上一定是借此实施他的勾引手段！"

薄一芝的呼吸更急促了，眼睛直视着霍桑。霍桑抱着右膝，低垂了头，不再回答。我默念这人说的话假使不虚，的确值得注意。但从另一方面看，他或者和孙仲和有什么怨嫌，或是想借此脱卸他自己的嫌疑，那也同样有可能性。我们为避免轻信，不能不审慎一些。

一会儿，霍桑又仰面问道："薄先生，我有一句非分的问句，请你原谅。你可曾结婚了没有？"

薄一芝的脸上红了一红，嗫嚅地答道："还……还没有。"他顿一顿，又说："霍先生，你可是仍怀疑我？我可以立誓，我和宋夫人只是纯洁的朋友。"

霍桑道："我没有这个意思，你别误会。对不起，我再问一句，你有没有恋人？"

薄一芝又顿一顿，摇头道："没有。"

"那么在你的相识之中，除了朱仰竹以外，可有别的女朋友？"

"那也不多——没有。"

"那些平日在你家来往的女子，又是些什么人？"

"那都是舍妹的朋友。"

霍桑忽而放下了右膝，脸色阴沉，突地立起身来。

他厉声道："对不起，我的时间很宝贵，没有工夫听人家的鬼话。请便吧！"

分歧的消息

薄一芝的态度又不自然了。他怔了一怔，面色灰白了，闭紧了嘴，一时说不出话。他右手中的呢帽几乎坠落，左手的手指用力在卷着他的那件蜜色春呢外衣的衣角。

他慌忙道："霍先生，请原谅。我不是说谎，只怕节外生枝，牵累人家，所以秘而不说。"

霍桑缓缓地回过头来，向来客瞧了一瞧，仍沉着脸道："现在你得快些说实话。"

他吞吐地说："我……我当真有一个密切的女朋友，就是……是沈咏秋。"

"唔。你们的交谊怎么样？"

"起先我和咏秋来往的时候，咏秋也和孙仲和相识。我因着仲和的行为太卑劣，屡次劝咏秋和他断绝往来。仲和知道了，因而恨我在外面造谣，诬我和宋夫人有暧昧关系。这实在是含血喷人。先生们所以疑心我，大概就因听信了这无稽的谤语。是吗？"

"你尽可放心，若是无根的谣言，我们绝不会随便听信。但我听你的话，你和孙仲和好像本来有些怨恨，是不是？"

"虽然这样，但我方才的话并不是饰词报怨。"

霍桑不答，在室中打旋，又说："我再问你。今天宋夫人的凶案，你怎样知道的？"

薄一芝道："我因好几天没有见伊，不知道伊病后是否康复，特地到伊家去探望，不料竟得到了伊的凶信。我仔细问了一遍，便疑心是孙仲和所干。我又知道先生们在侦查这件案子，故而便赶来请教。"

霍桑又突然变换一个题目："你昨夜里可曾出外过？"

薄一芝似乎踌躇了一下，才道："出来过的。我去送一个朋友上船。"

"这朋友是谁？往哪里去？"

"他姓刘，叫心美，昨夜放洋往法国去留学。"

"你昨夜什么时候离家？又在什么时候回去？"

薄一芝略一凝想，答道："我出来时已经十点半光景，回到家里差不多近两点钟了。"

霍桑站住了，瞧着他道："你离家以后可是直接去送行的？"

"是。我一直往西门外林荫路刘家去，后来就一同陪他上船；直到一点钟模样，我才和他分别回家。"

"这样说，你昨夜除了送行以外，没有往别处去过？"

"是。"

霍桑的问话又停住了。他把右手插在裤袋中，又开始在室中打旋。我一直处在旁观的地位，早已耐不住缄默，这时我顾不得霍桑先前的告诫，乘机发出了一句问话。

我道："我们听说那位沈咏秋女士，曾经请朱医生去诊过病。你可也知道？"

薄一芝忽回过脸来瞧我，闭紧了嘴，现出疑迟的神色，接着垂落了头，却不答话。

霍桑又停了脚步，警告道："薄先生，你不用疑虑。这句话本是我要问的，你还是实说的好。你若要守秘密，事实上是到底守不住的。"

我暗暗欢喜，这一句幸而没有问僵。我看见薄一芝勉强抬起头来。

他答道："知道的。伊近来曾经患病，请过宋夫人两次。"

霍桑冷然道："你知道伊只请过两次？"

薄一芝用惊异的目光瞧着霍桑，答道："实在只有两次。霍先生，你不要听蔡妈的话。方才伊也对我说，昨夜里是平桥路的沈家请宋夫人去的。这实在是蔡妈误会的。我确实相信昨夜中请宋夫人的，绝不是咏秋，一定是那流氓孙仲和。"

霍桑并不辩驳，又说："那么你可知道前两次沈咏秋请朱仰竹去，当真是为了医病？还是……？"他说到这里，似乎故意顿住了不说。他的眼睛凝视着薄一芝，明明要等他自己继续下去。

薄一芝果真毅然答道："我老实说吧。咏秋也听信了仲和的谗言，疑我和宋夫人有什么暧昧关系，故而伊两次请宋夫人去，无非要探听宋夫人的口气，以推断那谣言是否实在。这回事我昨天方始知道。从这一点上更可见这流氓造谣中伤，搬弄是非，简直是无恶不作！"他的声调又有些愤愤然。

霍桑点了点头，说道："这件事的底蕴，承蒙你坦白见告，大致我已经明白。这案子的罪魁究竟是谁，我想只需费些侦查功夫，总可以水落石出。现在你请回去，一有消息，我们自然会报告你。"

薄一芝立起身来，把那柳条哔叽短褂的纽子扣了一扣，又很诚恳地道了一声谢。这时他的脸上已恢复了红润，自然得多，和他刚进来时那种惶恐急遽的神气完全不同。他取了帽子，向我们鞠了一个躬。我也立起来送他。

我问道："你此刻可是直接回家去？"

他应道："是。我打算先回家去一趟，随后再去料理宋夫人的丧事。怎么样？"

我道："我听得汪探长已派了探伙在你家门外守候。你此刻虽已得到了霍先生的谅解，但这班探伙们未必会谅解你吧。"

薄一芝脸上的红色又收敛了。他惊惶道："这话不错。霍先生，他们如果将我拘捕起来，我又怎么样？"

霍桑略一踌躇，从衣袋中摸一张名片，用墨水笔在片子背后写了几句，随即递给薄一芝。

他道："这一张片子暂时可以做你的护身符。少停我和汪探长接洽以后，你的嫌疑如果能完全洗刷，你自然更没有被捕的危险。你放胆回去吧。"

薄一芝又深深地鞠了一个躬，方才走出去。

我禁不住问道："霍桑，你瞧这个人怎么样？他说的话是否可信？"

霍桑走到衣架旁去，把一件灰色薄花呢的外衣和一顶灰色呢帽取下来，一边答道："他的话有一部分已和我的推想印合。他所指出的孙仲和，本来就是我推想中所假定的另一条线索。"

"他和孙仲和明明有争妒的怨嫌，你想他所以一口咬定了孙仲和，会不会有报复意味？"

"论他的用意，果然不能说绝对没有。但这个姓孙的究竟是个怎样人物，也确有查明的必要，我打算立刻就到海关路去侦查。假使这孙仲和真是个少爷流氓，那便确有可疑。"

"那么，你看这薄一芝本身，和这案子可是完全没有关系？"

霍桑已迅速地把外衣穿好，又拿了帽子和手杖，似乎急于要出去的样子。

他答道："就跟前而论，我们对于此人，先须把他昨夜的行动证实明白，才可确定他有没有关系。这一着可以让汪银林去调查。回头你替我打一个电话给他，向他说明原委，免得他再把薄一芝当作唯一的嫌疑人，却忽视了其他线索，走到迷路上去。"

霍桑既出，我依言打电话到警厅里去和汪银林接洽，不料汪银林不在，我只得等待一会儿。

阳光渐渐偏西，室中却沉静无声。我在静寂无聊中，不禁又想起薄一芝来。我觉得这个人在外貌上虽不像是个诈狯小人，但他的话不无有些使人难信之处。第一，他虽一口咬定行凶的是孙仲和，却毫无确实的证据。他虽说孙仲和怎样无赖，又说他曾蓄意诱引朱仰竹，但他和孙仲和既有争宠的纠葛，这话是否可信确是问题。第二，他竭力替他的意中人沈咏秋辩护，可是也举不出实在的证据，足以证明昨夜请朱仰竹的不是沈家的李阿凤。第三，他说他昨夜里出外，是去送朋友放洋的。但那朋友既已破浪远去，若要证实他的话也非容易。我觉得这三点都有考虑的价值。但不知霍桑有什么根据，竟似乎深信不疑。

我寻思了一会儿，又打第二次电话，汪银林仍旧不在厅里。我烧了一支纸烟，没心思动笔，随便取了一本小说，借此排遣一会儿。约莫又过了半个钟头，忽而电话铃大震。我急忙接了一听，恰巧就是汪银林。

他向我说："霍先生又不在吗？也好，等他回来，请你转致一声，我们已把薄一芝捉住了。"

我急忙道："但霍桑的意思，似乎认为没有拘捕他的必要。我刚才已经打过两次电话给你。"

汪银林接口道："知道的，霍先生的名片我们也已瞧见。但我觉得这个人有重大的嫌疑，不能不将他拘留。少停霍先生回来，请你代我道一声歉吧。"

我问道："你凭什么证据拘捕他？"

汪银林道："我们知道他在昨夜十点半时曾到死者那里去过。"

我记得薄一芝说过，他昨夜离家以后直接去给朋友送行，并没说到过朱家。可见这里面已经有了破绽。

我又问："这事实在吗？你怎样知道的？"

汪银林道："我们已经得到一个证人，是薄一芝的邻居。昨夜十点半时，他从外面回家，走到离家不远的长浜路的转角上，恰见薄一芝立定了和一个黄包车夫讲话。那人亲耳听得薄一芝吩咐车夫往大通路桃源里去。因此我觉得他很有可疑，不能不把他捕住。"

"这一点他可已承认？"

"他被捕以后，我们问他昨夜的举动。他绝口不提到过朱家去的事，只说他昨夜离家以后，直接往西门外林荫路去送一个姓刘的朋友动身。但我们派人到刘家去探问，据说那刘心美的确在昨夜放洋，但在十一点钟时分，只有他一个人从家里出发，薄一芝并没去送。因这反证，薄一芝的嫌疑更不容易洗刷。"

我回想当霍桑问他夜来举动的时候，他的确曾呆了一呆，后来才说去送朋友，本来有些可疑。不料他果真拿谎话骗人。

汪银林又说："据我们料想，这件事大概是薄一芝和那李阿凤通同合作的。故而我重新往平桥路沈家去过，和沈咏秋会过面了；只因没有把握，暂时单把李阿凤拘捕。少停伊如果有确切的口供，我再来报告。"

　　这消息真使我又惊又喜：喜的是我本来怀疑薄一芝，他的谎话转瞬间便被汪银林证实，因这一来这疑案总可算更进一步；惊的是霍桑的观察有时也会失着，他听了薄一芝的谎话，竟像信以为真。其实"智者千虑，必有一失"，原不足为奇。霍桑自己也常承认他不是万能的，百密一疏，也往往难免。他谅必因着薄一芝自己上门，便认为他不是犯罪的人，不知就中了他的挟怨报复的狡计。此刻情势已变，他正往孙家里去调查，岂不是白白地劳神，走到了歧路上去？我若要免除他空费心力，必须把这个消息从速报告他。

　　我瞧瞧炉檐上的时计，已是三点三刻。我正待穿上外衣往海关路去，忽见霍桑拿着呢帽，从外面匆匆地进来。我一看见他的愁眉不展的神气，并且他回来得如此急促，便料知他此行必失败无疑。我将汪银林的消息暂搁一搁，先问他的结果怎样。

　　霍桑卸下了他的灰呢外衣，耸一耸肩，失望道："没有结果。"

　　"你可曾瞧见那个孙仲和？"

　　"没有。我到他家里时，他刚已出外。我本想混进去瞧瞧，却被他家里的一个管家的白发老仆拒绝了。"

　　"那么你这一趟可是完全白走？"

　　"这也不是。我从一个隔邻的小使女嘴里查明了几件事。孙仲和的妻子在一星期前回母家去了。他家里本有一个年轻的女仆，在女主人归宁的时候也已跟着同去。所以最近一个星期中，孙家里竟没有一个女仆。"

　　我暗暗点了点头，又道："这样说，可见薄一芝的话并不实在。你不是已受了他的愚？"

　　霍桑走到藤椅面前，正要坐下，忽而张大了两眼，向我端详着。

他大声问道："包朗，你藏着什么秘密？是不是有意讥笑我？"

我含笑应道："我怎么会笑你？但我要瞧瞧你的眼力，你是不是会自己觉察你已经走错了路！"

霍桑仍挺立着，呆瞧着我。他咬着他的嘴唇，似乎很不好意思。

他急忙道："什么？你可是已得到了什么新消息不成？"

我点点头，便把汪银林所报告的一五一十地向霍桑说明。霍桑把两只手插在他的藏青哔叽的西裤袋中，全神贯注地倾听。他的眼珠熠熠地转动着，牙尖仍咬着嘴唇，脸上的颜色也略略变异。他等我说完，才低垂了头，缓缓地坐下来。

他自言自语道："怪事！怪事！这件事如果属实，'人心难测'这一句老话，我又多得了一个例证。"

我说："你看不透这个薄一芝？"

霍桑应道："是啊。我承认我当初实在不相信薄一芝是此案的罪魁。"

"你这见解有没有根据？"

"有。第一，我瞧薄一芝的状貌态度不像是一个佻儇的无赖。但瞧他竭力替沈咏秋辩护，可见咏秋实在是他心坎中的爱人。论情，一个有人格的男子，在同一时候既有所爱，势不会另爱他女。这样，便可信他和朱仰竹的关系，的确只是纯洁的友谊。那么，他在这案子上无关，也当然不成问题。第二，我们退一步，因着那信上的语气太亲密，姑且假定他们间已不是单纯的朋友关系，但那信笺既然是从死者里衣袋中搜出来的，可见死者对于这封信并没有厌恶的表示。那么一芝即使有什么贪求，在死者似乎也有允从的可能。一芝何以如此愚蠢，竟用这种强暴的手段？而死者又何致决然自杀？因此之故，我便假定此案与一芝无关，坦然地放他出去，却不料尚有这一层曲折。唉！人事的变幻真是不容易测度啊！"

霍桑叹一口气，把身子仰靠着藤椅的背，显示他内心的懊恼。

我说："这个人大概是你所说的外貌与内心不调和的伪君子一流。他因着兽欲的冲动，才不由自主地迫而出此。"

霍桑不答，摸出纸烟盒来，抽一支烟擦着火狂吸。不一会儿，但见氤氲的烟雾笼罩了他的头部。我从烟幕中瞧去，看见他的眼光注射在地上，两道眉毛不时皱动，眉峰间现出深刻的皱纹，显见他还在那里深思。室中静寂了一会儿，我又耐不住缄默。

我道："霍桑，你此刻想什么？你何不往警厅里去见见薄一芝，亲自去问一下子？"

霍桑抬头答道："不。这一条路还是让汪银林一个人走吧。假使他没有走错，这一次也可以让他得一个全功。"

"那么你还在那里想什么？"我又追逼一句。

他沉吟了一下，才吐口烟说："我起先本已另辟了一条新路，虽还没有头绪，但途径未尽，我还不愿意就此中止。刚才我听了你的消息，几使我中途折回，不敢前进。我现在回想，觉得我即使走进了错路，也须得到一个错误的实证，才能甘心。……是的，包朗，我还打算再进一步。"

"你莫非还怀疑那个孙仲和？"

"正是。"

"你刚才说孙家里近来没有女仆，但昨夜里朱仰竹却明明是被一个女仆诱骗出去的，这不是显明的矛盾点吗？"

"不错。但也有和案情符合的地方。"

"符合的是什么？"

"我知道孙仲和家里现在有三个男仆：一个是管家的白发老仆陆全，一个是厨子王寿玉，还有一个是包车夫林根。我们知道昨夜里朱仰竹被诱，是有一个女仆带着包车去接的。孙家既有包车，并且那包车夫林根今天偏偏告假不在，我觉得有些可疑。"

"会不会是偶然的凑巧？"

"还有呢。我已见过那个老仆陆全。这人在孙家已服务了二十三年，说话不多，很不容易向他探听。我看他是故意如此的，仿佛他预先受了主人的嘱咐，故而才秘而不宣。"

"有些人天生有寡言的脾气。你的观察会错误吗？"

霍桑喷了一口烟，摇头道："不！无论如何，我必须和孙仲和会一会面，才能心死。其实这一着不单足以证实我个人的推想，也可以证明薄一芝的谎话谎到怎样程度。我们见面之后，如果觉得那孙仲和的为人，并不像薄一芝所说的那么无赖，便越足见薄一芝自己有罪，才捏造了谎话报复，为他自己脱身计。"

我点头道："好，你既然有这个意念，再走一趟也没关系。你打算什么时候再去？"

"据那老仆陆全说，他主人必须傍晚时才回。到五点钟时，我预备再走一遭。"

"我可能和你一同去？"

"很好，你也可帮助我观察一下，这姓孙的究竟是一个什么样人物。"他紧蹙着双眉，感喟似的自言自语，"我的观察力怎么会衰退得这样迅速！"

我点了点头，默然不答。霍桑的话，我也有同感，不过我不相信是衰退。因为霍桑的观察力虽比我高强得多，但万一他存了成见，带了有色的眼镜瞧人，或是掉以轻心，自然也难免失察。我之所以要跟他去，原想凭我的冷眼，补他的不足，以免他错误到底。

霍桑欠伸一下，又道："包朗，你趁这空儿，打个电话问问汪银林，薄一芝和李阿凤可已有什么口供。"

我应了一声，便回身向电话室走去。

霍桑忽又道："还有一句。他说过，他曾派探伙们去调查昨夜在桃源里口停着的那部黄包车。这一着是否也有下落。"

电话接通到警察厅里时，汪银林恰巧在办公室中。他说薄一芝始终不肯吐实，李阿凤也不承认和薄一芝通谋。伊但说今天早晨十一点钟左右，一芝曾往沈家里去过，和伊家小姐密谈过一会儿。这一点先前薄一芝也没有说明。他只说他到朱家得了凶耗，直接来见我们。我想不到这个貌似清高的艺术家竟是一个鬼话大师！汪银林又说关于黄包车的下落还没有报告，似乎很难调查。

霍桑得了这个回话，寻思了一下，说："据此看来，他今天早晨到了朱家以后，又去见过沈咏秋，故而他到我们这里已在午饭以后了。"他掏出表来瞧瞧，便立起来："包朗，我们总得去见见这个孙仲和。假使他果真毫无疑点，完全是薄一芝的诬攀，我们也可确定薄一芝有罪，不必再仆仆奔波了。"

两粒泥点

孙仲和住的松柏里是在海关路的中段。那第三弄内共有五宅两上两下的新式市房。孙仲和独家住了一宅，从石库门进去，便见铺石板的天井中停着黑漆光亮的包车，车轮上还沾着污泥。那时有一个六十左右白发盈头的男仆接应我们。霍桑说明了来意，他回说主人已经回来，此刻正在楼上。霍桑就取出一张名片，叫那老仆上去通报。我们就在客堂中等待。

客堂里的器物都是红木的，磨刻很细致，式样也古旧，都不是近年的出品。客堂正中挂一幅五尺的山水堂幅，同着两壁的屏条字画，都是若干年前的名家手笔。我看对联的上款写着柳汀，时间已是三十年前。但那屋子是新造的，玻璃的长窗，广漆的地板，又都新近抹过，满目都呈着新气，不过椅桌面上都蒙着灰尘。客堂的左侧有一扇西式广漆的门，直通厢房。这时那门关着，瞧不见厢房中的内容，但见厢房的朝东窗上，露着淡黄色镂花外国纱的窗帘，非常考究，便可想见里面的陈设，必和客堂中古色古香的不同。等了一会儿，我有些不耐，正怕他拒绝不见，忽见那老仆已走下楼来。

他说道："请等一等，少爷就下来哩。"

霍桑带着笑容道："费心，费心。但这里有些风，你能不能开了这厢房门，让我们到里面去坐坐？"

那老仆的沉着的脸上丝毫没有笑容，并且他静默少言，果似有一种处处戒备的神气。

霍桑见他犹豫，急忙道："我们是你主人的好朋友。你尽管开门。"

老仆但向霍桑的脸上瞅了一眼，仍不答话，似乎他主人早已和他说明，我们实在不是他的朋友。可是他踌躇了一下，仍转到里面去开门。

我们一走进厢房，才知是一个书室。书桌、螺旋椅、茶

几、椅子、书橱、沙发等物，都是簇新的西式风格，木料也都
是舶来品的柚木。书桌上供着一只银质花瓶形的电灯，盖着粉
红绸的流苏罩；一个白石的裸体女像，显然是意大利雕刻品；
又有一只带玻璃罩的玲珑的彩色小瓷钟，都是重价的东西。一
面壁上挂着几幅金框的女像油画和一张时装女子的全身照片；
靠壁放着一只温软的青丝绒的睡椅，上面铺着三个彩缎绣花的
坐垫——一个紫，一个天蓝，一个黑。睡椅一角的一个黑缎绣
金的垫子底下，似乎压覆着一条深青色的毛绒围巾，因为只露
出些围巾的流苏。睡椅对面排着几只镂刻的椅几，几上放着一
只电话机。还有一口装玻璃门的有名无实的书橱，因为橱中只
放着许多药瓶酒瓶之类，书本却寥寥无几。

我们俩正忙着向四周瞧察，我忽听得脚步声音从客堂里传
进来。

那人身材短小，额骨小而且狭，面颊瘦削苍白，却厚厚地
涂着雪花霜一类的东西；鼻梁上架着一副咖啡色玻璃的眼镜，
把他的眼睛遮住了；两片厚厚的嘴唇微微张开，唇角却作轻鄙
状地垂落；当门两只牙齿是套金的，作用显然是装饰。他的左
手小指上有一只小粒钻戒，身上穿一件淡灰铁机细花锦的银鼠
皮袍，配着赤金的纽子，足上穿雪白的丝袜，却拖着一双白缎
蓝花的拖鞋。他的乌油油的长发本来是向后梳的，这时却有些
蓬乱，似乎他正在楼上休息。他走进门来，站住了向我们俩微
微弯了弯腰。我们也忙回身答礼。因着大家走近了，一阵浓郁
的香气直扑我的鼻管。

他先开口道："哪一位是霍先生？"他的声音柔和清脆而
有音乐意味，竟像是少年女子一般。

霍桑走前一步，应道："鄙人便是。孙先生不认识我了

吗？我在赛马场里见过你好几次了啊。"

孙仲和忽摇摇头说："你误会了吧？我是从来不到赛马场里去的。"

僵！霍桑第一句虚冒就碰壁，第一个爆仗就不响，这一次拜访会有好结果吗？幸而霍桑的应变艺术是有独特的素养的。他耸一耸肩，笑一笑，连忙改口。

他说："唉，不错，那是我记错的。我记得在光明电影院里见过你几次。那时你还同着一个女朋友，是不是？"

孙仲和的脸上略略泛出一丝浅红，接着又摇头答道："我记不得有这样的事。你别乱搭山头。"

这第二句虚冒已有些效果，孙仲和嘴虽不认，但他的脸色已表示出不自然。他的衣服装饰尽管富丽华贵，但模样似乎带几分流氓气。薄一芝说他是一个急色儿的无赖，在我眼中已不能说他是凭空捏造。这时他勉强请我们坐下。我们就在那他所坐的睡椅对面的柚木椅子上坐下来。他自己就坐在那个洒金的黑缎垫上。

孙仲和问道："霍先生，我听说你是当侦探的，今天到这里来有什么公事？"

霍桑答道："不，不是公事，我们只是出于友谊的造访。"

"唔？那不敢当。我想总有什么事情吧？要不然，也许请也请不到。对不起，请你快说明白。我还有事。我的舅舅于企年律师正在等我。"

"事情是有一件的，不过小得很。我们有一个朋友忽然失踪了，特地来问一声。"

孙仲和似乎微微一怔，顺着霍桑的口气，问道："失踪了？"接着他又改口道："唉，你的朋友是谁？怎么来问我？"

霍桑道："伊姓朱，名叫仰竹。我知道孙先生也是伊的朋友，是不是？"

我坐在旁边，敛神观察他的神色。他听了这句，神色上仍很镇定，但他的头渐渐地沉下去，似在欣赏他足上的那双白缎蓝花的拖鞋。

他摇头道："你别挖空。我不认识伊。"

霍桑含笑道："唉，贵人多忘事，也怪不得你记性太坏了！朱仰竹是当西医的，你怎么说不认识？"

孙仲和忽把咖啡色的眼镜移高了些，眼珠转了几转，做醒悟状道："喔，我记起来了。不错，伊曾到这里来看过两次病。但你说是我的好朋友，叫我哪里想得起来？"

霍桑仍带着笑容道："这个'好'字，也许是我措辞失当。但我若说伊是你的朋友中的一个，你总也不能否认吧？"

孙仲和沉下了脸，摇头道："不！对不起，伊不能算是我的朋友。我只叫伊来看病，况且也不是看我的病。我和伊毫无交情。"

霍桑的嘴角牵了一牵，把他的呢帽搁在左膝上，不即答话。我暗忖这个人的口齿当真很老辣，竟一口回绝，使人无从再说。

孙仲和反问道："霍先生，你说朱医生失踪了？几时不见的？"

霍桑道："就在昨天夜里。伊是被人请去出诊的，直到今天午膳时分还不回来。"

孙仲和缓缓答道："这倒奇怪。但这件事我完全不知道，你们怎么会问到这里来？"

霍桑瞧着他道："据我们所知，伊是被一个姓'孙'，或是

姓'沈'的请出去的。孙先生既然是伊的老主顾，故而来问一
声。你昨夜可曾请过伊？"

孙仲和仍不慌不忙地摇了摇头，答道："没有。我从前请
伊，本是给苡珠——我的老婆——看病的。苡珠在一礼拜前已
回了娘家，此刻这屋子里没有女人，用不着请女医生。"

"那么在这最近几天中，你可曾见过朱医生？"

"也没有。我早已说过，我只请伊给苡珠诊病。我跟朱医
生毫无交谊，即使在路上碰见，也不会点头招呼。"

"那么我们只能另行探访了。对不起，冒昧得很。"他像要
立起来，仰一仰身子，又坐下了，"还有一句话，府上现在有
几个仆人？"

"唔，有三个，都是男仆。"仲和先站起来预备送客。

"府上竟一个女仆都没有？"

"有一个的。但在一礼拜前，伊已跟着苡珠往菜市街我的
岳母洪家里去了。"

霍桑答应了一声，作势要立起来的样子，眼光却仍垂注
在地板上面。他的呢帽本放在他的膝盖上，这时他的两足一
动，那顶灰色呢帽便滚落在睡椅旁边的地板上。幸亏那地板
是广漆的，并且新近洗抹，丝毫没有灰尘。霍桑偻着身子，
左手将呢帽拾起来，右手在那睡椅一角的玄缎垫下面的毛绒
围巾的流苏上面指了一指。因着孙仲和立了起来，那围巾的
流苏又显露了。

他带笑说："这条围巾想必是尊夫人的吧？"

孙仲和回头向睡椅上一瞧，忙着应道："是。正是。"

霍桑又鞠了一躬，便和我一同辞别出来。孙仲和拖着拖
鞋，只送到客堂的长窗门口，便点一点头，退进书房里去。我

和霍桑走出了大门，忽见那先前给我们通报的老仆陆全正提着一只铅皮畚箕进门。

霍桑乘机搭讪道："喂，你可知道你们的女主人几时回来？"

老人摇摇头："不知道。"他垂着头准备进门去。

霍桑又单刀直入地问道："你们少爷的女朋友大概不少吧？"

陆全道："我也不知道。"他说完，便低垂了头，匆匆和霍桑擦肩而过，一直进门去。

霍桑也不阻拦，目送着他的背影，喃喃自语道："好一个忠心的老管家！"

我说："这白发老头儿真能守口如瓶。你要从他的嘴里探听消息，大概不可能吧？"

霍桑道："不，我并不想探消息，我只要证实他是否本来有寡言的脾气，或是他故意规避。此刻我的疑团已经解决了。"

"我看你先前的观察没有错，他像是故意规避。他的状态有些诡秘，很像是和他的主人通同的，是不是？"

"是。我也相信如此。"

我们出了松柏里，走上马路。天虽还没黑透，路上的路灯都已亮了。霍桑在海关路的转角旁边立定了。

他道："包朗，我们要分路哩。你先回去打个电话给汪银林，叫他立刻把薄一芝放掉，好让他去料理朱仰竹的丧事，又免得叫无辜的人受冤。他若使不相信，薄一芝所负的嫌疑可由我负责。"

我惊异地问道："你已经确信薄一芝没有罪？"

"是。我仍保持我先前的想法。"

"那么犯罪的是谁？"

霍桑不答，忽而斜目向右侧里瞧瞧。有一个穿黑衣的妇人正从我们的身旁经过，霍桑似有所顾忌。我等那妇人走远了，才继续发问。

我又问："你可是疑心犯罪的就是孙仲和？"

霍桑只向我点了点头，似乎仍顾忌路人，怕漏了风声。

我把声音放低一些，又问道："你确信是他？"

霍桑低声道："是，确信是他。"

"有没有根据？"

"有。我已经知道，昨夜夜半朱仰竹曾到过他的书房里去！"

"喔，这样准确？"

"是，我相信我的观察力究竟还没有衰退！"

"既然如此，你为什么不通知银林，立刻把他捉住？"

"这还不能鲁莽。有一个重要的疑点，先得加以证明。现在你先回去，我还要去调查一下。"

满腹的疑团控制了我，使我没法按捺。我拉住他不放。

我问道："霍桑，慢。你去调查什么？"

霍桑皱着眉头，似乎不愿说明。他的眼光闪一闪，忽附耳反问我道："你可曾见孙家客堂和书房里的地板是新近抹拭过的吗？这是值得注意的。"

"唔，有什么意思？"

"用客堂中椅桌面上的薄薄的灰尘做对比，可见这不像是仆人们勤于洒扫的明证，却像是因着地板上留过什么痕迹，故而特地抹去，以防给人瞧见。你说是不是？"

"唔，是的。你想抹去的是什么痕迹？"

霍桑自顾自说："但是书室中的睡椅底下还有一种痕迹没有完全抹去。包朗，你可曾注意？"

我瞠目道："没有。那是什么？"

霍桑又低声道："那是两粒圆点，各有黄豆般大，两点的距离约有四寸。我当时也瞧不清楚，所以故意把呢帽抛落了，俯身下去，才看见那是两点新鲜的泥渍。"

"两点泥渍？"我仍莫名其妙。

霍桑作简语道："是。现在我要调查的，就是这两点泥点。回头见，别的话再谈。"

语声未了，霍桑已急匆匆地返身向东走去。我再没法留阻，只得一个人先回爱文路寓所。到达以后，我就依照霍桑的话，打电话通知汪银林。汪银林恰巧正要找我说话。

他先向我说："包先生，我正要报告你们，这案子又进一步了。"

我微微一怔。他莫非也已疑到了那个孙仲和，和我们走上一条路来？

我问道："进步得怎样？"

汪银林道："薄一芝已经有了口供。他承认今天早晨他发现了凶案以后，曾去看过沈咏秋。他又承认昨夜十点半钟他从家里出来以后，果真雇了车子往大通路桃源里去过，但他还不肯承认昨夜里见过朱仰竹。"

我听他仍旧困住在那条老路上，忙止住他道："银林兄，别多说了。你快把薄一芝释放了吧。"

汪银林惊异道："什么？这样一个重要的人物怎能轻易放掉？"

我答道："这一层我本来也和你有同感，觉得薄一芝确有可疑。但霍桑已深信薄一芝没有罪，不能再冤枉他。你尽管把他释放，一切可由他负责。"

汪银林静默了一下，才说："既然如此，我也不妨遵命。

但霍先生可是另外查出了凶手？"

我应道："正是。据霍桑的意思，犯罪的人就是海关路松柏里十五号的孙仲和。此刻他正在那里调查一种证据，不久就可以请你去拘捕哩。"

汪银林急切地问道："那么这里面的情形怎样？你给我说一说行不行？"

我答道："这件事我也还不知底细。你不如到这里来问霍桑自己。他大概就要回来的。"

汪银林答应了，就把电话挂断。我也就静坐着等他。

六点钟过了。深秋的天气白昼很短。残阳的余光既已没落，苍茫的暮色伸展到每一个角落，整个大地便逐渐归于沉黑。夜风又开始活动，天气也越发寒凛。我坐在电灯光下，吸着纸烟，又开始分析起这件案子来。

这案子在开场的时候，那薄一芝和沈咏秋二人本来都很可疑。霍桑虽一度困惑，却始终保持他的想法、疑心；否则，断不会如此冒昧。我观察孙仲和的状貌态度，确有几分"少爷流氓"的模样，但若说他就是行凶的人，我还没有把握。我不知道霍桑所得到的要证究竟有几种。他所要证实的两粒泥点是什么东西？怎么会留在睡椅底下？它和凶案有什么关系？我的默想依旧没有结果。直到烧完了第三支纸烟，忽听得前门开动，有人走进来。我以为是汪银林来了，抬头一瞧，进来的却是霍桑。

霍桑的理解

霍桑和我点了点头，就将衣帽挂在架上，又顺手把壁上的一只提琴取下来。接着他坐在他常坐的那只藤椅上，开始旋那弦线。我见他一言不发，神色上并无表示，却又如此好整以暇，禁不住先自发问。

我问道："霍桑，你已成功了没有？"

霍桑似乎没有听得，忽而闭了眼睛，执着弓弦，呜呜咽咽地拉起来。我没奈何，只得静悄悄地等他。那提琴的声音由缓而急，琴韵有些铿锵，但很和谐入耳。他拉到入神的地方，他的头随着那弓弦缓缓地侧动，显示他的内心中的得意。约莫两分钟工夫，琴声才戛然而止。他把琴放在藤椅的一旁，伸直了两腿，把身子仰靠着椅背。电灯光描绘出他的精神和身体都是很舒适的样子。

我重复问道："霍桑，你的调查工作究竟怎么样？"

霍桑随手取出纸烟，擦着火柴，一边答道："我早已在提琴中答复你了！我拉熟的曲子不多，你难道还听不出？"

我答道："我知道你已经得手了。但这两点泥迹究竟是什么东西？我还猜不透这个哑谜。"

霍桑反问我道："你可记得今天清早死者的仆妇蔡妈告诉我们，死者昨夜里出去时本是带着一只皮包的？"

我应道："记得的。那皮包是放医药用品的。"

"但我们只发现那女医生的尸体，并不见有皮包。蔡妈也不知道这皮包的下落。所以我们若使能够查得那只皮包，便可以连带地知道朱仰竹昨夜的踪迹，而案事也就可以解决，是不是？"

"不错，你可是已经发现了那只皮包？"

"不，还没有。"他顿一顿，"不过我虽没有亲眼看见那只皮包，但我已经发现了那皮包到过的地方。"

"怎么？我不明白。"

霍桑放下了纸烟，瞧着我说："包朗，你总知道任何手提皮包的底下，大概四角各有一枚圆钉，预备安放时皮包不致直接着地，是不是？刚才我在孙家书室中的睡椅底下瞧见的两粒泥点，就是那皮包底下的圆钉留下来的。"

"嗯！"我的疑团刺破了一个。

他继续说："我们知道昨夜里近半夜时方才起风，天气也突然转冷。在起风之初，路上还很泞湿。所以我料想昨夜朱仰竹到松柏里下车的时候，那皮包必曾在湿路上放过一放；后来伊提到里面，进书室中去暂坐，便顺手将皮包放在睡椅底下。当初我看见了那两粒泥点，一时也不知道是什么痕迹；经过了一度推索，才想到皮包下面的圆钉。但我为审慎计，还不敢信以为实，故而又到桃源里死者家里去问蔡妈。果然不出所料，那皮包底下确有四枚铜钉，并且大小尺寸也完全相同。"

我又提出一个疑点，问道："皮包底下既然有四枚铜钉，何以地板上的泥迹只有两点？"

霍桑吐出了一串烟圈，微笑道："就为这层，当初也使我犹豫不决。其实这个哑谜说破了原不值一提。我料朱仰竹进书室中时，必曾在那睡椅上坐过，故而伊将皮包放在地板上面的时候，必是一半在睡椅底下，一半却露在睡椅外面。那时朱仰竹在那新漆的地板上面势必还留着皮鞋的足印，事后孙仲和灭迹洗抹，故而把那睡椅外面的两粒泥点一起抹去。但那椅底下的两点泥迹，一定是因洗抹的人疏忽没有注意，故而不曾抹去。因此才给我留下了一个重要的线索。"

我点头道："唉！说破了果然是显明的。但当时也亏你推想得出。"

霍桑把鞋跟抵着地板，缓缓地摇动着。

他答道："这算得什么？不过我见了这个痕迹以后，曾经用脑子想过一想罢了。"

他说到"想过一想"的字眼时，他的声音似乎加重了些。的确，"想一想"的动作是解决世界上一切问题的密钥。孟老夫子说到心的机能时，所以要大声疾呼："心之官则思，思则得之，不思则不得也。"确然是有深意的。霍桑在一切疑案上的成功，也就在肯"想"。所以这一句"想过一想"也可以算是他最得意的话。

我又问道："你可是单凭着这两点泥点，便确信朱仰竹曾到过孙家，和孙仲就是行凶的凶手？"

霍桑摇摇头："不，证据多着呢。你是和我一同去的，怎么都没有觉察？譬如睡椅上坐垫下面的那条深青色的毛绒围巾，一定也是朱仰竹遗下的。当时它给那个玄缎垫子压覆了大部分，睡椅的丝绒又是同色的，所以灭迹时也给忽略了。我故意冒他一冒，他居然承认那是他的妻子的东西。其实这种深色朴素的东西，绝计披不上他的漂亮夫人的娇躯。你瞧了壁上挂着的那张照片，就可以想见他的夫人的装束本是十二分摩登的。我们退一步说，就算承认这东西是他的妻子的。但围巾是发冷时方才需用的东西。我们知道昨夜的起风还是秋来第一个冷汛。他的妻子既然在一星期前就归宁了，那时的天气穿夹衣还嫌热，哪里用得着围巾？就算这围巾早就未雨绸缪地给取了出来，但又怎么会搁在睡椅上？又何至于搁了一星期之久而不收拾好？"

我连连点头道："对，霍桑，你的观察力还是那样精细。你的脑筋的致密程度也的确是高人一等。但你假定这围巾就是朱仰竹的，也已证明了没有？"

霍桑道："也证实了。刚才我问蔡妈，昨夜朱仰竹出外时肩上是否披着围巾。蔡妈没有注意，不敢说定。但伊说伊主人果真有这样一条深青色的围巾，前几天曾取出来晒过。这已经显然了。除此以外，孙仲和的言语态度，也处处都使人觉得可疑。他开头就提出他的母舅于企年，分明是想吓吓人的金钟罩。你知道于企年是个包揽讼案的红律师，一般人听了他的大名就会退避三舍。但最重要的一点，他在谈话中无心脱漏了一句。你可也曾觉察没有？"

我被他一问，一时想不出指哪一方面，呆住了不知如何回答。

霍桑接着道："你可记得我问他家里有几个仆人，他怎样回答？"

我想了一想，立即醒悟道："记得的。他说他家里有三个，都是男仆。……唔，他的口气中似乎要表示他家里没有女仆，是不是？"

"是啊。你想这句话岂不是他情虚的表示？他若使没罪，我们又没有说过昨夜里去请朱仰竹的是一个女仆，他又何必多此一句？"

"对！这一句补衬真可算是画蛇添足，欲盖弥彰了！"

"是。因此，我知道他家里表面上虽没有女仆，暗中却一定有一个的。那女仆和他串通了，才能将朱仰竹骗到他家。这一着棋子，他大概预防万一事发，以便借此抵赖；或者他故意如此，目的要嫁祸于沈咏秋，也未可知。"

"唉，他的设计当真非常狡猾。但你想那串通的女仆是谁？"

"这不成问题。我们少停把他捉住了后，不怕他不肯吐实。"

我想一想，又问："还有，朱仰竹被骗以后，怎样受辱和怎样吊死，你可也查明了没有？"

霍桑丢了烟尾，摇摇头说："这一点也可以让他自己供出来。此外我们要知道的还多，例如他怎样移尸，那告假的包车夫林根怎样通同合作，都可以叫他自己说明。总而言之，我相信这孙仲和是全案的总枢。现在总枢的疑团既经解除，别的都可算是枝节了。"

我同意说："不错，据我看，不但那包车夫同谋，连那老总管陆全也必串通一起。你可也赞同？"

这时前门上忽有响声，我料想是汪银林到了，忙立起来开了办公室的门。进来的果然是汪银林。他向我点点头，便很热诚地向霍桑招呼。

他说："霍先生，我已遵命把薄一芝放掉哩。你的工作怎么样？可已完全成功？"

霍桑含笑说："是，一切都已了结，只等你来收功哩。"

彼此坐定以后，霍桑便把薄一芝的自白，他自己的侦查经过和在孙仲和家里发现的情形扼要地向他说明。汪银林听得出神，举起了夹着半根已熄雪茄的手，连嘴都合不拢来，只有点头赞服。

他抹一抹肥胖的下颌，半喜半羞地说道："霍先生，这件事我不知道应怎样感激你。此番若没有你领导，我既然走上了迷路，不知什么时候才能回头！"

汪探长的个性是爽直的，他的恭维也完全由衷。霍桑谦逊了几句，又谈到案子的本题。

汪银林又说："还有一着，那沈家的女仆李阿凤，此刻我还没有放掉。你想孙仲和串通的仆妇可就是伊？"

霍桑又在烧一支新鲜的纸烟，一时并不回答。我觉得银林这句话很有意思，就乘机插口。

我说："这个女仆的确是案中的重要角色。你自己可有些端倪？"

汪银林接着说："霍先生，我们知道沈咏秋对于朱仰竹产生醋意，本是孙仲和挑拨出来的；仲和既然蓄意要中伤朱仰竹，原也是沈咏秋所求之不得的；因而伊为借刀杀人而借一个女仆给仲和用一用，似乎也有可能。霍先生，你看怎么样？"

霍桑抽了一口烟，忽张目瞧着银林道："银林兄，你又要回到迷路上去了。你的设想固然很美丽，但是设想没有事实的根据是最危险的。你说孙仲和同李阿凤串通，可有什么实际的佐证？"

汪银林道："蔡妈的说话还算不得佐证吗？"

霍桑大声道："你还相信伊的话是实在的？"

汪银林怔了一怔，惊讶道："怎么？你说这老婆子会说谎？"

霍桑摇头道："不是。"

汪银林更觉愕异，张开了嘴，一时竟不能回答。我也暗暗诧怪，不知道霍桑的话语中含着什么秘密。

汪银林自言自语说："奇怪！既非说谎，又不实在，这究竟是怎么一回事？"

霍桑吐出了一口浓烟，说："是这老婆子的错觉！换一句话说，蔡妈并不是故意要说谎；但所说的却只是出于伊的心理上的幻觉，并非事实。"

汪银林益发疑惑。他瞧瞧霍桑，又瞧瞧我，似乎要求我代替他找一个解释。这时霍桑忽而有一种奇突的举动。他放了烟尾，仰起了身子，从衣袋中摸出一块白巾，突然把他自己的胸颈遮住了。

他说道："银林兄，你今天已和我见过两次了。你可知道我的领带是什么颜色？"

汪银林仍莫名其妙。他的嘴闭拢了，仍旧没有说话，只一眼不霎地向霍桑瞧着。他手中的那枚起着装点姿态作用的久熄的雪茄也给丢下了。

霍桑又道："说啊！你姑且说说看。这是一种实地的测验，你也可以得到一种有趣的知识。"

汪银林期期然地答道："似乎是酱色绸的。"

"有没有花色？"

"有……有许多白色的细点。"

我虽在旁边静听，并没有处于被测验的地位，但心中也不禁暗暗地内愧。原来霍桑这天带的什么领带，我虽和他同在一起，因着没有特别留意，此刻竟也不敢说定是什么颜色！

霍桑笑道："酱色白点的领带，我当真是有一条的。可是今天的却不是！"

他顺手把白巾放下来，露出了他的领带。那是一条暗绿色而有细黑斜线条的。汪银林又瞧瞧我，我也瞧瞧他，面面相觑地都很不好意思。

霍桑把白巾重新藏在衣袋中，一边自言自语地说："人们的视觉本是很薄弱的，尤其在不经意或心有所思的当儿所形成的印象，更是淡漠模糊而不足凭信。刑事心理学权威葛洛斯（H. Gross）曾举示许多采证的实例，指出司法官采取眼见证人的证语有特别审慎的必要。因为人们在匆忙或无意中所得到的印象，事后回忆，往往会把黑衣说青衣，胖子变瘦人。我还记得一个有趣的测验。测验者把一只表给四十六个受测验人看，每人限看五秒钟。看过以后，叫每一个人将所看见的表面上的景状用笔描画在纸上——那当然只要画一个轮廓罢了。结果只有一个半人的答案是正确的。大部分人都把那个罗马数字 VI 写在下面，有几个人还把罗马数字变作阿拉伯数字。实际上那六点钟的 VI 字的位置已给秒针占去了，根本是不存在的。……嗯，你们觉得可笑吗？其实这测验我自己也实施过，委实千真万确！所以'一目了然'是没有科学根据的；'视而不见'才是一般的现象。"

汪银林向霍桑瞧瞧，又瞧瞧我。我也无言地回了一瞥。因为霍桑的理论是有根据的，莫说银林，我也找不出辩难的话。

霍桑又说："银林兄，此刻你可以明白了。你和我面对面了好久，你竟没有瞧清楚我的领带是什么颜色。方才你猜想我的领带是酱色白点的，可见只是凭着你的记忆中的幻觉，并非事实，是不是？那么以此例彼，可知蔡妈的说话也同样是不实在的。"

汪银林顿了一顿，仍作怀疑声道："虽然，但蔡妈说李阿凤穿的青布衣服和青莲色围身，在事实上是合符的。你怎么说——？"

霍桑剪住他道："你还不明白？好，你姑且闭着眼睛，把昨夜里蔡妈所经历的景状悬想一下。第一步，伊在楼上听得有人进来和伊的女主人讲话。那时候那来客即使和蔡妈非常熟悉，但谈话的时间既然不多，又隔着一层楼，你想伊可有辨得出来人的声音的可能？第二步，伊随即下楼，看见伊的主人已准备出去，并对伊说伊要往孙家去诊病。这时候那个来请医的女仆早已退到石库门外，蔡妈在实际上并不曾当面瞧见。第三步，据蔡妈自己说，伊还瞧见那女仆穿一件深青色的布衫，加一个青莲色的围身。但朱家的大门外并没有电灯，客室中当然是有灯光的。试想一个人从光亮处向黑暗中瞧察，可能够瞧得明白？并且那深青色和青莲色都是深色，更不容易分别。可是蔡妈却能够在黑暗中分别得清清楚楚！想一想，这话可合得上事实吗？"

汪银林的牙齿在啮自己的嘴唇了，他的头似乎在不自主地点动，但他仍没有说话。我也不由得暗暗点头。

霍桑继续道："据我推断，当伊在楼上听得下面的谈话声音时，至多只知道来客是一个女子，断断辨不出是谁。等到伊下楼以后，因着'孙''沈'二字的误会，便抱定了成见，以为就是平桥路的沈家，那请医的也就是阿凤。因为那沈家的李阿凤曾去请过两次，请时都在日间，蔡妈都看见过伊的。蔡妈因着这个成见，便深信不疑。后来经我们向伊究问，伊要使我们坚信，才说出阿凤的衣服颜色，其实阿凤的衣色是伊前两次看见的；昨夜里伊连那女仆的衣色面貌都没有瞧见，只凭着伊的记忆中的幻觉作用，自以为瞧见罢了。这恰像刚才你说我戴的酱色白细点的领带，理由是相同的。"

汪银林还是保守着缄默。他只交握着两手，把手肘支在膝上，偻着身子，低垂着头，似在瞧地板上的他自己的影子。我不知道他心中有什么感想。

霍桑又道："这个设想我还有佐证。试想沈咏秋两次请朱仰竹去，并不是诚心求医，却是要刺探朱仰竹的隐事。仰竹虽愚，经过了两次的试探，势必也可以瞧破沈咏秋的用意了。这样，假使沈咏秋第三次去请，伊能否绝不顾忌？即或伊另托他名，但那差遣的既然是李阿凤，时间又在寒冷的深夜，你想朱仰竹可会一请就去，丝毫没有迟疑吗？"

这解释当真加得上入情入理的考语，我只有无条件地佩服。同时我才恍然于霍桑最初就不赞同汪银林把咏秋看作案中的主谋人，认为太主观，原因就是他先看到了这个反证。不过当时他不肯立即发表。

汪银林抬起头来，叹口气说："霍先生，我真惭愧。我在这一件案子上，着实长进得不少。"他立起来："现在我去打一个电话，先把那李阿凤放掉，然后再去拘捕孙仲和。"

霍桑点点头表示赞同。汪银林便起身向电话室走去。

我提议道："此刻还只七点半钟，不如先去把孙仲和捕住了，再回来吃晚饭不迟。"

霍桑同意道："也好。你如果有兴，就陪着银林兄去走一趟。"

汪银林恰从电话室中回身出来，忙道："霍先生，你再劳驾一次。我想最好我们三个人同去。万一再有什么意外的岔子，有你老人家在场，我们也可以放心。"

我觉得汪银林的建议并非多余。因为人事的变幻往往会出人意料。此刻全局虽都已结束，但在真凶就逮以前，有没有意外的岔子，正也难说。好在霍桑并不深拒，就立即穿上了外衣，一同往海关路去。

意外波折

我们三个人利用着汪银林的公事汽车，又得到一个谈话的机会。汪银林自悔拘捕薄一芝的事太鲁莽。

霍桑安慰他道："这不能怪你。他的举动确有可疑之处，说话又吞吞吐吐。夜晚他既曾往朱家里去，却又秘而不说，就是他自取其咎。"

汪银林道："你想他昨夜到底见过朱仰竹没有？他究竟有什么勾当？"

霍桑沉吟地说："我不知道。但我想这一节不会和凶案有关。他不久总要来见我们，他自己一定会说明白。"

"是，他也许今夜就来看你。因为我放他的时候，曾向他说明这是你的意思。他着实感激你。"

我笑着向霍桑说："他感激你固然应当，其实你也应当感激他指引线路的功。"

霍桑忽瞧着我问道："你可是说孙仲和的线路是薄一芝指引的吗？错了。他在这件案上果然供给我不少材料，但那孙某的一条线路，最先我在挂号簿上早已发现，并非完全出于他的指引。须知当朱家的蔡妈说出姓沈的时候，我本也信作一条可靠的路线。后来伊越说越真，竟把那女仆的声音衣服做伊说话的佐证，我却越听越疑，反觉得有另寻线路的必要。因为在这种情景之下，那蔡妈的视觉听觉竟能如此敏锐清晰，实在不能不使我怀疑。后来那姓戚的挂号先生在号簿上说出了几个人来，银林兄便躁急不耐，分明他已把蔡妈的说话认作唯一的线路。我一时还没有把握，虽不便发什么异议，但我早已存下了另辟线路的意念。"

我赔笑道："不错，我记起来了。你当初确有过怀疑的表示。后来你一听得薄一芝说出孙仲和来，便认为印合了你的设想，因而就坚持到底——"

霍桑的一种奇怪的举动挫断了我的话锋。他把身子突地偻向汽车的窗口外望了一望，接着又退缩进来，低声吩咐司机。

他说："你把车子开得慢一些。"

当我们谈话的时候，霍桑的眼睛本不时向窗外瞧视。这时不知不觉，汽车早已驶进了海关路。我不知道因什么缘故，他突然吩咐开慢车。我也向窗外探视。这一带路灯很亮。我发现我们的汽车距离松柏里已只有三四十步光景。

霍桑又低声向银林和我道："你们快瞧！前面不是有一个穿黑衣黑裙的女子吗？我看见伊是从松柏里第三弄中出来的。伊急切雇不到车子，左右张望，模样非常慌张。唔，很可疑！"

我们的汽车驶得更近了。那女子正迎面过来，伊的面貌我已瞧见，好像很白皙，身材相当颀长。

汪银林失声道："哎哟！是沈咏秋啊！伊为什么到这里来？"

霍桑微怔了一怔，张口像要说话的样子，忽又忍住了不说。他的视线仍凝注在马路的侧边。

汪银林继续道："莫非又有什么变端？……唔，这女人不能轻易放过。唉！瞧！伊雇着一部黄包车哩！……喂，你们快下车，我跟伊去。"

霍桑立刻摇手阻止："不！还是让我跟伊去。你和包朗兄直接进去见孙仲和。如果他还在家里，你是公务员，可以立刻将他捕住。我马上回来。……停车！……喂，你们快下车！"

情势很急迫，霍桑的命令又坚决得不容我们犹豫。汪银林开了车厢门，匆匆下车去。我也跟着下车，向前一望，那黄包车已向南往棋盘路去。霍桑的汽车掉了头，也向着黄包车进行的方向缓缓驶过去。

我和汪银林相视了一下，就默默地走进松柏里去。到了第三弄弄口，我看见有一副卖热白果的担子歇在那里，正在刺啦刺啦地炒白果，此外却不见一人。

汪银林低声道："你想沈咏秋到这里来有什么勾当？"

我答道："伊也许是来报信的。伊起先既然听信孙仲和的谗言，可见他们之间有某种交情。今天你到伊家里去见伊，又把李阿凤拘了去，伊觉得风势不佳，特地通知他，也是情理中事。"

汪银林沉吟道："对，我也正这样想。假使如此，仲和势必还没有逃走。那也可以免得我们多费手续。"

那条弄中本来只有五个石库门，进深不大，孙仲和就住在最末一家。我们走到了十五号门前，便停了脚步。汪银林走在前面，正待敲门，忽又呆住了。我看见那石库门的一扇半开着，却寂无声响，门前也没有灯光。我微微吃惊，首先探头进去望一望。客堂中黑暗无光，但厢房中的淡黄色的镂花窗帘上却露着灿烂的灯光。

汪银林附着我的耳朵，问道："里面有人吗？"

我低声说："厢房里有灯光，可是静悄悄的，不知道有人没有。"

汪银林道："有灯当然有人。我来试一试。"

他随即把大门上的铜环拍了两拍。没有回音。他连续地击了几下，仍旧没有人答应。局势有些异样。我又探头向楼上望望，窗上完全沉黑。

我说："不必再等，进去吧。"

我把那扇半掩的黑漆大门索性推开了，首先踏进门去。汪银林紧跟在我的后面。我们进了客堂，故意把脚步踏得重些，希望有人出来接应。可是依旧没有什么声响。

汪银林高声喊道："有人吗？"

没有人回音。屋子里依旧寂静无声。

我暗忖主人即使出去了，但这里除了包车夫以外，还有一个老仆陆全和一个厨子王寿玉。他们都往哪里去了呢？我立在客堂中，四周给黑暗包围着，看不透四隅的景状，不禁有些害怕。我忽听得啪的一声，电灯顿时开亮，原来汪银林耐不住暗黑，已在墙壁上摸着了电灯开关。客堂中的陈设和先前所见的景状完全无异。那扇通书房的广漆门也照样关着。

汪银林诧异道："怎么连仆役都没有一个？"

我说："到厢房里去瞧瞧再说。"

汪银林抢前一步，握着那厢房门的西式黑钢门钮，用力直推进去。

他忽而惊呼道："唉！这里有人的！"

我早已跟着进去，看见那厢房里面的次间中，挂着一盏白纱玻璃的电灯，灯光下面摆着一只圆桌，桌上有几只碗碟，一个人正侧伏在桌子上。我起先因那衣色不同，辨不出是谁，但走近去一瞧，一股香气直刺我的鼻孔，也不禁惊呼起来。

我道："是孙仲和啊！可是睡着了？还是……？"

我不期然而然地怔了一怔，脊背上忽如被冷水浇淋。我的眼睛瞧在孙仲和的身上，也仿佛铁屑受了磁石，一时竟不能移动。

汪银林骇呼道："不好！他已被人杀死了！"

电灯光照见孙仲和的惨白的面孔，他侧枕着两臂，伏在桌子上，闭了眼睛，仿佛在打盹的样子。他的背上却露着一把刀柄。他当真已被人刺死了！

我定了定神，更走近一步，伸手摸摸他的额角，已经完全冰冷。我更瞧他背上的刀，刀柄是木质的，像是一种家用的水果刀，因为刀是隔着一件骆驼绒紫酱色外国缎的袍子刺进去的，故而血液并不外溢。大概刚才我们和他分别后，他觉得天气转冷，故而已把那件淡灰细花锦的银鼠袍子换掉了。

汪银林搔着头皮，惊诧道："哎哟！一案未了，一案又起！怎么得了？"

我没有话说。事情确是很棘手。在霍桑意中，虽说这个人是害死朱仰竹的正凶，已是凿凿有据，但究竟还缺少证实的手续。不料这个人忽又被杀了，加上了一重疑障！这孙仲和真是凶手吗？他自己又怎么会给人杀死？杀死他的第二个凶手又是谁？这案子不是更模糊了吗？

汪银林又说："我明白了。刚才沈咏秋不是从这里出去的吗？瞧现在的情势，这女人当真很可疑。"

我在那圆桌上瞧了一瞧，应道："不错，伊一定到这里来过。你瞧，他们俩还像是一块儿喝过酒的。"

桌面上除了两碗四碟以外，有两副杯筷，杯中都有余酒；另外有一个三星牌子的白兰地酒瓶，瓶中的余酒也已不多。

汪银林道："是，这里一个座位，大概就是沈咏秋坐的。我想霍先生不会放掉伊。"

我问道："你想这事是沈咏秋干的？"

汪银林皱眉道："眼前除了伊还有谁？"

我说："可是他们俩既然能在一块儿喝酒，怎么伊又会杀死他？"

银林不回答，兀自搔着头皮。我又瞧那桌上的碗碟，一碗是红烧鳜鱼，一碗是干贝炒蛋，四只碟子中却是腊肠，熏鸡，彩蛋，醉蟹，都是家常食品。

我又说："我看沈咏秋不会干这样的事。伊如果是来通风报信的，当然没有恶意。况且伊是个女人，也不像有这样的胆力。"

汪银林摇头道："就因如此，我相信是伊。但瞧这室中丝

毫没有争斗抗拒的痕迹，就是一个明证。若不是平素相识的人，怎么能够如此？"他顿一顿，又解释他的见解："我瞧这死人的模样，好像他先已喝了一会儿，也许已略有醉意，故而伏在桌子上休息。那女人却乘他不备，拔刀行凶，故而连抗拒的迹象都没有。"

我仍表示异议："银林兄，你姑且不要抱定成见。我看这变化太突兀，不会这样简单。"

汪银林又用力搔着头皮，说："倒霉！……倒霉！此刻怎么办？你想可要等霍先生来了再说？"

我正要回答，忽听得外面天井中的石板上有咯咯的脚步声响，因而急忙住口。

汪银林立即高声问道："谁呀？……霍先生吗？……这里又出了变端哩！"

汪银林的说话刚停，我猛听得外面的皮鞋声音突然急促，一刹那间又寂静无声，似乎那来人忽已退了出去。汪银林也觉得有异，急忙走出客堂，向外面追去。我也赶紧跟出来。客堂中灯光雪亮，但寂静无人。我走到门口，门外和弄中都仍静悄悄没有人。我见汪银林早已奔到弄口，向马路上左右瞭望。我正待奔出去，忽见他已经回进弄来，立定了向那卖热白果的说了几句，随即很失望似的走回孙家来。我们重新走进客堂。

他说："这个人非常敏捷，我追到弄口时，已不见有逃走的人影。"

我问道："你问过那卖白果的吗？"

"他说刚才看见一个穿西装戴呢帽子的少年男人，飞步奔出弄去。但那人往哪一面逃去，他也不知道。"

"奇怪了！这个人是谁？他来有什么目的？为什么一听得

人家的声音，忽又急急逃去？"

"我想他所以逃走，谅必就因为听得了'霍先生'的字样。……唔，我刚才委实太鲁莽！我不该说什么变端不变端。"

"但他一听得这话便逃，也足见得他情虚心慌。"

汪探长同意说："不错，这样看，这个人也许和这案子有些关系——"

铃铃铃……铃铃铃……

书室中的电话响了。汪银林错愕地瞧我。我不发一言，急急赶到书室里面，拿起了听筒。有一个女子的声音从听筒中传出来。

那女子问道："仲和，是你？"

我大吃一惊，心头突突地乱跳。这分明是一个难得的线索。但我怕露出真相，一时不敢答话，却又不愿错过这个机会。怎样应付伊呢？情急智生，我接连在话筒中咳了两声嗽，故意嗄着声音。

我答道："是我啊。你哪里？"我又夹杂了一个嗽声，接续道："对不起，我有些伤风。"

那女子道："刚才你还是好好的，怎么会伤起风来？你的声音都嗄了！"

事情太危险！伊可曾瞧出我的破绽？汪银林已经跟进来。他张大了两目，举起右手，像要接取我手中的听筒。我不放手。他就把耳朵凑近来。

我冒险地说："是啊，我即刻换一件衬衣，冻了一冻，不知怎的竟咳起嗽来。但你是——？"

女子接口道："你难道听不出我的声音？"

我勉强应道："当然听得出！但我不知道你从哪里打来。

你——？"

女子道："你岂不知我家里没有电话？自然是借打的。我问你，你的主意已打定了没有？"

僵！什么主意？我怎样回答？我若说定了，定的是什么主意？伊如果再问，岂不是仍旧要露马脚？这一种疑惑的意念在我脑室中只略一盘旋，我已勉强定了主意。

我含糊地答道："已差不多了，可是还没有十二分妥定。"

那女子道："怎么？还没有妥定？嘿嘿！"一声冷笑。伊的接续的语调也冷峭得多了："仲和，你要是再推三阻四，那你真是要讨苦吃了！现在我已经调查得清清楚楚。这件事外面侦查得很紧急。你要是真个不依我，我只需轻轻一句话，那便够你受用！"

唉！有些意思了！伊分明带着挟索的口气。银林乐意地向我扮个鬼脸。我向他点点头，又咳一声嗽。

我顺着伊的语气答道："我知道。我知道。喂，我看我们两个再细细地面谈一下，总可以圆满解决。"

伊道："还要面谈？干什么？我早已说过，干脆的两句话——你能答应万事便安全；不答应，就等着看！"

我假作恳求声道："喂，你不能再略为通融些吗？"

对方的声音很坚决："不能！你自己既然反反复复，我也当然不通融。要是你减少半个钱，不是生意经！你快自己定当！"

我又连咳了两声嗽，应道："好，好，既然如此，我也没有办法，就完全依你吧。喂，此刻我不便出门，你自己来拿吧。"

听筒中静一静。我把听筒紧贴着耳朵，斜着眼角瞧瞧银林。银林的眼珠乱转，嘴角也在牵动。约莫过了五秒钟，声音又来了，可是已婉和了些：

"你已经预备好？"

"是，预备好。"

"可是全数？"

"你尽可放心，绝不少你一个钱。"

又顿一顿。我觉得我的心房在胸壁上乱撞。回音又从听筒中触及我的听觉：

"那么此刻你家里有没有别的人？"

"没有，只有我一个。你立刻就来。"

"好，你可把后门开着，我就来。"

嘀嗒一响，对方的电话挂断了。汪银林吐出一口气，挺直了身子，拍拍我的肩。

他说："这真是一个意外的机缘！我想这个女人一定是朱仰竹案中的人物，跟这件新案未必有什么关系。伊还没有知道仲和的死耗哩。"

我点头道："是。无论如何，这女人如果真会来，多少总可以给我们一些光明。"

"对，我去开后门。"

汪银林走向后面去。我走到厢房中的睡椅前坐下来。汪银林也立即回进书房里来。

他惊疑道："后门也虚掩着没闩，不知道是谁开的。我想——"

"慢！"

这时我听得前门口又有脚步声进来，忙打个手势，叫汪银林不要再叫喊，只静止着等那人进来。

分 工

这一次进来的是霍桑。他踏进了书室，一看见次间中孙仲和的模样，也不禁惊骇地愣住。他的临事不乱的定力是令人佩服的，这时候竟也动摇了！他走近去瞧一瞧，摇摇头低声惊呼：

"坏了！坏了！"

我忙把我们发现的经过和那电话中女子的话，一件件向霍桑说明。霍桑把两手插在外衣袋中，呆瞧着桌面上的死人，随即低了头走向书室中来。

银林问道："霍先生，你看怎么办？"

霍桑伸出一只手扬一扬："我不知道。我想等那个打电话的女子来了再说。"

我问道："你想伊是个什么样人？"

他答道："或者就是和孙仲和通同的人。"他顿一顿，又说："伊大概看见朱仰竹的凶案已经发作，特地来敲诈他。"

汪银林问道："可会是那个沈咏秋？"

霍桑摇头说："不会。"

我也问道："刚才你跟沈咏秋到哪里？"

霍桑道："伊坐了车子一直回家。我在外面候了一会，不见伊重新出来。不会。打电话的绝不是伊。就论电话的语气，也明明不是。包朗，你应付得非常得当。我想伊一定会来。"

霍桑重新走近孙仲和的尸体，俯首察验。他又细瞧那两只酒杯和两双象牙筷。接着他挺直了腰，用手摸着下颌，他的眉峰也蹙紧了。

他自言自语道："奇怪！奇怪！"他回头低声问道："你们

进来时，除了这死人以外，有没有别的人？"

汪银林答道："没有。但有一个穿西装的少年男子，进了门忽又退出去。"他把追寻不着的情况说了一遍。

霍桑显然很注意，但只点点头，仍默不发言。

汪银林又说："据我看，这个忽进忽退的男子很像是……"他说了半句，眼睛向霍桑注视着，咽住了不说下去。

霍桑问道："你以为是谁？"

汪银林直说道："我觉得这人也许就是薄一芝。你可赞同？"

霍桑仍不答话，忽摇手警告道："且住。外面有人来哩。"

我以为来的是那个打电话的女子。可是我听得响动的是前门，不是后门。

霍桑抢先出去，高声叫道："陆全，你回来了？"

有一个人应道："正是。先生，你白天已经来过了啊。此刻可是少爷约你来的？"

霍桑随口应道："是的……你出去干什么？"

那老仆道："少爷叫我去叫菜。大概就是请先生你的吧？"

我悄悄地走到通客堂的门口，看见那白发老人手里拿着一些零钱和一张小纸，一起放在客堂中央的红木方桌上。霍桑正注视着他。

霍桑问道："叫菜怎么不打电话？要你去？"

老人道："那是棋盘路中段的一爿小菜馆——福兴馆，没有电话。少爷爱吃他们的辣椒鸡片，常叫我去叫。"

霍桑将小桌上的小纸取起，瞧了一瞧，问道："这菜单是谁写的？"

老仆眨了几下眼，疑惑道："自然是少爷写的。他……他此刻可在里面？……先生，你为什么这样问我？"

"你别管，但据实回答我。这菜单可是他今天写的？"

"自然。"

"菜呢？"

"我和那菜馆伙计一同来的，他在后面，我走得快些。但少爷呢？他在里面吗？这个找钱我要交回他。"

霍桑直说道："你主人已被人谋杀了，在厢房里，你进去瞧吧。"

那老仆突地一怔，抬头向霍桑瞧瞧，又瞧瞧书房门口的汪银林和我。他随即慌忙奔进厢房里来。他向死者瞧了一瞧，便纵声骇叫。

他带哭带颤地说："哎哟！谁杀死少爷的啊？你们……你们究竟是些什么样人呀？"

前门又哗地推开了，外面果然有一个送菜的人进来。霍桑忙奔进来止住老人的号哭，似不愿使这凶耗马上传扬出去。那送菜的从提篮中取出了四色汤炒，放在客堂中的方桌上，回身便去。我们也不留难。霍桑将老人拉到书室中，扶他坐下来，又用温言竭力安慰了一番，又说明我们都是侦探，接着才问他经过的情由。

老仆停了一停，才收泪说："少爷起先独个儿喝了几杯，忽又开了一张菜单，叫我出去叫菜。他说他约一个朋友到家里来吃夜饭。我出门时他自斟自酌，原是好端端的；谁知只在这半个钟头中，竟会被人谋死。侦探先生，少爷究竟是谁杀死的？"

霍桑道："我们还不知道。现在向你查问，就要查明那个凶手。我问你，你出去叫菜的时候，屋子里可是只有你主人一个人？"

老仆点点头。

霍桑道："你们不是还有一个厨子吗？他到哪里去了？"

老仆道："寿玉在六点钟时，听得家里有人来通报，他的儿子害急病，他马上赶回去了。"

"唔，真凑巧！……这王寿玉住在哪里？"

"他家里在南市王家码头九十号。"

霍桑在记事册上写了一笔，又问："今天可有什么人来看过你的主人？"

"没有。但……但在我出去叫菜时，少爷说他正等一个客人来吃饭。"

"他可曾说这客人是谁？"

"这倒没有。"

"在晚膳以前，有没有人来过？"

"自从你们两位先生去后，没有别的人来过。"他低了头作追想的样子，又道："唉，我记得你们走了不久，有过一封挂号信来。……唔，还有人打来一次电话。"

"哪里打来的？"

"我不知道。不过我看见少爷接了电话以后，脸上好像不大快乐。"

霍桑想了一想，又瞧着桌子，问道："你出去时，这里既然只有你主人一个人，那么桌子上的杯筷一副还是两副？"

老人又垂了头追索的样子，缓缓说："我记得只有少爷的一副，那另外的一副，一定是客人来了以后，少爷自己添的。"

"那么你出去时走的前门还是后门？"

"我是走前门的。"

"你可记得那时候后门是不是闩着？"

"当然记得，那是我临走时亲手闩上的。"

汪银林忽从旁接口道："但我们进来时，后门已经开着，可见有什么人从前门进来，却开了后门出去。"

提起了后门，我记起那打电话的女子。我听听后门方面，仍寂静无声。

我不禁自言自语："伊怎么还迟迟不来？"

霍桑不答，但继续向老仆道："陆全，白天里我问过你几句，你似乎有些故意守秘。现在你若要为你主人申冤，应当实说才是。你主人究竟有没有女朋友来往？"

老仆踌躇了一会，才道："先生，你要原谅我。我吃少爷的饭，不能不顾全他的名誉，现在出了这样的事，我可顾不得了。……先生，是的，少爷外面的姘妇很多。近来……近来有个叫阿采的女人，也常到这里来。伊还时常在这里过夜！"他的末一句的声浪减低些，视线又向次间方面掠一掠，仿佛还怕那死人听见了发火。

霍桑忙道："竟有这样的事？你主母怎么肯容忍伊？"

陆全摇头道："不，少奶是不知道的。少奶常常回娘家去，阿采就乘空溜进来，来时总在深夜。少爷也瞒着我的。"

"他既然瞒你，你怎么会知道？"

"那是林根告诉我的。他只要几杯酒下肚，便什么都说出来了。"

"你可知道阿采住在哪里？"

"我不知道。不过每一次阿采来时，总是林根用车子去接的。你问林根便知道。"

"林根不是今天请假吗？"

"正是。"

"他因什么事请假？"

"我不知道。"

"那么你姑且把他的住址告诉我们。"

陆全道："林根是江北人，住在闸北宝善路的一家理发店楼上。他家里还有一个嫂子。"

霍桑回转头来，低声向汪银林道："这个包车夫很重要。请你立刻把他捕来才好。"

汪银林答应了，便摸出日记来记录地址。

霍桑又问道："陆全，还有一着。昨夜里阿采可曾来过？"

陆全摇头道："这个……这个我不知道。因为昨夜我睡得很早。"

霍桑道："那么那位朱仰竹女医生昨夜十一点左右曾到这里来过，你也不知道，是不是？"

老仆连连摇头道："我也不知道。……先生，昨夜里朱医生当真来过吗？"

霍桑但点点头，不再答话。接着，他引耳向后门方面听听，又回身向着汪银林说话。

他低声道："现在我们应分头进行，事毕后在我寓里会集。"他走到餐桌旁去，又在桌面上瞧了一瞧，又回头说："银林兄，你把这里的凶刀杯筷等要证收拾好，再派人来看守尸体，等明天一早送到验尸所去检验；然后你赶紧去找那个包车夫林根。我打算马上去见见沈咏秋和薄一芝。"

汪银林应道："好，我觉得刚才逃出去的男子一定是薄一芝。"

我问道："有什么任务我可以担任？"

霍桑道："你可以暂时留在这里，等那个女子来。伊是个要角，一定有消息。"他瞧瞧表："唉，八点半了。伊不会不来吧?……包朗，我走了，你还得在这里仔细搜寻一下，有没有关于案情的证据。譬如他刚才接得的那封挂号信，或者与案子有什么关系，也说不定。"他说时向书桌上瞟了一眼，忽又失声呼道："唉! 这里还失窃呢!"

我和汪银林都呆住了，不知道他又发现了什么。

霍桑接续道："包朗，瞧，书桌上不是少了两件东西吗? 一只彩色小瓷钟和一盏银质的古瓶台灯，不是都不见了吗?"

我回头一瞧，先前见过的书桌上的那两种东西，此刻果然都已不见，只有那个白石女像和那玻璃的钟罩还留在桌上。

汪银林皱眉道："凶案中还夹杂窃案，那正是越来越糟糕!"

霍桑紧闭了嘴唇，交抱了两臂，把目光向四周流射。接着他回头来附着汪银林的耳朵说了几句。汪银林点点头。于是我们便分头办事。霍桑先出去。汪银林随即打电话报告警厅，又打发陆全到菜市街洪家去报告仲和的妻子。我也就着手搜寻。

我先在死者的衣袋中搜摸，除了钥匙、钱夹、烟盒、打火机一类的常用品以外，没有端倪。我又开了那书桌的抽屉，细细地搜索。一会儿，警厅中已派了两个探伙来。汪银林把凶刀杯筷等证物点交给一个探伙，又吩咐另一个姓毛的小心看守。他自己便也匆匆出去。但那个期待中的女子仍没有来。

我在书桌抽屉中寻了好久，只发现了几张摩登女子的照片，没有来往的信札，也不见有关系的文件之类。我寻出了几张孙仲和写的平剧的唱句，字迹潦草而拙劣，和那菜单中的完全相同。后来我又在壁角里发现一堆纸灰，已成了粉屑，瞧不出什么字迹。大概他接到那封挂号信以后，便将信焚毁，故而已遍觅不得。睡椅上的那条深青色的毛绒围巾已经不在黑垫底下，两粒泥点却还留在睡椅下面。我空劳了一阵，没有结果，又坐等了一会儿，那约会的女子终于不来。我料想这里面一定已出了岔子，与其枯坐等待，不如回寓去听听霍桑的消息。我和那守尸的姓毛的探伙接洽了几句，叮嘱他如果有女子到来，可将伊留住，或有别的消息，可打电话通知。于是我就从孙家里出来。

我回到寓中，霍桑还不曾回来。但据施桂转言，汪银林已打过电话来报告。他已派人到闸北林根家里去探问过了。昨夜里林根不住在家里，今天日间却在家里整整地睡了一天，直到断黑时方才出外，此刻却不知去向。关于孙家所失的赃物，银林也已通知各押铺，并且派了一班探伙，在几爿交通便利的押铺门前候着，预备当场截赃。这一着大概就是霍桑临走时附耳吩咐他的。

我默念若能截获赃物，虽未必能抉破全案，也不无小补。因为推论案情，孙仲和的死，不先不后，恰在朱仰竹凶案侦查紧急的当儿，可见两案有相互的关系。故而那人所以刺死仲和，势必有特殊的利害关系，目的绝不在行窃。所以这行窃的人不是凶手，也可推想而知。虽然如此，我们假使可以得到这个窃贼，也可究问那人行窃的时候，室中的情状怎么样，和仲和是否已死，室中有没有第二个人。这种种果能查明，于案事当然也有裨益。

壁炉檐上的那只小钟当当地打了九下。晚饭时分早已过了，我还不觉得饥饿。蔡妈却早已将晚饭备好。不一会儿，霍桑忽匆匆地走进来。我看见他双眉紧锁，面容不很舒展，料想这件事还没有结果。

我先问道："怎么样？"

霍桑把衣帽去了，摇摇头，作简语道："吃了夜饭再说。"

这是他的老脾气，和他辩论是徒然的。等到晚饭完毕，彼此循例地烧着了纸烟。我用抛砖引玉的策略，先将我搜索没有结果，和汪银林的电话报告了他，接着才问他有没有见过沈咏秋和薄一芝。

霍桑道："我只见过咏秋，一芝还不知下落。"

我道："咏秋可承认刚才往孙仲和家里去过？"

霍桑解释道："伊起先还想隐瞒，后来经我晓以利害，把事实证明了，伊才不得不说明原委。据伊说伊先前两次请朱仰竹去的，的确怀疑朱仰竹和薄一芝有恋爱关系。直到薄一芝剖明真相，伊才知是孙仲和有意挑拨，险些中了他的离间之计。后来薄一芝得到了朱仰竹的凶耗，觉得咏秋正处于嫌疑的地位，便先赶去报告咏秋。他们俩互相测度了一会儿，就疑心是孙仲和从中作祟，或者他竟想借此图害。他们商定计划，一芝向我们来告发；咏秋也准备亲自去和仲和交涉，并想乘机探听他的口气，以便证实他的凶罪。接着汪银林把伊的女仆阿凤捕去，伊觉得益发危险；故而等到断黑，伊便悄悄地到海关路孙仲和家去。"

"咏秋可曾和孙仲和会面？"

"没有。伊进去时，仲和已死，故而伊便慌忙地退出。"

"伊那时可曾瞧见什么？"

"据伊说屋中除了死者以外，没有第二个人。"

"你想伊说的话可靠得住？"

"我看伊不像是行凶的人，自然没有说谎的必要。"

"你相信行凶的不是伊？"

"我找不出伊所以要行凶的充分理由。"

我寻思了一下，说道："除非沈咏秋当真是谋害朱仰竹的主谋，现在为灭口起见，那才有杀死孙仲和的必要。"

霍桑摇头道："你这话离题太远。"

"那么你以为杀死孙仲和的究竟是谁？"

霍桑低着头不说，但缓缓地吸烟。显然他也还没有把握，我当然不便催逼他。我又另换一个题目：

"薄一芝怎么样？"

霍桑道："他从警厅里被放出来以后，曾回家过一次，随即又往平桥路沈家去过。但他不曾去料理朱仰竹的丧务。"

"他可曾见过沈咏秋。"

"没有。他到伊家时，咏秋正往孙家去了。他听说伊不在家，便也急急地退出。"

"这样说，那个在孙家里被银林吓出去的西装男子一定就是他了。"

"对，我也料想是他。但因此可以假定他不是行刺孙仲和的凶手。"

我的问话略略停顿，默默地吸着纸烟。这两个人既非真凶，凶手又是谁呢？那包车夫林根为什么请假？厨子王寿玉也偏偏在这时候回家去。不是都有些蹊跷吗？还有那沈家女仆李阿凤，伊起先也许真受过仲和的利用，被捕以后，伊后悔了，所以一经警厅释放，便赶去理论，或者竟进一步行凶。这也有可能吗？不过这样推想，既没根据，究竟还觉空泛。那么孙仲和的死，莫非另有因果，和朱仰竹案完全没有关系？如果如此，侦查时必须另起炉灶，全案的结束当然更不容易了。

电话的铃声打破了我的默想，竟使我直跳起来。打电话的是汪银林。他说那行刺孙仲和的凶手已经捉住，叫我们快到警厅里去听供！

电话中的女子

这消息给予我的反应当然是"喜出望外"。霍桑尤其觉得惊异。他不加批评，拉了我就急急赶去。我们到了警厅在汪探长的办公室中坐定以后，我才知道捉到的就是那个包车夫林根。

霍桑忙问道："什么？孙仲和是林根杀死的？"

汪银林点了点头。

霍桑道："他已供认了没有？"

汪银林道："他虽还没有承认，但情迹已很明显。他的说话前后不符，分明是说谎抵赖。好在那凶刀上有三个显明的指印，等到明天早晨便可以证实。"

霍桑皱眉道："那么，你怎样捉到他的？他的说话又怎样不符？你且仔细些说一说。"

汪银林道："我依了你的计划，派人往押铺里去截赃。有个探伙顾元大，在河东路一家押铺中，看见林根连夜去抵押那只瓷钟。林根被捕以后，只承认在孙家里窃取了两件东西。他先说进去时室中不见一人，故而乘机偷了这两件东西出来。后来经我们仔细根究，他却又说那时他实在看见他的主人侧伏在桌子上，他的背上有刀柄露出，知道他已经被人谋毙。"

霍桑疑迟地说："这就是你所说的不符点吗？"

银林道："是啊。他起先说不见一个人，接着又说看见孙仲和的尸首，岂不是情虚掩饰？"

霍桑不辩，但说："好，让我再问问他。"

我们便被引到拘留所前。我瞧林根的年纪还不到三十，方脸阔肩，皮肤粗黑，身材也很高大。这时他却缩紧了头，满面惊恐，吓得在簌簌地发抖。

霍桑向他端详了一会儿，说道："林根，你此刻应当说实话才好。昨夜里你把朱医生的尸首送回去，已经犯了移尸的罪，不过处分还轻。今天你又加上一重谋杀主人的罪，那却不能再宽恕了。你还是老实说，或者还可以给你开脱些。"

林根张大了眼睛，两手乱摇，大声叫冤。旁边的一个警士厉声喝止他，他才减低些声音。

他说："先生，冤枉的！我实在没有谋杀少爷。我进去的时候，他早已被人戳死。我……我只拿了那瓷钟和电灯出来。别的东西，我连手指也不曾触过，别说谋杀。先生，冤枉的！"

霍桑略一凝想，眼睛仍瞧在那车夫的脸上，宁静地继续盘问：

"你方才可是从前门进去的？"

"不，我是从后门进去的。"

"谁开的门？"

"没有人。后门本是虚掩着的。我早已说过，那时候屋子里实在没有第二个人。"

"你既然请假，那时候你进去干什么？"

"这是……这是少爷约我去的。他……他答应我……"

霍桑催促道："说啊。答应你什么？"

林根仍咬着嘴唇不说。

银林扬一扬手："坏东西！你要不要吃几鞭再说？"

霍桑忙摇摇手："林根，你得知趣些。你若不实说，反而讨苦吃。"

林根才期期地道："他……他……少爷应许给我两百块钱。"

霍桑道："唔，这就是你昨夜给他移尸的酬报，是不是？……好吧。现在你先把昨夜的事据实说出来，我们也许可以给你超豁一些。"

林根搔头摸耳地踌躇了一下，似乎已知道不能隐秘，才哭丧着脸，供述他的罪行。

他说："昨夜十点半钟，少爷叫我同着那个淌白阿采到大通路桃源里去接一个女医生——"

我不禁插嘴道："慢！这阿采住在什么地方？"

林根说："伊住在黄河路口十三号。我常到伊家里去接伊。"

我料想那个打电话给我的一定是阿采无疑。我正苦等伊不来，无从下手，此刻已有了线索，觉得很高兴。霍桑并不以我的插口为多事，也点了点头。

他向林根说："你说下去。"

林根继续道："我们到了桃源里口，另外雇好了一部黄包车，阿采一个人进弄里去请，我等在弄口。一会儿，阿采领了那女医生出来，我们就一同回家。到了海关路附近，阿采便叫伊自己坐的黄包车送伊回自己家里去，并不和我同回。我到了家里，少爷亲自在门口将女医生接到里面，我把空车拉进了天井，少爷又悄悄地吩咐我，等到快天亮时再用车子送伊回去。我知道这是少爷的老把戏，便一口答应。我平日本来不住在主人家里的，昨夜里因着天亮前还有差使，就在粥店里耽搁一会儿，也不回自己的家里去。到了天亮五点钟光景，我进了第二弄，正想敲后门进去，不禁吓了一跳！"

林根的供词停顿住了，他又在咬嘴唇，眼睛骨碌碌地瞧瞧霍桑，又瞧瞧银林。

银林厉声说："说啊！还装什么腔？"

林根在压迫之下，又低声说："那时候我……我看见后门口躺着一个死人！我用电筒一照，那人就是我接去的女医生。伊的两脚横在地上，头颈却吊在后门的门钮上面。我知道出了乱子，忙敲门叫醒了少爷。他竟完全不知道这回事。他告诉我，那女医生不肯依从，他就用蒙药将伊蒙倒。等到三点钟时，伊才醒转来，便匆匆地奔下楼来，从前门逃走。少爷追阻不住，以为伊已经自己回去了，不料伊竟吊死在后门外面。"

林根用手背抹着自己的嘴，又停住了不说。

霍桑又催迫道："说下去啊。你怎样移尸的？"

林根又犹豫了一会儿，才勉强说："少爷叫我趁天没亮，把尸首送回伊家里去，吩咐我将伊挂在伊自己的门外，装作伊自尽的样子。我……我不答应……"

汪银林哼了一声，说："不答应！你想撇清？还是想赖？"

霍桑又解劝似的说："别冤枉他。他起初拒绝，的确是实在的，但后来拗不过他主人，到底是照办的，是不是？"

林根点头道："对。我想起先我去接那女人，还认作伊自己愿意的，没有什么大害处。但这移尸的举动明明是犯法的，故而我推辞不肯去。少爷马上应许我两百块钱，我还是不肯。他又用话吓我，说是我谋杀伊的。我才不敢不从，只得仍用车子将尸首送回。幸亏从少爷家到桃源里很近，天还是墨黑，路上没有人疑心，我才得将伊背进弄中，吊在伊自己后门外面的铁直棱上。"

霍桑的眼光在银林和我的脸上掠一掠，似乎暗示这一个疑团已经打破了。他继续向林根查问：

"今天你又干些什么事？"

"今天白天我一直躺在家里，断黑时才到少爷家去，打算向他讨那两百块钱，不料他已给人杀死。我觉得钱落空了，才拿了书桌上的两件东西走。”

“以后呢？”

“以后我就到一个附近的朋友家去，把那银灯寄一寄，拿了瓷钟出来，想押几个钱，不料走到河东路元昌押店门口，就给捉住。”

“你主人的死怎么样？”

林根又乱摇着两手：“先生，这是冤枉的！我委实没杀！我也不知道是谁杀死他的。……先生，这都是真话。……先生，你得救救我！”

那包车夫的乞怜的话是向霍桑说的，对于银林，他连正眼都不敢瞧他。我觉得这一席话理路很清，他的表情和声音都很恳切，实在不像说谎话。汪银林也不再辩驳，只斜眼瞧着霍桑，似在等他有什么表示。

霍桑说：“你的话是真是假，不久便可以证明。此刻你领我们往阿采家去，等伊来对一对关于昨夜事情的口供。”他又回头向汪银林道：“我想这女人所以毁约不来，也许已得到了什么风声。时机不可失，你不如马上走一趟。”

汪银林答应了。霍桑又约他得手以后，彼此可以从电话中接洽。接着我们就离开警厅。

马路上人迹已很稀少。夜风又呼呼地刮着，像利箭般地刺人面颊。霍桑将外衣扣一扣紧，站定了向我说话：

“包朗，你先回去。我还得到松柏里去走一趟。”

“时候晚了，你还有什么事？”

“你刚才在孙家里的任务不很称职，所以我还想再去找一找。”

"你要找什么？"我有些不高兴。

"你虽说那封挂号信已给烧毁，但除了挂号信以外，说不定还有别的足以注意的证物。好了，不必再劳驾，回去等消息吧。"

不称职的责怨当然是难受的，可是我也没话可说。我默自回想，那时我只注意在那封挂号信上，并且搜索的范围，也只以厢房为限。平心而论，我当真有些渎职。我回到寓里时，施桂还坐等着没睡。他告诉我那个派在孙家的毛探伙已经打过电话来回复，陆全已从菜市街洪家里回来，据他说仲和的妻子洪苡珠不在母家，已经出外了好多日，一时无从寻觅；又说自从我离开以后，并不见有什么女子往孙家里去。

我早已假定打电话的女人是那淌白阿采，现在伊既已有了着落，伊失约不来，已没有多大关系。这消息引起我疑惑的倒是仲和的妻子不在母家。伊往哪里去了？既说无从寻觅，可见伊母家也不知伊的踪迹。这不是很可疑吗？莫非仲和这样子作孽，真应了那句"悖而出者亦悖而入"的古语，他的妻子也另外有了相好？如此，仲和的死又加上了一重迷障，岂非更不容易彻究？

我等到十点半钟，霍桑仍没有回来。天气加冷了些。我正觉得不耐，汪银林忽打电话来报告，他已经将那女人阿采捉住了。

他说："伊一切都承认了。因为伊的处分还比较的轻，承认了也没有重罪。"

我问道："伊承认是孙仲和的姘妇，昨夜里又串通了去骗朱仰竹。是吗？"

汪银林应道："是的。每逢仲和的妻子出外，伊总偷偷地被接到仲和家去。伊本是个不挂牌的娼妓。昨夜里伊受了孙仲和的嘱托，假装着仆人模样，同着林根往桃源里朱医生家去，假说伊的女主人有急病，骗朱仰竹出来。"

"你可曾问伊，那时伊是不是假托着平桥路沈家的名义？"

"问过的。伊说孙仲和在上月里已经请过朱仰竹两次，并且的确是他的妻子患病，所以昨夜里一请就出，并没有托名的必要。"

"我的意思，要问伊是不是有意移祸于沈咏秋。"

"我问过伊。伊说并无此意。"

"那么伊昨夜里穿的什么衣服？你也曾问过没有？"

"那也当然问的。伊说伊穿一件玄色旧缎子的夹袄，只因怕给人认明伊自己的真相，故而一进门后，和朱仰竹说了几句，立刻退到门外的暗处。这是伊故意如此的，合着霍先生的推想，竟完全合符了。"

"以后怎么样？"

"伊将朱仰竹骗上了包车，伊的职司已经尽了，故而陪送到海关路相近，伊便分路回自己家去。以后的事，伊一概没份。直到今天午后三点左右，伊在大新戏院和孙仲和会面。这是仲和预先约伊的，他的确曾应许伊两百块钱酬劳。不料他们见面以后，仲和推托没有现钱，约过几天给伊；又叮嘱伊这几天不要在外面跑，绝对不许跟任何人说起朱仰竹的事，不然他就不给钱。这一来阿采大不满意，认为孙仲和的目的既达，便想把应许的酬报赖掉。阿采自觉上当，自然心不甘服。所以伊与仲和别后，便到桃源里去，想见见朱仰竹，准备挑弄些波澜，使仲和吃苦。原来那时候阿采还没有知道朱仰竹吊死的事。后来伊听得了这个意外消息，便觉得有柄可挟，就打电话给孙仲和，声言朱仰竹吊死的原因，伊完全明白，仲和若不给伊三千块钱，伊就要往警厅里去告发。仲和似乎很害怕，婉言向伊恳情，请伊不要着急，到晚上再给伊回音。到了八点一刻，伊第二次打电话，催仲和要钱，那就是你和伊接谈的。伊的供语也完全和刚才的话相同。"

我又问道："伊当时既然答应立即到孙家里去取钱，为什么又毁约不去？"

汪银林道："据伊说伊确曾到过孙家，但伊走到后门口时，恰见有一个人进去。伊怕给人瞧见，故而退出门去。"

"伊可曾瞧见进去的是什么人？"

"伊看见那个人就是陆全。"

我诧异道："陆全？但我们明明记得，陆全是从前门进去的。他还说那后门是他亲手落闩的，他怎会从后门进去？"

汪银林疑滞地答道："正是，我也曾用这话向伊盘问过，也许伊瞧错了人。可是伊一口说定是那白发老头儿陆全。不过这一着也不难证明白。"

这晚上电话也像罪案那么有了波动。汪探长的电话才刚挂上了五分钟，我这边的电铃又响起来。那又是那个派在孙家里守尸的毛探伙打来的。他告诉我孙仲和的厨子王寿玉已回去，言语有些支吾。他本是赶回家去看儿子的病的，又说他的儿子实在没有病。毛探伙觉得他不情不实，打了个电话到厅里去。厅中已将寿玉拘了去。

事情好像有些发展了，但我仍看不到内中的底蕴。霍桑又仍不回来。我不禁暗暗纳闷而诧异。霍桑说是往孙仲和家里去搜索的，怎么要这许多工夫？莫非他又发现了什么证物，故而已连夜进行？

夜深了，室内外已完全沉寂。天气越觉寒冷，我身上的衣服也像失去了护体功用。窗外的狂风一阵阵怒号，夹着萧萧瑟瑟的落叶声响，使我的神经上感到凄绝。我越等越冷，室中既没有生火，实在再忍受不住。我和施桂说了一声，便先上楼去睡。我因着一天的奔走，身体上很觉疲劳。我睡时非常酣适，竟连霍桑什么时候回来都不曾察觉。

我第二天醒来，已经是红日满窗。路上街车往来，隆隆地不绝。我取表一瞧，已是八点一刻。我起身以后，先走到霍桑榻旁一瞧，竟已空虚无人。但我瞧了榻上的被褥，知道他曾经睡过，这时大概又出去实施他的运动早课了。

我漱洗完毕了下楼，看见办公室中有一只黑色的皮包。这一定就是霍桑夜来的成绩。那皮包是纹皮的，有一尺多高，六七寸阔，一尺多长，因着使用日久，边缘上已露出青白色。我把皮包翻侧一些，底的四角上果然有四枚污暗的铜钉。我又把皮包打开了，里面果真是些医生的诊察用品和药瓶之类，另外有一条青色围巾，显然是案中的要证。夹层的皮上还写着"朱仰竹"三字。

一会儿霍桑已从外面走进来。他的耳朵鼻子都已被寒冷的晓风吹得发红了。

他笑嘻嘻地说："包朗，你做得好梦啊！"

我也笑道："我固然贪睡，但你似乎也太勤奋了些。你昨夜什么时候回来的？怎么一早又出去？你睡了几个钟头呢？"

霍桑道："我出去时已近七点，不能算早；昨夜我第二次回来，也只一点钟光景。我已足足睡了五个钟头。你岂不知道拿破仑每夜只睡四个钟头？大发明家爱迪生也只睡六个小时。还有——"

我忙摇手阻止他道："好了，我不和你辩论，你何必引经据典？我问你，这一个皮包，你可是在孙家里寻到的？"

霍桑一边坐下，一边点了点头，伸手摸取烟盒。

他说："我特地带回来给你瞧瞧，回头我得送交警厅里去归案。皮包底下的铜钉，你已经看见了吧？"

我应道："是，看见了。这东西你在哪里寻得的？我怎么没有瞧见？"

霍桑道："这是一种重要的东西，不比那围巾和绣垫相混，容易失察。仲和当然不会也让它遗留在书室里。你的搜索范围既然只限于书室，自然不会发现。我是在他楼上的卧床后面的壁橱底找出来的——那条围巾也已给藏到了壁橱里去。"

我点头道："昨夜我不曾上楼去搜寻，一时也没有想到这一只皮包，我委实有些渎职。"

霍桑烧着了烟，笑道："就是你所想到的东西，你也没有寻到啊！"

"什么东西？"

"就是孙仲和在昨天傍晚接到的那封挂号信。"

"那封信不是已经被烧毁了吗？我在壁角里发现一堆纸灰——"

"不是。纸灰大概是他烧掉的其他文件。那封信实在没有被烧毁。"

"难道已被你查出来了？"

"是。"

"在哪里找着的？"

"我在仲和的银鼠皮袍的袋中找着的。那袍子也在楼上的卧室中，谅必他接信时还穿着那件皮袍，故而顺手将信放在袋中。后来他换了一件骆驼绒夹里的紫酱缎袍子，那信就也留在银鼠袍子的衣袋中了。”

“当时我也曾在他的衣袋中搜摸过，却忘记了还有这一层换衣的曲折。唔，是的，这也不能不承认是我的疏忽。但那封信有关系没有？”

“有，我看关系很重要，不过还须证实一下，过一会儿给你瞧吧。”

“还有别的证物吗？”

“还有一个要证。我在他的书橱中查得一个药瓶，新近曾经被用过，瓶中是安眠性的药水。”

“唔，这果真是一种要证。林根说孙仲和把朱仰竹骗进去后，因为伊不肯从，仲和曾设法将伊蒙倒。谅必仲和所用的就是这种药水。是吗？”

“唔，也许如此。”

“此外，你可还有什么别的发现？”

霍桑吐一口烟，说：“没有了。其实就是这几种东西，已尽够做结案的证据。”

我惊喜道：“什么？你已准备结案？”

霍桑点头道：“是啊。我料不出两个小时，这一件疑案可以全部结束。”

“连孙仲和的一案也在内？”

“当然！”

我有些愕然，但霍桑的说话简短而坚决，显见他已确有把握，不像是开玩笑。但在我的眼光中，孙仲和的被杀情节是很神秘的，凶手是谁，简直是一团黑漆。他从哪一条路进行，才能够看透这个秘幕？而且又怎么能这样子迅速？

我又问道:"那么,你经过的情形究竟怎么样?你昨夜里若使只在孙仲和家里搜索,要不了这许多工夫。你一定另有什么新异的发现。你何必瞒我?"

霍桑笑道:"我为什么瞒你?昨夜里我所以迟归,当真不单为搜索。我第一次带了皮包回来,还只十一点钟,你已经睡了。后来我又曾到三处地方去过。"

"哪三处?"

"一处是菜市街孙仲和的岳母洪家,一处是南市王家码头仲和的厨子王寿玉家里,最后我又到警厅里去见汪银林。"

"结果呢?"

"我没有见着洪苡珠。洪母年纪虽还不大,却是个半身不遂的瘫子。伊对于伊的自幼骄纵的女儿简直毫不知情,连伊的行踪都不知道。苡珠的父亲是做洋行买办的,已经死了九年。这是我在洪家里所得到的情报。"

"你也没有碰见王寿玉吧?"

"是。但我看见寿玉的妻子,知道他们的儿子并没有病。"

"对,这一着我也已经知道。寿玉已被拘捕,你可知道?"

"知道的。我查明了这显明的疑点,所以又赶去看银林,银林已回家了。我才知寿玉已经被捕。我又看见那个私娼阿采。"

"喔,那么阿采的供语你也知道了吗?"

"是。我已完全知道。这件事经这阿采和林根证实,合着我先前的料想,幸而没有多大错误。因此朱仰竹的死,应当由孙仲和负责,已经不成问题。此刻我们要准备结束的,就是孙仲和之死的疑问。"

"是。他是给谁杀死的?"

"慢一慢,请你叫苏妈快把早餐预备好,吃完后我们便可以着手结束。"

我还忍不住:"你先说一说不行吗?杀死孙仲和的凶手究竟是哪一个呀?"

霍桑扬一扬手,答道:"这个人实在是我们所意想不到的。包朗,请原谅,你姑且再忍耐数十分钟,免得我多费一番解释。"

这关子真卖得厉害!但有什么办法呢?我坐到餐桌上时,只得勉强喝了一杯牛乳,别的东西再也不能下咽。霍桑却食量大增,除了一杯牛乳,两个鸡蛋,还一口气吃完了两碗新米粥。早餐既毕,霍桑不再休息,便提着朱仰竹的皮包,和我一同往警厅里去。不料汪银林刚巧出外,有一个姓乔的探员出来接见。我们问他汪银林的行踪,他的答语竟使我们俩都吓了一跳。

乔探员说:"他已查明了行刺孙仲和的凶手,出去质对了。"

"谁才是正凶?"

这个消息,在霍桑看来,比在我更觉得惊骇。他忙着向乔探员究问详情。据说那天早晨,据指印部的报告,那凶刀的柄上和两只酒杯上面,都有一个很显明的同样的大拇指印;但孙仲和饮的那一只杯上,却有两枚不同的大拇指印:显见一个是仲和自己的,另一个就是凶手印上去的。因此,可知那凶手的手指曾和那两只酒杯都接触过一下,故而才各留一个同样的印子。霍桑又问是否将包车夫林根的手印比对过,乔探员回答说已经比对,却并不是他。乔探员又说有个于企年律师来看过汪探长。汪探长向王寿玉问了几句,就匆匆出去。霍桑不再多问,交付了皮包，拉着我往外就走。我看见他皱紧眉头，神情上非常懊丧，分明因着汪银林自作主张，不曾先通知他一声，心中感到不乐。

我问道："你想银林这一次可又会走到错路上去？"

霍桑摇头道："还难说。我们快追上去。"

"我们往哪里去追？你知道他的目的地吗？"

"知道的。他一定往海关路松柏里去的。这里有一辆空汽车，快上车。"

我们跳上了车子以后，霍桑叫车夫赶快开。汽车在如飞地进行，我的脑思的活动竟也同样地纷乱不定。我预料银林大概又疑错了人。他因着自己不敢深信，故而先自去试一下子，准备随后再通知我们。此刻他果真往孙家里去吗？他所怀疑的是谁？我不知道霍桑心意中的凶手究是何人。他们俩的对象可相同吗？起先我本希望一到警厅，霍桑便可和汪银林说明，一切便有着落。现在有了这一番波折，我的疑团不消说又要多忍耐一会儿。

我们到了松柏里口下车。霍桑首先进弄，一直奔向孙家去。走到门口，他忽又停了脚步，先引耳听听。他回头来向我摇手作势，似教我不要声张。那黑门虚掩着。他举手把门轻轻地推开些，侧着身子走进去。我也默无声息地在后面跟着。霍桑偻着身子，蹑着足尖，走到厢房的东窗口，便蹲下了偷听。我也依样蹲下来。窗内本挂着淡黄色的纱帘，里面的人如果不特别注意，一定瞧不见我们。但里面的谈话声音却非常清晰。我暗暗欢喜，那声音果然是汪银林。

他说："你还是老实说的好。这件事你究竟知不知情？"

另一个人回答："我实在不知道。先生别冤枉人！"

那答话声音又不禁使我暗暗惊异。那就是陆全的声音。这是个赤胆忠心的老仆,起先曾竭力给他的主人掩饰,怎么会与闻这件凶案?汪银林当真又弄错哩。

汪银林又说:"我冤枉你吗?嘿嘿!你假使没有什么隐情,为什么干那鬼鬼祟祟的事?"

"什么事?"

"昨夜你从菜馆里回来,为什么先从后门里进来窃听了一会儿,然后再退出去从大门里进来?"

"没有的事。我是一直从前门进来的。"

"你还赖,有人瞧见你的。那人瞧得非常清楚。你先在后门口立定了,探头作偷听的样子,接着才跨步进来。你还想赖掉?"

书室中静了一静。霍桑向我点点头。我照样回敬了一下。其实不但他这点头有什么暗示,我不知道,连我自己的动作也是莫名其妙。

陆全停了一停,又连声说:"没有……没有这一回事!没有这一回事!那真是冤枉我的!"

汪银林忽冷笑道:"好,我知道没有实证,你一定不肯承认。现在证据都已齐备,只需在放大镜底下略略费些比对的手续,便可以完全明白。老实告诉你,刚才我向你要一杯茶喝,原是有用意的。你无意中已在茶杯上留下了两个指印,内中一个是大拇指。这指印于我很有用处呢。"

"你……你说什么话?你……你要诬陷我?"

"你轻声些。我来告诉你。我们已经查明,那凶刀的柄上和两只酒杯上面,都有同样的大拇指印。现在只需把这茶杯下的印子比对一下。如果相同,那便可以证实你就是杀死孙仲和的凶手！"

"哎哟！你真是诬陷我了！"

那老人的一声吼叫以后，接续的是杂乱的脚步声音。分明书室中的局势已经恶化，彼此已预备用武。

霍桑忽高声叫道："别乱动！我来哩！"

他挺直了身子，急步跨进了客堂，用手推开了厢房的门，直闯进去。我急急地跟着进去，看见那白发老仆正握拳怒目地踏成了长三步。汪银林左手中执着一只茶杯，右手已经拔出了手枪，做一种威胁的对抗。那时我们要是慢一步进去解围，不知道会造成一个怎么样的局面。

霍桑婉声说："陆全，你静一静。这态度不但于你无益，反有害处。汪探长不曾冤枉你。你不如老实承认了吧。"

我又不禁愣住了。不曾冤枉？霍桑也要他承认！承认什么呀？陆全当真是凶手吗？汪银林这一次竟没有疑错？

霍桑又道："好吧，我来代替你说一说。昨天傍晚，你趁那厨子王寿玉出外过一次的机会，等他回来，你便假说他家的邻居到这里来过，报告他的儿子病得非常厉害。寿玉得信后自然吃惊。你又怂恿他回去瞧一瞧，一面又说夜饭菜已经预备好，你可以代替他伺候主人，又应许给他在主人面前说一句。寿玉便赶回家里去。他住在南市王家码头，一来一回，至少需两三个钟头，那已尽够你行事了。"

银林也插口说："要是你还想赖，寿玉的对证是现成的！"

那老人的姿态还是那样子，但神气已变动了。他的拳头松弛了，眼睛也张大了。他呆呆地向霍桑瞧着，似乎霍桑的话句句都已中鹄。

霍桑继续道："简括些说，你要差开那王寿玉，无非想在谋杀你主人的当儿不被第二个人瞧见，是不是？"

老仆一听这句，他的拳头重新握紧了，又像要跳过来的样子。汪银林忙把手枪举起来。

他喝道："你还想动？快坐下来说！"

陆全向汪银林瞧瞧，又瞧瞧霍桑。霍桑带着不怒而威的神色向他点点头。老人顿了一顿，叹出一口气。他果然不敢再抗，回身坐在一只柚木椅上，垂头丧气的像一个待决的囚犯。

唉！真凶果然是他！那真是想不到！更想不到的，这一次汪银林竟得到了首功！

霍桑也在那只青丝绒的睡椅上坐下来，很镇静地继续道："你既把那厨子遣开了，便打算乘间下手。后来你主人独自饮酒，那杯筷当然是你取给他的。他喝了一会儿，伏在桌上，似乎略有醉意。你看见机会已到，便取出刀来，从他的背脊上直刺进去。你的目的既达，第二步就设法逃罪。你另外摆了一副杯筷，又在杯中斟了些酒，又添了个座位，装作有人同饮的样子。接着你开了后门，又取了那张菜单往菜馆里去。那菜单固然是你主人的亲笔，不过不是昨夜里写的，却是前几天的旧物。你却借此脱身，以便让别人进来发觉凶案，你可以脱去嫌疑。你也许估计寿玉快回来了。

"看了这一种设计，足见你很有心思。后来你所以先从后门里进来，大概就想探探是否已有人发觉你主人的凶案，也见得你用心的周密。那时你听得了我们的谈话声音，知道已经成功，故而就退出去再从前门进来。至于你以后的状态，和对于我们的答话，也处处见得你早有准备。这就是你昨夜行凶前后的动作，我可没有冤枉你吧？"

老仆低垂了头，两只手交握着，默然不答。汪银林坐在对面，手枪仍搁在膝上。我也在书桌后的螺旋椅上坐下来。我的脸向着次间方向，才见次间中的尸体已经移去，圆桌上也空着。

霍桑又说："不过你谋杀你的主人，究竟有什么目的，我还推想不出。这一着不能不让你自己说明白了。"

室中一度静寂。陆全忽又叹了一口长气，缓缓地仰起头来。

他庄容地说："罢了，事情既然如此，我也不必再隐瞒。孙仲和的确是我杀死的。昨夜里我行凶的举动，你仿佛在旁边看，竟没有什么错误。"他向霍桑瞥一瞥："当我将刀刺进去时，他好像喝醉了，绝不抗拒，我竟毫不费力。这实在是他作恶多端的果报！当时我果真想把这件事隐藏起来，偶然看见一张写了不曾用的废旧菜单，就想利用一个送菜的人替我作证。

"我从菜馆里回来的时候，原打算让那送菜的人先进来发觉。我自己走在前面，先溜进了后门，想暂时躲一躲，看那送菜人发觉的情况。可是进来之后，我忽听得书房里已有人声，疑心是寿玉回来了，后来我才知道是你们。于是我便退出去绕到前门，放胆地进来了。"

霍桑点头道："这一节我们都已明白。现在要知道的，就是你行凶的目的。你为什么要谋杀你的主人？"

老仆的头抬一抬，厉声道："他不是我的主人！我的主人叫孙柳汀，是个克勤克俭的商人。他没有儿子，已经死了三年哩！你们不知道这流氓仲和本是从二房里嗣过来的吗？自从老主人去世，他一进门之后，我家的情形便完全变了！我的主人拼着汗血挣下来的家产，在这三年中差不多快被他浪费干净！我不知道这些钱什么地方不可以花——譬如养老院育婴堂之类，花了钱才有意思——偏偏要让这个不相干的流氓花！要是他的品行端正些，不至于牵我主人的头皮，那也罢了。谁知他竟是一个淫棍！他凭着有钱，不知道已经糟蹋了多少女子！简直三天五天换一个！这一次他竟又设计害那朱医生，才使我再也忍不住。这也是他恶贯满盈了！"

汪银林插口道："这样说，朱医生被害，你也是知情的？"

老人点头道："是。这医生真是一个好人。上月二十八日那天，伊第二次到这里来医少奶的病时，我因为我家里的女儿凤仙害着寒热病，请伊顺便去看看。伊一口应承，临了不但不收我的酬报，还白白地送给我一瓶丸药。……唉，先生，像现在这样的势利世界，这种医生真是少有。不料那可杀的流氓又见色起意，前天夜里，竟将伊骗到了这里！"

老人的声调激昂起来，目光中漏出怒火。霍桑显出庄肃的同情神色，并不插口阻扰他。汪银林受了暗示，也采取同样态度。陆全吁一口气，继续他的愤慨的故事：

"当伊进来时，我已经睡着，没有听到。到了半夜后三点钟光景，我忽被喊哭的声音所惊醒，爬起来一听，听得出是个女人。我大吃一惊，接着又听得楼梯上有急乱的脚步声音，好像是一个逃，一个追。逃的人还穿着咯咯的女人的硬跟皮鞋，分明我没有听错。追的却就是仲和。后来仲和关上了大门上楼，我仍默不作声。

"这恶汉每次做这种无耻勾当，总是瞒着我的。我既没法阻挡，只得忍气吞声。那时我思前想后，心中说不出的气愤，再也不能安睡。到了五点钟时，天还没亮，忽听得林根来敲后门，等到仲和下来会面，他们都惊骇失声。我悄悄地留神偷听，才知已出了命案。

"末后，我又听得他们设计移尸，知道那被害的就是这一位好心肠的姓朱的女医生。论理，我本可把这件事出首告发。但我知道他有个姓于的舅父是当律师的，他手里还有些钱。钱和势可以通神，结果不消说他仍可逍遥自在，我自己说不定反而会吃亏。故而我定意直截了当地将他杀死，一则替朱医生复仇，二则免得他再牵我主人的头皮。

"主意既定，我从厨房里拿好了一把水果刀，打算在昨天夜里动手。所以我见你们向我探听口气，我一律拒绝，就怕另生什么枝节，弄坏我的计划。现在我的心愿已了，死也没怨，一切听你们处置便了。"

老仆说到这里，站起来挺直了胸膛，显出一种理直气壮的神气。他的眼光在闪烁，额角上有条青筋略略偾张，精神也更加兴奋，绝对没有畏罪怕死的样子。

"爸爸！爸爸！"

一种带哭声的锐呼突然刺激我的神经，同时有一种异状映入我的眼球。一个穿灰布夹袄的女人，年纪约莫二十，从次间后面直奔出来，抱住了那满头白雪的陆全，呜咽地哭喊着。这完全是出乎意料的，霍桑和汪银林也呆住了。

老人拍着那女子的头，苦笑地说："凤仙，好孩子，没有事。人谁都有一死，你爸爸决不怕死！"他又抬起头来："先生们，这是我的女儿凤仙。我因着这里出了事，人太少，故而差人回去叫伊来陪我的。"

霍桑点点头，庄容地说："陆全，你的用意我很同情。你对于你已死的老主人确是很忠诚。你的举动虽为法律所不许，但你也不必害怕，一切有我。"他又拍拍那老人怀抱中的少女的肩："陆小姐，你别哭。我决不使你的爸爸吃苦。他也绝没有死罪。"

他又回头向汪银林道："银林兄，你姑且把陆全带回警厅去。要是陆小姐愿意一块儿去，不妨让伊陪伴着。你好好地照料他们，公事完后，请到我寓里来一趟，我还有话和你谈。"

我们离开了孙家，并不同道。我直接回寓，霍桑却另往一个地方去。

那时已十一点多钟，融融的秋日高挂在晴空，仿佛含笑向人，庆贺我们疑案的解决。我到得寓里，又独自寻思。这件案子虽已被霍桑完全探明，但汪银林在这一着上，居然异途同归，眼光也算不差，这一来以后尽可以塞住那一班讥笑他不用脑力的人的嘴。我起先料他又走进了错路，也未免抱着成见，太轻觑他了。

不一会儿，汪银林已如约而来，我和他握手道贺，请他坐下来。

我笑道："银林兄，恭喜你！这一次你得了头功！"

汪银林也笑了一笑，似羞似喜地答道："哪里话？这一次我只是偶然的侥幸，怎及得到霍先生的机敏周详？"

大家开始吸烟。银林摸出他自备的雪茄。我也烧着了一支白金龙。

我问道："你怎样疑心到陆全身上去的？"

汪银林答道："我起先本来想不到他。后来我捉到了阿采，伊说昨夜伊看见陆全偷偷地走进后门去。陆全的行动分明有些鬼鬼祟祟，已使我开始疑心他。今天早晨，我接得指印部的报告，那两只酒杯上都有指印，又和刀柄上的印相同；又查出仲和所喝的杯子上却有两枚不同的大拇指印。我想除了一枚是仲和自己的以外，另有一枚势必属于那给他取杯的人。但那厨子王寿玉既已回去，屋中又没有第三个人，那么那个给仲和预备杯筷的人，除了陆全，当然没有第二个人了。这个设想我一时还不敢轻信，又问问那烧饭的王寿玉，才知昨天他分明是被陆全骗回去的。所以我赶到孙家去，先用茶杯骗取那老仆的指印，以便比对。不料霍先生早已预料到，他对于陆全上夜的动作，仿佛眼见的一般。这一来就超过我一百倍，我怎能不佩服？"

"银林兄，过誉了！这赞语应得留给你自己才是！"

接口的是霍桑。接着他早已推门进来了，去了衣帽，便在那藤椅上坐下。他的脸上笑容可掬。当他取出纸烟来烧吸的时候，眼光闪动，露出一种非常得意的神气。

汪银林问道："霍先生，你对于孙仲和的死事，怎么能知道得这样详细？请你说给我听听，好让我增进些见识。"

霍桑连续吐吸了几口烟，答道："这件事的本身原是非常简单的。但我因着想不出这老人所以要行凶的动机，一时竟也疑不到他。后来那些浮面的嫌疑既已逐一证明无关，我的眼光就也回过来了。最使我怀疑的，就是那厨子王寿玉的突然回去。我觉得这个人一回去后，仲和的凶案便跟着发生，未免太凑巧。我便料定绝不是偶然的事。

"后来我在孙家搜索完了，结束了朱仰竹的疑案，随即到洪家去，却问不出什么。我又赶到王家码头去，才知王寿玉果曾回家，不过又连夜回了主人家去。他的妻子告诉我，他听了陆全的话，他的儿子患急惊风，才突然回来。事实上他家里并没有人患病，也没有差邻人去通报。寿玉虽还相信是陆全误会了，我已完全明白，明明是陆全有意把他差开，要实施他的计划。"

汪银林道："你单从这一点上发觉他的凶谋吗？"

霍桑道："还有。我看见那张菜单的纸张是陈旧的，分明不是昨夜所写；又看见那双客人用的象牙筷上毫无油迹，显见并没有人用过；那客人的酒杯中虽有余酒，却比较澄清，也是明明故意作伪。总而言之，昨晚上实在没有第二个人到孙家去过。此外这老人的态度早就有些诡秘可疑。起先我还以为他要为他的主人掩护，但孙仲和死了，因着其他的佐证，也可以显示他自己有什么图谋。后来我在警厅中亲口问过王寿玉，又加上了阿采的供词。结果就自然而然地归结到陆全身上去。"

汪银林连连点头道："霍先生，你真可算得目光如炬——"

霍桑忽举起了夹纸烟的右手，阻住他道："且慢，这里面还有一个要点，你大概还没有知道。"

"什么要点？"汪银林坐直了，果然现出疑迟的神色来。

霍桑道："是全案中的唯一的要点！"

汪银林拿下了雪茄，错愕不解。我也只向霍桑呆瞧，不知他这句话有什么意思。

霍桑继续说："唔，还不懂？凶案中的要点自然是凶手问题啊！"

我和汪银林都不由得面面相觑，大家都答不出话。霍桑的话实在太突兀。

少停，汪银林问道："你可是说这案中的凶手还有问题？"

霍桑立即应道："是。"

"哪一案的凶手？"

"自然是孙仲和的一案。朱仰竹是受了仲和的迫害而自杀的，还有什么疑问？"

"那么杀死孙仲和的难道还不是陆全？"

"是啊，陆全并不是真正的凶手！"

"谁才是正凶？"

"那真正的凶手是——？"

正在这紧张的当儿，偏偏施桂打岔进来，通报有客。我回头一瞧，来客就是那个穿淡蜜色春呢外衣的薄一芝。他的憔悴的面容和深陷的眼眶，都使我暗暗惊疑。

霍桑立起来招呼道："薄先生，好啊！昨夜你往哪里去的？此刻你来得正好，我正要找你。……你坐下来，等我说完了再和你谈。"

汪银林用诧异的眼光瞧瞧来客，又瞧瞧霍桑，默不发话。薄一芝胆怯地坐下来，那顶玄色呢帽还拿在手里。我也踏进了迷阵似的模仿着汪银林的动作，一时摸不着头脑。霍桑在烟雾弥漫之中，自己接续下去。

他说："你们不是急于要知道那杀死孙仲和的真正凶手吗？真正的凶手就是孙仲和自己！"

"什么？"汪银林的身子不禁从椅中跳了起来。

"孙仲和也是自杀的！"

"霍先生，这话实在吗？"

"这句话我不必负什么责任。回头你可以去问检验的何乃时医生。"

"那么这问题你自己也还不曾确信？"

"不，我已经确信无疑。"

"奇怪！这里面究竟怎么样？"

三个人都把惊异的眼光集中在霍桑的脸上。霍桑仍安谧如常，缓缓地吸着纸烟。

他吐了一口烟，才说："我知道孙仲和实在是服了安神药水丧命的。我昨天已经寻得了那个安神药水的药瓶，显见他服得很多。这药瓶此刻在朱仰竹的那只皮包里面，结案时一定用得着。那皮包刚才我已经交给乔探员了。"

汪银林仍半信半疑："但孙仲和为什么要自杀？莫非他因着畏罪的缘故？"

霍桑答道："畏罪固然是一种原因，不过另有一个致命的诱因。包朗，这一封信就是我昨夜在孙仲和的银鼠皮袍袋中寻得的。请你念一遍给银林兄听听，省得我解说了。"他顺手从袋中摸出那封信来。

我瞧那信封是西式的，上面贴着许多邮花，邮印上印着"天津"字样。我把一张布纹白信笺取出来时，只有寥寥几句。

我丢了烟尾，高声念道：

仲和鉴：

　　你的外遇太多了，证据都在我手里。这样下去，夫妇间再没有和谐的希望。我为自身打算，不能不另寻出路。现在我已别有相识，已一同到了北方。他是军界中人，你即使要追寻，势必没有便宜。那些首饰本是我自己的东西，自然有权带走。但我因着旅费的现款不足，故而已把银行中的存款完全提尽。这一着未免对不起你，请你原谅些吧。

珠白

霍桑等我读完，接着说："'天道好还'，这句话在现代人看来，也许已认为近于迂阔迷信，其实也是合得上自然的因果律的。这里不是一个好例证吗？仲和作孽——也就是作恶——太多，却想不到他妻子会有这一种报复举动。昨天下午，他必准备往银行中去取了款子，以便给付阿采和林根的酬报。不料存款已空。这打击可不小，他只得向阿采商量暂缓。他回到家里以后，忽见我和包朗去访他。他明知朱仰竹的凶案已经发觉，他也已蒙着嫌疑。我临走时指问那条围巾，他一定觉察到他的阴谋终于不免破露。后来他虽把它藏到楼上壁橱中去，可是亡羊补牢，他也知道太晚了。傍晚时他接得了他的妻子苡珠的这一封信，那就是致命的诱因。那时他悔恨恐怖，纷集心头，当然说不出的痛苦难受。接着阿采的恐吓电话又来一催，他便觉得四面楚歌，再也寻不出生路，就不得不归于一死。"

汪银林领悟地点头说："这样说，那老头儿陆全的行刺可是已在仲和既死以后吗？"

霍桑道："正是。你岂不见他背上的伤口外面丝毫没有血迹？否则他何以甘心受刺，绝没有抗拒的痕迹？"

我插口道："我当时还以为仲和醉中被杀，血液却被骆驼绒所吸收，故而没有流出。"

汪银林弹了弹雪茄，又瞧着霍桑问道："既然如此，刚才你在孙家的时候为什么不直接说明？"

霍桑道："那时还没有到发表的时间。因为我这个推想，必须有了事实的佐证，才能确定。故而我从孙家出后，特地往验尸所去。据检验的何乃时医生说，孙仲和实在是由于服了过量的安神药水致死，又因酒精的助力，死得更迅速。当老仆陆全举刀行刺的时候，他的血运早已停止，故而陆全实际上没有杀人。你回警厅以后，把那全没有关系的王寿玉放了，再好好地安慰陆全一番。你代替我致意一声，他的举动我个人是很表同情的；等到法庭公审的时候，我一定给他辩白。我是不怕那于企年的。"

汪银林苦笑了一声："我想于律师不会有功夫给他的已死的外甥做什么主张。他急于要知道的，就是孙仲和承继名下的财产还有多少。他今天一早来看我，就问我有没有发现仲和的存款折单之类！"

室中静了一会儿。大家都不禁微微地叹息。霍桑接续另一支纸烟。

接着霍桑才叫薄一芝说明经过。他说昨夜里他被释放以后，委托一个好友吴芝轩去帮同料理朱仰竹的丧事，他自己赶到沈咏秋家去。他闻得沈咏秋刚巧出外，料伊或是往仲和家里去的；他也就赶到那里，忽被汪银林的声音所吓退。那时他正像惊弓之鸟，慌乱无主，唯恐再被拘捕，故便往另一个姓杨的朋友家里暂歇，不敢再回去。

他补充道："这种举动，我事后回想，未免太没意识。因此，我觉得不能不亲自来说明一声，免得再受意外的嫌疑。"

霍桑微笑道："畏首畏尾，当真是你的弱点，以后你应得振作些才是。譬如前天夜里你明明往大通路桃源里去过的，当时你竟隐瞒不承认，因此遭受拘捕。这不是你自取其咎吗？"

薄一芝忸怩地说："霍先生，我真惭愧！那当真也是我自己不是。我起先怕被牵累多事，故而隐秘着不说，不料省事反而多事，竟因而被累。前夜我所以想往桃源里去，就因为日间听了沈咏秋的话，知道宋夫人难免受辱，原想去解释安慰伊的。但我到了桃源里口，觉得夜间造访，究有不便，况且我还有事，因而中途折回，定意下一天再去。"

汪银林忽放下了雪茄，插口道："那么那晚上你到哪里去的？我听得你那姓刘的朋友放洋，你实在不曾去送行啊。"

薄一芝答道："我去送的。不过我从桃源里折回，到林荫路刘家的时候，十一点已过。我看见窗中灯光已熄，知道心美已先动身，我也就直接赶往马赛号轮船上去看他。因此之故，刘家里的人没有知道。"

静默再度控制这小小的书室。飒飒的秋风溜进了窗口，把烟雾搅得稀薄了些。沉寂中我忽听得薄一芝的喟叹声音：

"唉！宋夫人这样子惨死真是怪可怜的！"

对此我也表示同情，因而也暗暗地叹息。

霍桑忽丢了余烟，安慰道："据我看，宋夫人是一个有医德的医生。伊生前既已救济了无数患病的人——尤其是贫病，在这世界上已留下了几条善痕，不能算是虚度。况且伊已患了肺病之人，又忙碌不肯休歇，在世当也不久。死是人生不能免的，原没有什么可悲，只要对人群多少有些贡献，就不是白白地死。不过伊临末的受辱，那才是唯一的遗憾！可是从别一方面说，伊的牺牲，直接使恶伧受诛，间接挽救了无数女子的贞操，收果却也不小。……薄先生，有一件事我正要和你商量。你既是他们的挚友，他们俩的孤儿馨儿，还有陆全的家属，你总肯照顾一下吧？"

薄一芝立起来挺直了身子，应道："那是后死者应尽的责任。这一点咏秋也是同意的。先生们请放心。"

蜜 中 酸

我的莽撞

霍桑的体格素来是很强壮的。故老流传的那句"一分精神，一分事业"的俗谚，他是绝对地崇信和恪守的。他对于体格问题曾声色俱严地发表过一番议论。

他说："包朗，你可知道我们的国家所以一切落后，处处受人家欺侮凌辱，主要的原因是什么？我告诉你，只有一个字——弱！"

自然，他所说的"弱"是根据着"国以民为本，民弱则国弱"的老调，指一般国民的体格说的。接着他又滔滔地发挥下去：

"我们的同胞因着生活水平的低落，营养不足，知识不够，又不懂卫生；都市中又遍布着斫丧青年体格的陷阱——妓院、烟窟、赌场、舞厅、变质的旅馆——就形成了一时无从挽救的衰病积弱。你知道我们的平均寿命还不到三十岁。这是一个民族前途的多大危机啊！一个人的知识经验的成熟时间最早是三十岁。从三十到七十，最少是六十，才是给社会国家服务的最好年龄。看欧美人，一切政治、军事、科学、教育和其他事业界的权威者，大半是年龄在六十以上的人。我们怎么样？未老先衰是普遍的现象！一个才刚受好教育的人，往往会一跃而赶到'行将就木'！甚至教育还没终了，肺痨病已告成熟，立即跳进墓穴里去！

"固然，提倡体育的声浪有时也听得见了，可是那是虚伪的，最多是点缀！在锦标选手的名目下，学校的体育也成了商品化的广告，而不是普遍训练的学科。包朗，你想在这种局面之下，若使没有真诚彻底的改革，那么所谓在复兴国家途程上所必需的'埋头苦干'和'迎头赶上'一类的词句岂非都成了空话！因为一个体格虚弱的人，在一天'埋头'工作了五六个小时，就会头昏眼花的啊！"

议论虽有些偏激，可是确也含有至理。所以他平日除了清晨时例有的户外散步以外，凡日常生活中有运动肢体的可能，和其他促进康健的方法，从来不肯放弃。他既然抱着为社会服务的志愿，自然不得不努力保持他的康健，以便可以应付任何艰苦。

可是那年的秋天，霍桑因着探案时过度劳顿，精神上竟也有些倦怠不振。这就因近年来社会上所谓"文明"的程度越高，那千奇百怪的罪案也跟着"文明"的高潮而越来越多。霍桑的名誉既已宣传遐迩，请教他的人也就纷至沓来。霍桑是富于责任心的，凡他担任的案子，他总是焦心劳力，一丝不苟，直到破获了才罢。因此之故，他的精神上便受到了影响。平日他虽然很注重摄生之道，但处在这特殊的环境之中，终究不能维持。结果他的饮食渐渐减少，面容也日见消瘦，末后又患了失眠症。他日间虽忙碌了一天，到了晚上仍不能安睡。这一来我不禁替他担心起来。

那天早晨我郑重地向他说："霍桑，你是绝端注重体育的，这一次你必须听我的话了。以前我好几次劝你休息，你总说眼见这充满着罪恶的社会时时刻刻都需要你，你实在不忍远离。

但你仔细想想，你既然愿意为社会尽力，究竟还是拼着你的不完全健康的身体，再勉强干几件案子，就此送掉你的性命好呢？或是暂时休息一会儿，等你恢复了康健，再回来多尽力几年好？这是一种最简单的算法，你总不至于算不出吧？"

霍桑含着笑容答道："算了！你这议论是多余的。我决不忽视我的健康。近来我的身体不是百分之百的好，我自己也觉得。你不说，我也早打算要出去休息几天哩。"

"当真？"我很高兴。

"谁和你玩笑？车票都已买好了。"

"唉！算我多说！你打算往哪里去？"

"西湖。"他顿一顿，"我已经买好了两张票。你也得暂时搁一搁笔，养养你的脑筋。"

我当然很兴奋地允诺了。第二天的清早我们两便悄悄地往杭州去。

旅行是我生平唯一爱好的一种活动，何况这一次的目的在于游览松散，路上又有良好的伴侣，我的兴趣便分外地高。平时霍桑一上火车，趁着空儿，往往要从车中乘客们的衣饰、容态、言语上猜度他们的职业性情，借以消遣。这虽是消遣性质，究竟也费脑力，故而这一次我就特意防着这一层，不使他再虚费无谓的脑力。霍桑也很知趣，把视线移换了方向。他只凭着窗口，眺望那远山、近水、野树、村舍，和那广漠的金黄色的稻田，一一地随车转旋，奔集眼底。他的精神果然振作得多。

我们到了杭州，直接往旅馆里去。在杭州我们虽有不少朋友，但我们的宗旨是"避嚣寻乐"四个字，为避免酬酢计，故而绝不声张。我们住的是迎峰旅馆二层楼三十六号，地点恰在湖滨。卧室的窗口正对着宝石山，不但开窗见山，把窗帘移开了，就是躺在床上，那风光塔影也可以送到眼底。

时令是秋天。秋天不是西湖的"闹期"，所以旅客稀少，旅馆中又特别清静。我们一到以后，大家洗了洗脸，喝了口茶，略停一停，我便打算出去游一回夜湖。霍桑赞成了，我就奔到楼下账房里去接洽，托他们代雇一只游艇。接洽的事很简捷，几句话就谈妥当。我带着一颗兴奋的心，匆匆重新回到房中。

一种出乎意料的情景突然接触我的眼睛！

我推开房门，才刚跨进了一步，猛然抬起头来，陡见一男一女正并头并肩互相偎抱着坐在一只靠窗口的沙发椅上！

我呆住了。第一个意念："霍桑竟突然变了素志，居然挟妓？"但是只有一两秒钟，那一男一女已霍地立起来。我才看见那男的虽同样穿着一身藏青哔叽的西装，但白馥馥的脸，乌油油的头发，却并不是霍桑。那女的明眸皓齿，柳眉樱唇，生得美丽绝尘。伊穿着一件淡湖绿洒白花的软绸顾袍，长才及膝，膝以下一双淡灰色的细丝长筒袜，显得两腿的肌肉非常丰满。伊的服装也可算簇新的时式。这两个人的年龄都是在二十略过一些，这时候都是满脸通红，也定着惊诧的目光向我谛视。

怎么一回事？我委实窘极了！原来房间是同式的，尤其是房门，我在匆忙之间已走错了一号！

"对不起！……对不起！我走错了！……对不起！……"

当时我除了连声道歉，还有什么话可说？我低垂了头赶紧退出来，直到走进了三十六号，我的心房还在突突地乱跳。

"包朗，什么事？"霍桑看见我这种模样，诧异地问一句。

我一时说不出口，懊悔地坐下来，经过了足足五分钟的喘息，方始说明白。

他笑道："包朗，我常说人们的情绪应随时加以控制，尤其是在太偾张的时候，不然就会莽撞肇祸。你实在太鲁莽了，不知趣，打断了人家的情话！他们是到这里来度蜜月的一对新婚夫妇啊。"

后来我查明隔室三十七号里的果真是一对新婚夫妻。据一个少年茶房说，他们才来了两天，下面的旅客姓名表上写着"沈姓，上海人"字样。我受了这一次教训，以后便随处谨慎，在极度快乐的时候，我的举止行动更不敢不特意约束。

我们乘着一只瓜皮小艇，在西湖里荡了一会儿，就在平湖秋月进晚餐。那晚恰巧是上弦，凉风挟着花气在水面上轻轻拂过，着肌不太寒，只觉得舒爽。弯弯的眉月映照着波心，那鱼鳞似的水波沦涟荡漾，月光也随着闪动，仿佛幻出千百个月儿。身临这种清幽的境界，精神上自有一种无可言喻的快感。归寓时小艇又冲波前进，短桨起落，又好似把月儿敲成片片。忽而船尾后浪花高涌，泼剌有声，湖底的鱼儿也在那里迎月嬉戏了。美中不足的，就是那时候西湖中养蓄大群的鱼，湖水因着鱼的繁殖游动，都变作黄浊的颜色。回想好几年前，那种荇藻萦回澄澈见底的情景已是不可再得了。

这一夜霍桑的精神果真大见进步，一睡直睡到天明，不但不曾失眠，连梦都没做一个。我也同样得到了酣适的睡眠。第二天早餐既毕，我们又雇着小艇，准备做整日的游览。这一天我们游兴特别浓厚，经过的名胜之区也不止一处。我曾经吟过好几首诗，回旅馆后还写了一篇游记，也足见我们的"雅兴不浅"。

当我们在游孤山的当儿，曾和那一对隔室的新婚夫妇不期相逢。我因着昨天的莽撞举动，看见了他们，还觉面灼耳热，

非常惭愧。我故意走得远些，不和他们接近。但我远远偷瞧他们，虽然并肩地走着，神态上仿佛很落寞，比较我上一天所见的挽颈昵语的景状，似乎完全不同。这一点霍桑也已觉察，等到他们走远了，他向我低低地表示：

"我看这两个人好像都怀着什么心事。"

"是，我也觉得如此。不过我国的传统习俗，夫妇间的爱，只在密室洞房中背地里表现，在人前总是扮足了'相敬如宾'的面孔的。"我笑一笑，"我想他们也许因着瞧见了我，想到了昨天被我撞见的情景，有些不好意思，故而就格外顾忌了。"

霍桑也笑一笑，分明赞同我的见解。接着我们的话题就移向别方面去。

我们玩到断黑，才数着队队的归鸦，倦游回寓。回寓后我们又靠着窗口，饮了少许杭州的土酒，吃着当地著名的醋熘鱼，把杯畅谈，直到月挂天心，方才安睡。我预料这天晚上一定可以像上一晚那样酣睡，不料实际上我却失望了。我睡到床上，翻来覆去，竟不能合眼。也许是平日不常喝酒的人，偶然喝了几口，酒会在肚子里作弄吧？

我的耳朵中听得有人在地板上走动，又不时有开窗关窗的声音。声音是从隔室三十七号传过来的，静夜中听了非常清晰。

读者们也许也有这种经验吧？躺在床上，睡不着，幻想就会活动。这样的时候，这一对新夫妇为什么还不安睡？他们这样子把窗门忽开忽关，有什么用意？"春宵一刻值千金"，秋宵也不应有什么折扣。他们岂不是辜负良宵？奇怪！霍桑也没有睡着吗？我觉得对面的榻上也不时有声音，不是他也在那里翻覆不宁吗？难道他也禁不住好奇心的活跃，忘了休养的本旨，像我一般地在关心着隔室中的新婚夫妇？

"包朗，你没有睡着？"这是霍桑的轻微的呼声。

"是啊！你怎么也翻来覆去？"

"我觉得隔室中也许已出了什么岔子。"

"喔，你在那里听他们的动静？……喂，不干我们的事。你还是安心些睡。"

其实这话是无聊的，简直是欺人自欺。我自己既然动了好奇心，不能睡，却还劝霍桑，想一想几乎笑出来。

这样子约有半个钟头，旅馆的内外越发静寂。我也有些倦乏，隔室中的动作怎样，我已不再注意。

笃笃！……笃笃！……

连续的叩门声音突地驱散了迷蒙的睡魔。我惊醒了，张开眼睛，仔细一听。声音就发生在我们一室的门上！

意外客

奇怪，夜深人静，谁会来敲我们的门？我们住在这里，完全没有人知道，连最熟悉的张宝全探长都不曾通知。就算有熟识的人，也断不会在这时候见访。莫非我误听了？

笃笃！……笃笃！……笃笃！……

门上的叩击声加强了，虽说不上怎样猛烈，但是声音确已比先前重了些，并且我已听清楚声音的确是在我们的门上。同时我觉得霍桑已经轻轻地从榻上起身，披了衣服，扳亮了电灯，走到我的床前，低声叫呼：

"包朗，有事呢。"

当然，这绝不是梦。我虽不答话，也赶紧坐起来，急忙忙穿好衣服。霍桑已经走到门口去，拔去了房门上的铁闩，顺手

把门拉开。我定睛一瞧，门口站着一个穿淡湖绿洒白花的软绸
顾袍的少年女子，就是隔房间的那个新娘。

这女子深夜敲人家的门已是出我的意料，更奇怪的，伊一
看见霍桑把门开了，就突地闪身走进来；接着伊又忙着回身把
室门合上。伊旋转头来，看见我们俩的衣服都没有穿得整齐，
分明是睡后爬起来的，便低垂了目光，靠门框站着，似有些不
好意思。伊的柳叶似的眉尖紧蹙着，美目中也含有惊惶。

伊操着上海口音，低声喘息地说："两位先生，请……请
原谅。我知道我这样子惊扰你们，太冒昧。但是……但是我实
在是不得已。你们两位不就是霍桑和包朗先生吗？"

霍桑把衣纽扣一扣好，向我瞧瞧。我也模仿着同样的动
作，兀自面面相觑，不知道怎样回答。伊怎么也认识我们？现
在有什么事？伊看见我们不回答，似乎疑心我们会不承认，又
接着说话：

"是的，一定是的！请你们不要拒绝我。我在报纸上看见
过你们的照片，下面旅客表上又明明写着'包霍'。霍先生包
先生，我素来钦佩你们，包先生，你所记的探案，我的皮箧中
还带着两册。你们都是仗义救困的好人，你们又是最尊重女权
的——"

霍桑禁不住接嘴道："好！沈夫人，我们并没有拒绝你的
意思。你不用错疑。此刻你有什么困难？"

那女子抬起了眼光，点了点头，表示一种感激。伊的喘息
平一些，樱唇微微张动，忽又把伊手中的一块白丝巾按在嘴上，
又忍住了不说出口。伊这种进退两难的情状引起我的不安。

我插口道："你究竟有什么事？尽不妨实说。你到这里来，
尊夫可知道？"

伊斜过美目向我瞟一瞟，摇摇头：“不，他不知道。我……我所以来请教，就为的是他！”

霍桑应道：“他怎么样？可是还没有回寓？”

那少妇陡地震一震。伊的惊恐的眼光忙着转过去，凝注着霍桑：

“是啊！霍先生，你已经知道了？他……他此刻在哪里？……为什么不回来？可会有危险？霍先生，你……你告诉我！”

问句像连珠，又急促得不容人置答。伊的声音又战栗。我很窘，不知道怎么样应付。霍桑扬一扬手，婉声安慰：

“沈夫人，你不必焦急，急也没用。请走过来，坐下了讲。”

我忙移过一把椅子，送到伊的面前，一边将我自己身上披着的夹袍子的右襟纽子一起扣好。这女子的忧急慌乱的样子显示出伊的事情很紧张严重，引起了我的无限的同情。

伊的身材适中，鹅蛋形的脸白得像玉琢一般，一张樱桃的小口和一双敏活的美目，衬着两条狭狭的秀眉，眉色却很浓黑。伊有一种天然的妩媚，因着伊的年龄至多只有二十岁光景，故而还带着天真的稚气。用不着特别敏锐的眼光，一望而知伊是一个毫无阅世经验的弱女。伊勉强坐下了，不时用素巾掩着嘴，目光在我们俩的脸上交换瞧。一种惊怯疑惧的神情更易惹人的怜悯。霍桑在伊的对面坐下，我也坐在沙发上。

霍桑答道：“沈夫人，尊夫此刻在哪里，我完全不知道。我因着听得你一个人在室中走动了好久，又不时开闭窗门，才推想你正在等候你的丈夫回来。现在你来见我，可就为着尊夫不回来的事？”

那女子连连点头道：“正是，正是。他在这里虽有几个朋友，但我们并没有通知他们，也从没有人来瞧过我们。此刻已经快十一点钟了，他还不回来。我慌了，想不出主意，又没有可以商量的人，我才冒昧地来惊动你们。霍先生，你想他会不会有危险？"

伊的神情很焦急，配合了战栗的声音，显示伊的问句非急切得到解答不可。霍桑瞧在伊的脸上，在默察伊的神情。略停一停，他才继续问答：

"沈夫人，你要我解答，请说得明白些。第一步，尊夫叫什么名字？"

"他姓沈，叫笑公。我叫朱素蓉。"

"你们是蜜月旅行？"

"是。我们结婚才一个星期。他是在文华造纸厂里办文牍的，我才从上海女子中学里毕业。到今天，我们到这里还只第四天，一连游了三天，很快乐。可是从今天起，笑公的态度骤然间变了，好像变得冷漠了。"

伊说到这句，忽然仰起美目，斜着眼梢，向我瞧一瞧。这一瞧仿佛给予我一个暗示，使我记起了昨天的莽撞。昨天傍晚我曾经到他们的房中去闯过一闯。伊丈夫所以改变态度，不会就是我惹出来的祸？

霍桑道："唉，有些眉目了。你觉得他的态度今天才开始改变的？你可知道他所以改变态度的缘由？"

朱素蓉作迟疑状道："我……我不知道。因此我很觉惊异。"

"那么他什么时候出去的？"

"吃过夜饭，约莫八点半钟。此刻已近十一点。他已经出去了快三个钟头。"

"他可曾说往哪里去？"

"他说他觉得很闷，到湖滨路上去散散步，马上就回来。故而我没有跟他一同去。"

"他临走时可曾带钱？"

"没有。不过他的衣袋中本来是有钱的。霍先生，你问这句话什么意思？可是料他有了钱会到戏院去？不会，那一定不是的。他在上海时，除了电影以外，从来不喜欢瞧别的戏。不会，霍先生，无论如何，他今夜里绝不会一个人到戏院里去。"

我从旁接口道："他也许雇了小艇荡月去了。"

朱素蓉又用白丝巾在嘴上按一按，摇头道："也不会。他要荡湖，必要叫我一同去。况且这样的深夜，荡湖也不相宜。就算是的，此刻他也得回来了，怎么还不回来？"

理解很近情。我又产生一种幻想。莫非他荡湖时遇了什么暗算？或者竟是遭了覆舟的危险？可是这意念究竟太鲁莽，我没有勇气贸贸然出口。

霍桑沉吟地说："我所以问他有没有带钱，就怕他一个人在冷静的湖滨走，因着身上的财物，也许引动什么歹人的眼，因而发生意外。"

那朱素蓉着了慌，忙道："哎哟！霍先生，你想他会有被劫的危险？"

霍桑摇头道："不是，这只是一种猜想罢了。你不用慌。我想也不一定会有这样的事。这里的治安似乎还不坏。"

"那么还有什么别的理由？"

"也许他在湖滨偶然遇见了什么朋友，就被邀到了什么地方去，譬如喝酒谈心，那也未始不可能。"

朱素蓉又摇摇头："如果如此，这朋友也太不近情。笑公应得通知我一声，最少也得打一个电话来。他明明知道我一个人在旅馆里啊。"

两种可能都给合理的辩驳驳倒了。霍桑的眉毛逐渐皱拢来。我好几次想把我的意念提出来，可是我料想暗算或覆舟的话一出口，这少年女人准会哭出来。我受不了这样的后果，终不敢公然提示，何况我这假定究竟也空洞。

霍桑又瞧着伊，婉声说："是的，这一着也不一定切近事实。沈夫人，在你的意中可也有什么见解没有？如果我的观察不错，我想你的心中一定藏着什么隐事，不过你有所顾忌，不肯告诉我们罢了。"

霍桑的话分明含着某种力量，已直刺着伊的心事。伊的身子稍微震一震，坐直了，粉颊上也顿时晕出一缕绛色，在电灯光下也瞧得出。可是停了一会儿，伊兀自低垂着头，默不答话。

霍桑进逼地说："沈夫人，我听你一再说尊夫此刻不归，也许会遭什么危险。这意念在你当然是有所根据的。你既然要跟我们商量，又何必守秘密？"

一段秘史

朱素蓉受了霍桑的一再敦促，起初仍怀疑不决，经过了一度沉吟，忽而仰起头来。伊定神向室外听一听，依旧是寂静无声。伊的目光中显露一种坚决的神气。

伊说："霍先生，你的话不错。我要请求你们帮助，自然不能不实说。不过这一节关系很大，我有些怕，万一落到了没道德的人的耳朵中，颠倒黑白，那就尽可以毁坏我一生的名誉。"

霍桑道："这一层你尽管放心。我们都有人格。如果有关涉隐私的事，我们当然可以守秘密。"

　　朱素蓉点点头，应道："我知道。我所以说不出，实在是
羞于启齿，现在已顾不得了。我得先说明一件已往的事情。当
我在学校里时，有好几个男子向我做片面的单恋。内中有一个
叫洪星阁的，写了好几封信给我，信中的话无非是些诱惑的甜
言蜜语。我因着他缠扰不休，怕被校长或我的父亲知道了，会
损害我的名誉，就回了他一封信，劝他自己尊重些，不必再这
样子空费心思。他得到了我的信，反而提高了他的兴致，竟天
天在放学的时候，到校门口来候我。我看见他的装饰带几分流
氓气，见面时又胡言乱语，举止轻薄，故而我始终不理会他。
后来我被他缠得讨厌，曾当面斥责他，叫他不要再痴心妄想。
他好像恼羞成怒，便又一连来了几封辱骂的信。我有什么法子
呢？我既没有能力向他报复，又不敢声张出来，只得忍气吞
声。幸亏过了几时，他断绝了妄念，不再来信，我方才安心。
这还是两年前的事。

　　"在本月初头我将要结婚的当儿，这可恶的流氓忽又给我
一封信，约我往东大酒楼去谈一谈。他虽然没有说明谈什么
事，但明明不怀好意，信中还含着恐吓的话，我若不践约，他
有相应的对付。唉，霍先生，我真怕极了，可是有什么办法？
我不敢去看他，也不敢向任何人说，到了结婚的前一天，只向
一个做陪新的叫李秀爱的同学说明这件事。伊倒有主意，竭力
地安慰我，说这流氓至多是虚声恫吓，不见得会干出什么事
来。我还怕他会拿我当初写给他的那封亲笔信做凭证，断章摘
句地来毁污我的名誉。李秀爱又说，那封信绝不会保存到此
刻；万一如此，也有他威胁的信为凭，索性用法律控诉他。虽
然如此，我在结婚的当儿，仍不免惴惴不安。但是很侥幸，婚
礼完成了，毫无动静。后来我们动身到这里来度蜜月，一路上

也平安无事。我才放下了一颗心，以为这恶汉不会再来欺侮我了。不料昨天傍晚，这可恶的冤家又重新出现了！"

故事并不太新颖，可是从一个天真的少妇的嘴里说出来，加上了那羞怯怯的神态，凄楚楚的声音，也尽够撩人。霍桑和我都敛神静气地听，一句不曾打断伊。伊说到这里，伊的娇躯忽而颤动起来，便停顿了向我们呆瞧。

霍桑婉声问道："这个洪星阁怎样出现的？又写信给你？"

朱素蓉摇摇头："不是。我亲眼瞧见他的。"

霍桑似很注意，问道："你在哪里看见他？"

朱素蓉忽又瞧着我，答道："昨天傍晚，这位包先生误闯到我们房中去以后，笑公似乎有些着恼，我就拉他到湖滨去散一会儿步，回来时已经上灯。我们走到旅馆门口，我忽然看见那流氓匆匆地从旅馆中走出去！那时天色黑了，彼此虽在阶石上擦身而过，他好像没有看见我。但是我一眼瞥见了他，不觉暗吃一惊，几乎失声叫起来。笑公在旁边看见了，忙问我什么事。我谎说在石阶上蹩了一蹩，并无他事。我回进房间以后，吓得什么似的，心头还突突地乱跳，可是又没法可施。故而昨夜一夜，我的梦魂实在不安。今天我们俩照常出游，我不曾再见他。我又自己譬解，也许我昨夜瞧错了。但在晚膳以后，笑公一去不回，岂不奇怪？我想起了这流氓，怕是他弄什么诡计。我左思右想，没有法子，才不避嫌疑地来请教你们。"

局势已很明显，这女子所怀疑的可说是不为无因。霍桑低垂了头，把手指在桌边上弹弄了一会儿，才仰面问话：

"你相信尊夫的不归就是这个洪星阁在里面作祟？"

朱素蓉道："是，我再三思索，除了这一点以外，想不出别的理由。"

"那么你再想一想，昨晚上你瞧见的可确实是洪星阁？"

"是的，我想不会错。"

"你说你看见他，他没有看见你？"

"是。"

"不过据我想，他要是真要和你为难，一直跟你们到这里来，他应得先看见你。你说是不是？"

伊咬着嘴唇踌躇了一下，才说："当时我虽只一瞥，但我看见他的身材服装完全相同。他的个子很高，穿西装，帽子老是歪戴的。我想一定不会看错。"

霍桑想一想，又问："那时候尊夫可也瞧见这个人？"

"我……我不知道。他……他也许也瞧见的。"

"事后尊夫可曾问过什么话？"

朱素蓉摇头道："没有。但是今天我们游孤山的时候，我们和你们两位偶然相遇。我看见你——霍先生——的面貌，仿佛有些认识。笑公看见我向你们俩瞧视，便问我是不是相识。我回答不认识。他带着说笑话的样子，说：'昨晚那位朋友的误闯，莫非特地来找你的？'这当然是他的笑话，不会是认真。"

这件事竟牵涉到我身上来了。那么这岔子不会是我给他们引出来的吗？这个沈笑公虽然太多疑，但我的举动委实冒失，想起了还觉汗颜。

霍桑又问道："他的笑话里可还有别的有含意的话？"

"没有。不过……不过……"

"唔？"

"从今天起，他的神情好像有些变，兴致也变得很冷淡了。"

"那么这洪星阁的事，你虽守着秘密，但尊夫可会有知道的机会？"

"不会，除非这恶汉自己告诉笑公。因为笑公虽是我的表兄，但这件事我连妈都不曾告诉，笑公一定不会知道。"

霍桑忽然仰起了头，像倾听什么。接着他微微摇了摇头，目光又沉落在地板上。室中静一静。窗开着，夜风吹进来，有些冷飕飕。这少妇穿得很单薄，加着心头的重担，伊的身体在发抖。事情很尴尬。霍桑还不曾提供什么方案。我虽很同情伊，可是也爱莫能助。霍桑凝神想了一想，又继续发问：

"沈夫人，请原谅，我要问一句不客气的话。你们的婚姻是父母做主的呢？还是自由的？"

朱素蓉的脸上红一红，低着目光，伊手中的白巾又送到嘴边：

"是……是一半自由。"

"既然如此，你为使你的精神安宁起见，为什么不预先把这回事和尊夫说明白？"

"我本来也想告诉他。但是笑公是多疑心的，我怕因此引起他的误会，故而至今不敢说。昨天晚上我看见了那恶汉以后，也曾想硬着头皮，索性向笑公说破。可是我反复思考了一夜，终于没有勇气。"伊顿一顿，又颤声说，"霍先生，时候更晏了，笑公怎么还不归来？你想他到底会有危险不会？"

霍桑立起身来，用一手抚着下颌，缓缓答道："据情势推测，尊夫所以不归，有三种可能的原因。第一，他因散步而走到荒僻之所，或者竟因独个儿荡舟，遭了什么意外。第二，他偶然遇见了旧友，纵欲畅谈，所以忘了时刻。这两种原因如果实在，不久总就有分晓。不过刚才已经说过，可能的成分并不多。此外还有第三种原因似乎比较切近些，那就是关系到洪星阁了。"

"唉，霍先生，这流氓会有什么恶手段？"伊喘息了，两只手按住了伊的隐隐隆起的胸膛。

霍桑说："也许洪星阁果真和尊夫通过消息，造了什么蜚话。尊夫贸贸然相信了，便负气不回来。或是这洪星阁曾约尊夫在什么地点会面。他此刻不归，说不定已中了他的计。"

朱素蓉连连点头道："不错，很近情。那么你想那恶汉假使果真约笑公会面，笑公此刻不回来，究竟可会有危险？"

"你说什么性质的危险？"

"不会有性命危险吗？"

霍桑不答，但紧皱着眉峰，走近窗口去。他站住了。他的目光瞧着他自己正在拍节似的鞋尖。一会儿，他才回头答话：

"沈夫人，这句话很难答。若说这两个人会面以后，尊夫听了他的污辱的话，因发火而彼此动手，那原是可能的事。不过我们与其空想，还不如先收集些事实。你说昨晚你瞧见洪星阁的时候，他刚从这旅馆里走出去。是吗？"

"是。"

"你可曾调查过，他是不是也住在这里？"

"我不曾仔细查，但是我曾在旅客姓名表上瞧过，没看见姓洪的字样。"

"好。昨晚上如果你没有瞧错，我们总有方法查到他的踪迹。即使他不住在这里，总也在账房里探问过你的踪迹。你把洪星阁的面貌和衣服告诉我们——慢！有人在敲你的房门哩！"

笃笃笃。

敲门声又连续一次。我和朱素蓉不约而同地都挺直了身子。声音果真在左隔壁三十七号的门上。接着吱呀一声，有人推门走进去了。

朱素蓉突地跳起身来，猛力拉开了室门，急步奔出去。

赴约

我定定神，吁一口气。这一幕小戏大概可以就此结局了吧？那开门进去的一定是沈笑公。夫妻相见，这少妇势必会把这个纠纷说明白。误会一经解释，自然用不着我们再去从中多事。可是，不。事实又出我的意料。约莫过了五分钟工夫，我们俩吸了一支纸烟，正自锁上了门，准备重新寻我们的好梦，忽而那朱素蓉又敲门进来。

这时候伊的面容大大地变异了！伊的颊上没有一丝血色，脸上的神情已从惊疑而变成恐怖。伊走进来时，两足簌簌地颤动，全个儿身躯仿佛秋柳般地摇曳不定。伊开口说话的时候，语声哽咽，几乎要哭出来。

伊颤声道："霍先生，包先生，不得了哩！你想我怎么样对付？"

伊伸出一只颤动的纤手，将一张折叠的白纸交给霍桑。我凑近去一瞧，纸的一面写着几个铅笔字：

迎峰旅馆三十七号，朱素蓉收。

霍桑把纸展开来，里面又有一行铅笔草书：

见字立即至体育场靠湖小亭中一谈。勿误！星！

局势恶化了！这件事显然已被霍桑料中。这个洪星阁果真居心不良，利用了卑鄙的手段，企图欺凌一个弱女。我想起了"第二张照"中的王智生，一阵愤怒突然袭上了心头。

霍桑问道："这张纸是旅馆里的茶房送给你的？"

朱素蓉微弱地答道："是。他说刚才有一个孩子送到账房里去。霍先生，现在我怎么办？他把笑公不知弄到哪里去，此刻又来约我！你想笑公会不会……会……遭他的毒手？"

霍桑沉着脸，一边把纸条折好，一边答道："你姑且振作些。我们现在先想法子对付这个人。捉住了这流氓，尊夫的疑问可以连带解决。我知道公共体育场就在湖滨的转角，离这里没有几步路。你不妨就走一趟。"

朱素蓉作骇异声道："怎么？你……你叫我去见他？"

"是。"

"可是在这样的深夜，我……我怎么可以去见这个凶恶的恶汉？"

霍桑挺了挺腰："你放心。我们俩可以暗中保护你。你不必怕他。假使你不去，错过了机会，这件事反而难办。"

朱素蓉经过了一度犹豫，果然听从了霍桑的计划，立即回房去更换装束。我们俩也各把衣服鞋袜完全穿好。我们离上海时，并没有带防身的武器。但是我和霍桑都练过些拳术，两对一，总不会成什么问题。不一会儿，大家都已准备舒齐。霍桑和朱素蓉约定，我们俩先去埋伏，让伊一个人随后到，免得使洪星阁生疑。

五分钟后，我便和霍桑出了旅馆，向公共体育场去。

时间已是十一点半。深秋天气，湖滨早已断绝行人。夜风一阵阵吹在脸上，有几分寒意。天空密云四布，把那半丸弦月层层密密地包裹着，不露出一丝光来。瞭望湖面，一片沉黑。我回想起昨夜里明静的湖波，皎洁的月儿多么可爱，今夜却完全不同。天时的不测和人事的变迁，往往出人意料，正是一个样子。

到了体育场门前，霍桑拉住我，低声向我告诫：

"这里很空旷，没有荫庇的所在。……瞧，那边有一棵人槐树。我们到树背后去暂伏。"

我依从了，悄悄走到大树背后站住。这体育场的四周并无围墙，只用网眼形的铅丝隔着。我探头向场内一望，一片黑沉沉的旷场，寂静无声。但是靠湖的一边，远远地还可以望见那只约会的亭子。

我低声说："小亭就在那边。不过亭子里有没有人，我瞧不清楚。"

霍桑答道："是。我也瞧不见。但是我们如果贸贸然走近去，亭子里的人倒能瞧见我们。"

"那么怎么办？"

"等一等再说。"

"你想这回事今夜会有怎样的结局？"

"我想很简单，不难立刻解决。"

"这个人有什么企图？"

"他一定以为女子们容易欺侮，想诈索一下。这种人绝不会有别的神通。"

"会用武吗？"

"就是动手，对付这样一个懦夫，也是稀松平常的事。"

"他会有火器吧？我们可没有带枪。"

"那也不怕。只要他没有羽党——看起来不像是有——不怕他逃出我们的掌握。"

"但愿如此。我希望迅速了结了，我们也可以就此卸责。要是迁延下去，那不免违反了我们休养的本旨。"

一个女子的黑影走进体育场的大门，是朱素蓉。伊急匆匆地走，似乎没有瞧见我们。当伊走进了体育场的门，先站住了向四下望一望，接着便举步向那小亭走去。伊的步子逐渐地减缓，走了几步，忽然停住了。是害怕吗？当然。可是我们除了袖手旁观，也没有法子。幸而伊略一踟蹰，仍继续前进。我伸长了头颈，看见伊越去越远，人形渐渐模糊。霍桑忽拉拉我的衣袖：

"我们不妨也走近些。"

我们俩从树背后出来，偻着身子，轻轻地一步一步地前进，目标当然是那小亭。黑暗依旧包围着我们，但因着距离的缩短，它的密度也减弱了些，小亭的轮廓就更清楚些。

"哎哟！……"

一种女子锐呼的声音刺破了冷静的空气！

"哼，你来干什么？不要脸！"

这是男子的声音，低沉而有威吓意味。

我愣一愣，急忙抬头一瞧。朱素蓉已经走到亭前，伊的身子一晃，马上横倒在地上。同时有一个黑形从亭子里窜出来，疾步向右侧里奔过去。

霍桑急忙道："你照顾这女人！我去追！"

他用冲刺的步子跳向右边去。我也急急赶到小亭面前，果然见朱素蓉已仰面躺在地上。我俯下身子听听，伊的气息很急促。我又尽我的目力，在伊的身上瞧一瞧，不见什么流血的伤痕。伊似乎只是受了惊，晕过去。我忙伸出左手，插在伊的头后，轻轻地将伊扶起来。伊渐渐地恢复了知觉。

我问道："你受伤吗？"

伊摇摇头，但引手指一指旅馆，似叫我扶着伊回去。我抬头一望，霍桑和那奔逃的黑形都已没有影踪。我不再顾忌，就扶着那少妇回旅馆去。

进了三十七号寓室，伊向我谢了一声，便把身子伏在那一只可纪念的靠窗的沙发上，呜呜咽咽地哭起来。我有些进退两难。洪星阁怎样对待伊？但在这种情势之下，我当然不便发问，却又不忍离了伊，回我们自己的房间去。

我还勉强说："沈夫人，别哭，那恶汉究竟怎样难为你？你说明了，我们一定给你复仇。"

伊仍低头不答，啜泣的声浪增加了高度。我生平最怕女子的眼泪。我想起了这女子所遭受的，大有捣莲拗麝的情形[①]，越发觉得可怜。可是我和伊的关系只是萍水相逢，又没有安慰的话可说。我想那恶汉不知是否被霍桑追住。这个问题也非等霍桑回来不能明白。我略一踌躇，定意暂时回到隔室里去，等霍桑回寓后再做计议。我回身走出三十七号的门，忽听得急促的脚步声音从甬道中传来。我站住了，看见一个西装少年走近来，正是朱素蓉的丈夫沈笑公。他的背后另有一个人，是霍桑。

奇怪！这沈笑公怎么样会被霍桑找到？洪星阁呢？追住了没有？

"唉，包先生，对不起！……对不起！……"

沈笑公的连声道歉，使我想起了昨天傍晚的事，无意中形成一个对比。我莫名其妙，不知道怎样回答。霍桑站在三十六号室门口，向我招一招手。我连忙走进去。霍桑随手把房门关上了。

---

① 出自唐朝温庭筠《达摩支曲》的诗句"捣麝成尘香不灭，拗莲作寸丝难绝"，意思是把麝香磨成粉，香气也不散，把莲藕掰断了，藕丝也难绝，形容彻骨的相思。

一星酸味

以这一幕小小的喜剧收场是出我意料的。那个我们在体育场所瞧见的黑形，当时就被霍桑追住。这个人并非洪星阁，却就是沈笑公。这一着霍桑竟也不曾想到。经过了说明，他才知道这一回事完全由于双方心理上的罅障，就使甜津津的蜜中沾着了一星酸味，形成了几乎不可收拾的误会。我们俩也连带地给蒙蔽了一会儿眼！

原来上一天朱素蓉瞧见的西装男子并不是洪星阁。伊自己心虚，便疑假作真。但当伊暗暗吃惊的时候，却被沈笑公瞧见了。后来伊回房以后，精神不宁，显示出怀着什么隐秘的心事。多疑的沈笑公自然就动了疑心。那夜里伊忽又梦魇呓语，竟连呼着星阁的名字。笑公寻思伊的亲戚中并无此名，便疑心伊在未婚以前曾有什么恋人。下一天出游的时候，伊又处处顾忌，似乎防什么人暗算或尾随。于是沈笑公的疑焰愈炽，便定意试探一下。

他在傍晚时候出外，到楼外楼去饱餐了一顿，等到十一点钟，就冒着星阁的名义，写了那张字条给伊。他预计他所疑的若使不错，伊也许会出来践约。若使伊并无名叫星阁的恋人，那伊自然不会出来，他的疑团也可以从此冰释。后来他果真看见伊到体育场去，便以为他所怀疑的已经中的。他等伊走近，就从小亭中跳出来，向着伊怒斥一声。素蓉就受惊晕倒。

笑公被霍桑追住以后，彼此说明了原委，他方才觉悟，觉得这一出把戏近乎弄巧成拙，还险些弄假成真，惹出大祸。霍桑陪他回寓之后，他既然后悔他自己的多疑，自然要向他的夫人请罪求情。我料想他们经过了一番剖解，一定可以把重重的翳障完全消除；即使那洪星阁果真要来诈索，也就不再怕他。

　　这件事如此收束，虽出意料，却也有趣。它不但在我的日记中增多了一种趣案资料，还在我们这一番带些易地疗养性质的休息的旅行中，留下一种不易淡忘的纪念。

第 二 弹

窗上的弹痕

时间是十月下旬，一阵阵秋风把路边树枝上的黄叶吹得七零八落，酿成一片萧条景象。天气跟着转变，也从凉爽而化为寒冷。午饭罢了，我闲着无事，取了一本胜水淳行著的《罪犯社会学》，靠在办公室中的藤椅上消遣，可是读了几页，沉沉地睡着了。

铃铃铃！……

一阵电铃的声音惊醒我。那时霍桑正在化验室中试练手枪。我听得他走进电话室里去接应。一会儿他走进办公室来，手中提着一件玄色小花绉纱长夹衫，脸上显着一种审慎而怀疑的神色。

他一见我，先说："包朗，你醒了？这里有一个机会，也许可以让你的懒洋洋的脑筋活动一下。"

我答道："又发生了什么案子？"

"正是。"他点点头，着手抽松他的衬衫上的黑领结。

我又问："什么案子？"

"有一个警署探伙，奉了汪银林的命打电话来，说是一件人命案，地点在新闸。银林还请你一同去，并且叫我们悄悄地不落形迹。"

"唔，这又为什么？"

"我不知道，那探伙没有说明。我想银林大概发现了什么证迹，有所怀疑，一时不敢决定，故而请我们去斟酌；同时他又怕惊动什么嫌疑人，所以又叫我们悄悄地去。"

"因此，你才准备把西装换掉了？"

"是。西装比较的容易使人家注目，不如穿一件长夹衫好。你也快把长衫穿起来。"

十分钟后，我们装束就绪，走出爱文路寓所。发案的地点在新闸大北路鸿安里三弄第五家。我们为避免人家注意，雇了两部黄包车，故意把车篷拉了下来，装作避阳光的样子。车子刚到大北路口，还没有停，我忽见有一个穿深灰呢夹袍的人趋近霍桑的车子，招手作势。那人是个警署探伙，必然是汪银林派在那里招呼我们的。我们下了车，跟着那探伙向鸿安里四弄进去。鸿安里都是单幢的旧式石库门屋，很嘈杂喧闹。那探伙走在前面，到了第五个后门口，向左右望一望，除了一个卖红心山薯的小贩以外，没有别的人。他便回身挥挥手，领我们走进去。

楼下一个布置简单的客堂中，坐着一个仆人模样的男子，穿一身黑布薄棉衣裤，年纪五十岁左右，脸色干枯焦黄，连嘴唇上都没有血色。他见了我们，依旧坐着，口张目定地没有说一句话。我们正向他端详，忽听得汪银林在楼梯上低声招呼。

他说："霍先生，包先生，请上楼来。"

汪银林的声音低沉而郑重，仿佛防隔墙有耳被人窃听似的。我们就蹑着足尖，轻轻地走上楼梯。走到了前楼，我骤然间看见了一种惨状，不由得止足不前。

靠窗的地板上，躺着一个瘦长的尸体。那人穿一件白竹布长衫，脚上穿一双新的黄皮鞋。长衫的前襟上有一条血渍，猩红刺目。血液是从那人的左太阳穴里流出来的。他的面颊上也满染血液，但是仍可辨别他的状貌。我揣度他的年龄，大约在三十左右，瘦瘠的脸上灰白无须，两眼大张，唇吻也开而不合，露出几只扒齿，狞厉可怖。他的手指弯曲，好像握物的样子，但并不握成拳头。

汪银林放了声音，说："这分明是一枪就致命的。"他指一指那左太阳穴的伤口："弹子从这里进去，大概给颅骨阻住了，还没有透出。"

霍桑点点头："没有别的伤处吗？"他卷起些衣袖，也俯身下去瞧察。

银林答道："没有了。就这室中的现状论，也不曾争斗过。"

这句话引动我的视线向室中瞧察。那是一个书室，占着半间前楼。靠窗排着一只黄色书桌，是廉价的洋松，桌面上除了笔砚以外，有不少书报杂志。一边有一只堆满了书的小书架。另有一只小方桌和两只没背的圆凳。壁上挂一副七言小联，上款是"维屏"。窗上有白纱的帘子遮着，故而室中人的举动不至于被对面屋子里的人窥见。书桌面前，除了一只短背的木椅以外，右旁有一张藤椅。那尸体恰横在藤椅面前，似乎起先那人本是坐在这藤椅上的。

霍桑又走到后楼的房门口，站一站。房门开着，里面的器物很简单，但位置都整齐：一张单人榻，不挂帐子；一只小圆桌和两只有背椅，都是广漆的；榻的一端有一只便桶和一个衣架，架上是空的；榻底下放着一把瓦便壶和一双皮拖鞋。

银林说："这里我也看过，也没有殴斗的迹象。枪弹显然是从对窗打过来的。"

霍桑点点头，回到前楼，问道："银林兄，你可曾发现凶器？"

银林道："没有。我已经在这里和后楼的卧房中寻过，不见有什么手枪。这人一定是被杀的。"

霍桑又点点头："是，那已没有疑问。伤口上丝毫没有弹灰，显见发枪的距离很远。那绝不是自杀的现象。"

我插口道："这个人是谁？可就是这屋子的主人？"

银林摇头道："不是。这个人姓王，是个来访问的客人。主人叫方维屏，现在已不知去向。"

我又道："那么凶手也许就是主人，此刻大概已经畏罪逃走——"

汪银林嘻一嘻。霍桑的手肘忽然在我的肋骨上抵一下。我顿时住口。我也自觉断语下得太快，近于冒昧武断，可是一言既出，驷马难追，我不禁涨红了脸。

汪银林笑着说："如果像包先生所说，这件事再简单没有，我也不敢烦劳两位了。不过事实上并不如此简单，故而我不敢自信，特地来——"

霍桑忙接口道："是，我知道。这里面一定还有曲折。包朗，你的直觉太强烈了。事实的真相还没有查明，便轻下断语，这不是侦探家的态度。瞧，那玻璃上不是有一种重要的证迹吗？"他举起右手，向那纱帘掩蔽的玻璃窗指一指。

银林露出惊异的样子，说："霍先生，你已瞧见那玻璃上的枪洞？"

霍桑只点点头，不回答。我定睛一瞧，果然看见纱帘外面，靠近书桌的自左而右的第三扇窗上，有一块玻璃已被击出了一个大缺口，书桌边上和窗槛下面的地板上也留着许多玻璃碎屑。

我抱怨地道："银林兄，那里既然有这样一个要点，你怎么不早些指给我们瞧，反让窗纱遮蔽着？"

汪银林还没有回答，霍桑忽抢着代劳。

他说："包朗，你越发糊涂了！银林兄所以把窗帘拉上，大概是怀疑对窗的人。难道他会故意蒙蔽你？"

银林连连点头道："霍先生，你说得对！我原是这个意思。包先生，你未免错怪我了。"

我很窘。但一经回想，我的性子委实太率直，自己一时鲁莽，不加考虑地发了一句没意识的断语，却反抱怨人家。我不但糊涂，简直执拗不通。我实在不能自恕！

我赔笑道："银林兄，别见怪。我当真太颠顶。"

银林也笑道："包先生，你说笑话了。现在请瞧，这玻璃碎口和对屋的后窗不是恰正成一条直线吗？"

他将窗上的白纱帘轻轻地拉起了一些，露出了半个碎口。这缺口足有小茶碗般大，口边碎裂不圆整，分明那玻璃是受了枪弹的穿射而进碎的，碎屑也就落在地上。我瞧对面的屋子有四扇后窗，也落着深色的窗帘，瞧不见里面的景状。这鸿安里一共有四条弄，都是一上一下的石库门。前弄的后窗和后弄的前窗彼此相对，中间隔着一个天井、一条阔弄和一个晒台。这发案的一屋的前门在第三弄，可知那对窗一屋的前门是在第二弄里。

霍桑偻着身子，从碎口里张了一张，缓缓地说："对，这里和对窗果真恰巧成直线。若从对窗发枪，打在这玻璃上，迹象也符合。不过我看那枪弹似乎不足以致命。"

银林放下了窗帘，注意地问道："何以见得？"

霍桑道："这一点只要是略略明白些力学和在手枪射击上有些经验的人，都能够解释。你瞧，那枪弹射击在这玻璃上，玻璃既然这样子碎裂不整，碎口又这么大，可知那弹子的射击力已弱；又因着这玻璃的阻力，当然不再能打死人。"

汪探长又点点头，作赞叹声道："霍先生，我真佩服。你的眼光真厉害！是的，那一粒弹子打进这玻璃以后，便和玻璃的碎屑一块儿坠落在地板上。瞧，在这里，我已经捡起来了。"他且说且从衣袋中摸出一粒手枪弹子，承在手掌中给我们瞧。

我又问道："那么这个人又怎样给射死的？莫非还有第二弹？"

"是。"汪银林应了一声，又把那窗帘更拉起些，指着更右向的第四扇窗，"瞧。这不是第二个弹子的明证吗？"

第四扇窗的玻璃上果然另有一个小孔，圆整而不碎裂，恰像一粒弹子的大小，但玻璃上的弹孔边上，略有些碎裂痕迹，窗下的地板上也有些玻璃碎屑。

霍桑忽低声惊诧道："这一粒弹子果真不同了！"

汪银林说："是。这弹孔既然小得多，射击力自然更强烈。霍先生，你想这一弹足够致命了吧？"

霍桑不答，但点点头。他弯着腰瞧瞧地板上的玻璃细屑，又仰起头来，闭了一眼，让另一眼从那小孔里望一望，又瞧瞧对面屋子的窗。他随即站直了，低着头沉吟。我也凑近去，在小弹孔上望一望。

我说："这一个弹孔果然也和对窗成直线，但好像略偏在这藤椅的前面。你想这弹子怎样打中的？"

汪银林道："我已经说过，这死的人是主人方维屏的来客。这一只藤椅显然是客座，死者不消说是坐在这藤椅上时给打中的。"

霍桑抬起头来，问道："这藤椅你进来时就是这个样子的？"

汪银林道："是。我没有移动过。"

霍桑绕过尸体，把身子坐到椅上去，又回头把弹孔的位置估量了一下。他的眉峰皱紧些，脸上显出些疑惑。

汪银林问道："霍先生，你可是觉得弹孔的位置比你的头部略略高一些吗？但是，你瞧，这死人的身材似乎比你还长些。我以为当他正在起立或坐下的当儿，弹子从对窗飞来，才恰巧打在他的左太阳穴上。你想是不是？"

霍桑果真把身子仰前一些，作起立状。我从旁观察，果真和银林所说的相合。

霍桑点头道："唔，这理解也许不错。"他立起来："发案的情由怎么样？你曾查问过没有？"

汪银林依旧将窗帘拉满了，答道："我已略略问过那个在楼下的仆人张三福。据说这屋子里只有主仆两个人。主人方维屏，是湖北汉阳人，职业是写小说的。"他回头来瞧我："包先生，你是在著作界里的，这个人可相识？"

我才知道他所以指定要我同来，原因在希望我能够指示什么线索。可是我不能满足他的希求。

我答道："我不认识。方维屏这个名字也很生疏，我从来没有听见过。也许他在著作上另有笔名，要不然定是个新作家。"

汪银林摇头道："不见得是新进的。据那仆人说，他在卖稿上的进款相当丰。新进的人当然不能够。"

霍桑举一举手，说："这个人既然是写小说的，我想总可以查出来。眼前的问题，就是这个人怎么会被射死。"

汪银林忙道："唉，这就是我所不能解决的疑问。张三福说，他的主人的失踪和这客人死在这楼上，都是突如其来的事，他完全不知道。霍先生，我去叫他上来，你不妨直接问问他。"

发案的经过

张三福的状貌似乎很谨愿，年龄虽不算太老，背已有些弯。他上楼以后，霍桑虽向他说了几句温慰的话，他还是像我们初见他时的呆木木。大概他也是未老先衰的人，神经不十分坚壮，一受惊变，便出现这种状态。霍桑叫他在圆凳上坐下来，让他定定神。汪银林和霍桑都站着。我将书桌面前的有背椅转个向，坐下来。

一会儿，仆人才开口说："先生，这件事真是做梦也想不到！吃中饭时，一切都是好好的，不料一转眼会发生这样一回事。先生，我真吓死哩！"他没血的嘴唇在颤动。

霍桑婉声道："是的，这种情景实在太可怖，怪不得你。三福，此刻你不用怕，我知道这件事跟你不相干。你姑且定一定心，回答我几句话。你说中饭时候还是好好的，那么什么时候才发生变动的？"

三福道："那时约莫是一点半光景。少爷叫我把一卷稿子送到邮局里去，赶两点钟的包封。我才刚走出后门，猛听得这里有砰的一声，好像有什么玻璃打碎了。我怔了一怔，便想回上来瞧一瞧。我才跨上了两步楼梯，忽然看见少爷赶到楼梯头，挥挥手不许我上楼。他低声吩咐我：'你快去。没有什么，没有什么！'我只得退下走出去。"

"那时候你觉得你主人的态度怎么样？"

"我看见他的两手乱挥，好像很慌张。"

"有别的人在楼上吗？"

"没有。我下楼时只有少爷一个人在这里。"

霍桑点点头，在记事册上写了一笔，又问："好。你说下去。以后怎么样？"

张三福道："我往邮局里去寄了小说稿回来——"

汪银林忽剪住他，问道："慢。你怎么知道那所寄的是小说稿子？"

三福道："这种稿子我一向寄惯，总是一卷一卷的。有时少爷告诉我，这种小说稿寄出去以后，就可以有几十或几百块钱寄回来。"

银林点了点头，示意叫他说下去。

三福继续道："我回来以后，少爷赶下楼来，问我稿子有没有寄出。我告诉他我到邮局时，那局员正在打包，所以那稿件已经在那一班包裹里出去。我将挂号的收据交给他。他忽皱了眉，咕哝着道：'唔，我知道来不及了。三福，这里有一封快信，你再给我走一趟。'他又将一封贴好邮票的信交给我，随即回身上楼来。"

问答停一停。三福用他的露骨的手背抹抹他的失血的嘴唇。他用眼角瞥一瞥地板上的尸首，赶紧移开视线去。汪探长站在方桌边。霍桑也交抱着两臂，立在老人的面前。他让这老人歇一歇，继续问下去。

霍桑道："你可知道那稿子寄到哪里去？"

三福道："不知道。我不识字。但是你到邮局里去查一查，总可以查得出。"

"那么第二封快信寄往哪里去，你也不知道？"

三福回头瞧瞧汪银林，还没有回答，银林便抢着答话。

他道："快信的收据已在我这里，是寄往天津的。"

霍桑点点头，又打个手势，叫三福说下去。

三福又说道："我第二次正要走出去送快信的时候，忽然有一个客人站在后门口，他说姓王，要见少爷。我又想上楼来通报。少爷一听得，又在楼梯头上说：'王先生来了，很好，很好！快请他上来。我来招呼他。你只管去送信。'我就把那客人领到了楼梯脚下，重新往邮局里去。"

霍桑指一指地上的尸体："姓王的客人就是这个人？"

三福点一点头。他的视线不敢在尸首上多停留。

霍桑又问："这个人你从前可曾见过？"

"没有。但是他一定是少爷的老朋友。我到这里来不到半年，少爷的朋友我并不完全认得。"

"你怎么知道他一定是你主人的老朋友？"

"因为我通报的时候，他一听得客人姓王，好像很高兴。我听他吩咐我的说话，也显得他急于要见见这个人。"

霍桑沉吟道："那么这个人的访问，也许本是你主人所期望的。你想可近情？"

三福应道："对，的确很像。"

霍桑用右手摸着下颌，低头想一想，又向四壁瞧视一周。

他仰面问道："这里没有电话吧？"

三福道："没有。"

"左右的邻居们可有装电话的？"

"也没有。左隔壁是一爿成衣铺，右隔壁一共有三家住户，都没有电话。"

霍桑皱了皱眉头，又垂着眼光，在尸旁的地板上凝注了一下。

他继续道："说下去。这个人怎样死的？"

张三福瞪目道："这个我不知道。我第二次从邮局里回来，把快信的收据送上楼来。我先在楼梯上叫了几声。因为前两次少爷都到楼梯上接应，好像不要我上来，所以我也知趣不上来。可是这一次少爷不答应，我才上了楼梯，走进这间书室中来。不料我一踏进来，便吓掉了魂！这……这客人已经像这样子倒在地上，血淋淋的，我几乎昏倒。"他的声音发抖，面色也黄里泛白。他又强制地说："后来我还勉强走到后面房间里去瞧瞧，也不见少爷。我急得没法，便走出去报告警士。隔了一会儿，这一位侦探先生就赶来了。"

霍桑的嘴唇紧紧地闭着，鼻梁间的皱纹更深刻些，似乎他遇到了一个难解的问题。他思索了一下，又问这老仆：

"你到哪一个邮局去寄信的？"

"新闸路邮局。"

"那边离这里不很远，你一来一回，要多少时候？"

"我走不快，又在邮局里等了一下，大概最少要二十分钟。"

霍桑点头道："唔，在这二十分钟之内，尽可以发生这一件惨剧。"他顿一顿，又提出一个问题："我问你。你第一次从邮局里回来，你主人不是曾到楼下去和你问话的吗？"

"是——不过他只走到楼梯脚下。"

"你没有上楼来？"

"没有。我说过了。我回进来报告有客，他也是站在楼梯上跟我接话的。好像……好像他不让我上来。"

"那时候你可知道楼上有没有人？"

"我不知道——嗯，没有。因为这屋子里除了少爷和我以外，没有别的人。我们的饭食也是我烧的。"

"虽然，在你第一次出去送信时，或者先有什么客人到楼上来；你回来时，你主人虽然下楼去，客人却还留在楼上。你想可会有这样的事？"

老人又用手背抹他的嘴。他的枯瘦的颊上的线纹更深陷了些。他迟疑了一会儿，才吞吐地答话：

"这个……这个很难说。我不曾上楼来瞧过，不敢乱说。"

"你在第二次出去以前，给这姓王的客人通报，有没有走上楼梯？"

"也没有。我走到楼梯脚下，少爷就从楼梯头上吩咐我。"

"那么你可曾听得什么声音？"

"没有。"

汪银林旋侧了头，插口问道："霍先生，你可是以为这里面还有第三个人？"

霍桑沉吟道："是。我觉得方维屏一再不让三福上楼来，像是故意的，不能不使人怀疑。"他看看窗，又看看尸体："你到了这里，有过什么动作？"

汪银林道："我听这老头儿说明了经过，又拿到了一张快信收据，随即察看尸身和玻璃。我又在这书桌上搜检一会儿，可是没有得到线索。"他指一指书桌："瞧，这里都是些无关紧要的书——小说之类，连信都找不到一封，抽屉里也没有。"

"这个人身上可有什么东西足以证明他的真相？"

"没有。我只在他的长衫袋里发现一块手巾，很脏。可是没有名片和其他有姓名的标识。"

"你完全不知道这个人的来历？"

"是，完全不知道。那方维屏的去向，我也觉得无从捉摸。这老头儿说，板壁上对联旁，本来有一张方维屏的照片，并且往日里他和人来往的信札很多，此刻已完全不见。可见他临走时防人家追踪，已经搜灭干净。但他为什么要逃走，我真不明白。据我观察，这个人的死明明与方维屏没有直接关系。"

霍桑的目光闪一闪，问道："喔，你以为这个人的死因是什么？"

汪银林嗫嚅道："这个人既然是方维屏的来客，那一定是偶然被连累误杀的。我想枪是从对面窗里发射的，枪弹的目标是方维屏，但第一弹落了空。隔了一会儿，那凶手才再发第二弹，可是又误打了这客人。"

解释似乎还近情。但霍桑不加批评。他又走到窗口去，隔着纱帘向对面的窗瞧瞧。深色的窗帘依旧垂落着。他低垂了头回过来，又向张三福问话：

"你主人平日可有什么冤家？"

"我不知道。不过他的朋友并不多，不见得会和人结怨。"

"他平日和些什么样人往来？"

"往来的人也很少，只有两三个：一个矮胖子黄先生，以前来过好几次；一个是书局里的夏老板；还有一个屠先生，听说是什么报的主笔。不过这几个人难得来，我也都不知道他们住在哪里。"他想一想，"嗯，有一次——那是上月里，有个女人也曾到这里来，可是只来过一次。"

霍桑的眉毛又活动了一下，顺着那老人的口气，问道："喔，有个女人来过？伊是个什么样人？

三福说："年纪还轻，生得也不错，打扮可不大时髦。少爷说，伊是他的同乡，在路上偶然碰见的。"

"你知道伊的姓名地址吗？"

"不知道。"

"伊以后不曾来过？"

"没有。"

霍桑的眉尖始终不曾松，分明他还不曾找出什么线索。汪银林也像爱莫能助地皱着眉。我仍警戒地保守静默。

霍桑又问："这几天中，你主人可有什么异状——譬如怕人家暗算，有什么防备的样子？"

老人踌躇道："不……没有，我不觉得他有这种样子。"

"今天早晨呢？"

"也没有。我说过，在吃中饭时，我们还是安安逸逸的。少爷因着一篇小说刚写好，好像非常起劲。谁也料不到会出这样的岔子。"

霍桑搓搓手，舒一口气。似乎他觉得问不出什么，放弃了，就打发张三福下楼去。他回头向汪银林谈话。

他道："银林兄，这件案子的确很费解。就现状而论，你的见解很近情，对窗中明明有人开过手枪。论情这里的方维屏本来有被害的可能，可是结果出乎意料，死的是另一个人，他自己逃走了。我们当然不能够听他远走，不过对窗的人比较的更重要。我想你总已调查过了吧？"

汪银林道："是。我到这里时，这窗帘早下着。我也静悄悄地不敢揭开来。我发现了玻璃上的碎口，一望而知这回事和对窗的人有关系。似乎那凶手第一次开枪打不中，等到张三福第二次出去送信，那人又发第二弹。这一弹虽然打中了这个人，但对面的人未必就知道。因此，我料想只要这里镇静些，不乱动，对屋的人既然不能确知他的计谋有没有成就，自然不会立即逃走。"

霍桑道："虽然，但你也应有相当的准备。你已打听过吗？那对屋的是个什么样人？"

汪银林道："我已经派李荣去探过一下。据沈姓的二房东说，那人姓朱，四十多岁，单身汉，租了一间后楼，迁进去还只三天。二房东又说，刚才果真听得砰的一声响；这弄里很闹，他们还以为是打碎了什么东西，没有注意。"

"这姓朱的还在对面屋子里吗？"

"不，他已经出去了，但我料想不出今晚十二点钟，总可以把他捉住。"

霍桑低诧道："什么？你有这样的把握？"

"我料定他必要回来。因为李荣曾到后楼去瞧过，虽没有什么值钱的东西，但除了铺盖以外，还有一只皮箱，和几套随身衣服，枕头底下有一只皮夹，内中藏着十七块大洋和几个银角。假如他准备逃走，这皮夹总要带了走的。所以我料他还要回来，已经派李荣悄悄地守在弄口。那人的身材很高，瘦黑脸，嘴唇上有八字黑须，穿一件竹布长衫，原是很容易辨认的。这个人我还不觉得怎样难找，困难的倒是这个死人的来历，无从查究，方维屏又分明已经跑了，我实在不知道他为什么逃，也不知道往哪里去找。"

"这两个问题和第一个问题有连带关系。要是你能够把对窗的人捉住了，方维屏的踪迹自然也可以明白。"

"唔，是的。霍先生，你看这姓方的为什么要逃走？他一逃，显得他是畏罪心虚，加上一层嫌疑，很可能引起人家的疑心，说他是杀人的凶手。这一逃他不是很失算吗？"

他回脸来向我瞧瞧。我仍绝不表示。这见解我最初就假定过，霍桑说我太依赖直觉，其实确也有可能如此的理由。霍桑深思地点点头。

他说："从一方面看，他果真是失算的；但从别一方面看，他又不得不逃。"

"喔？什么理由？"银林急切地等解释。

霍桑道："你不是已假定了一种推想，那对窗的人要谋死他吗？这可见他们中间一定有某种秘密纠葛，或是深仇宿恨。此番枪弹虽误中了别人，方维屏幸而免死，但他若使公然声张出来，在法律上他固然可以免除他所蒙的嫌疑，但他和那刺客的秘密关系也不能不同时宣布出来。那关系的性质也许是很严重的，宣布了他也不能立足。还有一层，那刺客如果仍逍遥法外，说不定会再接再厉地来报复，那么维屏的性命不是更加危险了吗？因此，我料维屏所以秘密逃走，一则爱惜他自己的性命，不给他的仇人再有报复的机会，二则要隐藏他和那仇人之间的秘密纠葛。若说法律上的责任和他所蒙的嫌疑，他如果没有杀人，万一被捕，总也有方法可以证明的。"

汪银林醒悟地说："不错，不错。这样说，他的确有不能不逃的理由。现在我们应得向哪一方面进行？或是我们等那对窗的刺客回来后再做计较？"

霍桑摸着下颔，说："我想坐着等总不是办法。这个人是案中的重要角色。你得想法子到邻近去查一查。"

"好，我亲自去问问姓沈的二房东。"

"还有这尸首也不能尽搁在这里。"

"是的，我马上去报告法院，先悄悄地把死尸移送到验尸所去。"

霍桑点头道："这样很好，我到邮局里去打听那稿子和快信的下落，或者可以得到一个线索。"他又回头向我道："包朗，你也须尽一些力。无论如何，这个姓方的总是笔墨界里的人。你虽不知道他的姓名，但他和这里的书局有过交接，你只要向张三福问问他的状貌，总可以打听出来。倘使你能知道他的来历，这死人的真相也许可以连带查明。"

汪银林同意说："好，现在我们分头进行。彼此若有消息，再打算进行的步骤。"

意外消息

我走出鸿安里以后，依着霍桑的话，往福州路各书坊里去探听方维屏的来历。可是问了好几家，都回答不知道。我又向几个著作界中的朋友询问，也没有一个知道方维屏的姓名。后来我另换方向，探问一个开书局的夏老板，才查出有一家春花书局的主人叫夏云山。这是一爿小书店，专销低级趣味的书籍。这姓夏的果真认识方维屏，据说他的化名很多，作品上从来不用维屏的名义。他所写的都是些黑幕派的小说和关于党会秘密的笔记之类。因此他差不多别成一派，和一般作者不往来。夏云山买过他的稿子，只知他是汉阳人，到上海还不过两三年光景；前几天已经有人到春花书局去打听过方维屏的住址。除此以外，他的详细的历史仍旧探听不出。那个姓王的死者的来历更无头绪。我再访查做编辑的屠先生，也没有结果。

我回到爱文路寓所时，天色已完全昏黑。霍桑已经先回，换去了夹长衫，正等我晚餐。我就把所得的结果向他说了一遍。

霍桑沉吟道："这消息也不无小补。我们既知道这方维屏是专写党会秘密小说的人，或可因此推测他和人家结怨的缘由。"

我问："你以为他们间有什么样的怨嫌？"

霍桑道："方维屏既能写这种性质的小说，他本人也许就是党会里的一分子。你知道这种党会在社会上有相当的势力。

他们的渊源很久，据传产生于明末清初，起初原带有政治性质，目的要排除异族。但日子久了，就变了质，党徒们专干些图谋个人私利的事，有时甚至犯法。或者这姓方的和党徒们有什么秘密纠葛；或是党中人因他把党会的秘密在作品中宣布了出来，故而派人暗杀他。但瞧他受惊以后，不敢和对方计较，只图悄悄地逃走，便可见他对于那班党徒实在非常害怕。"

霍桑的理解很近情理，不过还不容易证实。接着，他也告诉我他探问的结果。他已查明那快信的寄达地址是天津大华报馆，那挂号稿子也是同样寄给这家报馆的。所以他已经发一个电报到天津去。

末后，他皱着眉头说："我但愿这一件案子不要另生枝节。今晚上若能把那姓朱的刺客捉住，那真是万幸了。"

我问道："你怎见得要另生枝节？"

霍桑疑滞了一下，才道："我有一个小小的疑团，但必须等那姓朱的被捉住以后才能解决。现在你姑且耐一下子，静听汪银林的消息吧。"

那天晚上，我们静候了好久，汪银林没有消息。等过了十二点钟，天气加冷些，我们有些坐不住，可是警署方面依旧没有报告。敲过一点钟后，霍桑再忍耐不住，便打电话到警厅里去，银林也正等得焦躁不耐。他说他亲自去看过姓沈的二房东。那女人说，这姓朱的租户预付了两个月房租，并无保人；他是湖北人，以前是贩药材的，在上海的朋友很少。他迁进去还只三天，姓沈的不曾和他深谈，其他的情况都不知道。银林又说尸首已经移出，又已摄了一张照片，以便指认。银林曾在附近调查过，找不出这姓朱的踪迹。现在他仍叫李荣在守候，还没有得到他的报告。

霍桑失望之余，喃喃地自言自语："这里面怕有变端吧？万一有变，事情便棘手了！我应当负责！"他在室中打旋，神气很懊丧。

我问道："霍桑，什么变端？你想这姓朱的也逃走了吗？"

霍桑努力摇了摇头："我不知道。我疑心他不一定会回去，可是我听了银林的话，为免打草惊蛇，耽搁到现在！"

我们直等到两点钟后，还是消息全无。夜深了，寒气加强袭击。室中还没有生火炉，我觉得非常寒凛而疲倦。

霍桑向我说："包朗，我觉得这案子的结局不会像我们所料的那么简单了。明天早晨我得到第二弄的后楼上去察勘一下。我们睡吧。"

第二天早晨，霍桑还没有出门，忽有一个意外消息。汪银林打电话来报告，那探伙李荣已经在那后楼上捉住一个人，叫我们立刻往警厅里去。霍桑很兴奋，毫不延迟地拉了我赶到警厅去。

李荣所捉住的人，打扮像苦力，并不是我们期望中的那个穿长衫的黑须刺客。那人被带进银林的办公室时，汪银林和李荣也一同在场。

霍桑先问李荣道："这个人你从哪里弄来的？"

李荣道："他叫顾阿大，是一个旧犯。今天一清早，我在那姓朱的住的后楼上捉住的。"

霍桑把眼光回到那苦力身上，婉声问道："你老实说，你为什么往鸿安里二弄第五家的后楼上去？"

那人答道："我……我去看朱……朱复昌。"

顾阿大发抖的声浪和瑟缩的状态，告诉我他已经受过某种恫吓，这时他显然再不敢狡赖。

霍桑又问:"你去看他有什么事?"

阿大说:"我去……我去向他借几个钱。"

"喔,借钱?你是他的老朋友?"

"不是,不是。我和朱复昌在监里相识的,不是老朋友,也不知道他此刻干了什么事。"

"你在哪一个监里和那姓朱的相识的?"

"第二监狱。"

"在什么时候?"

"今年三月里我才进监。朱复昌却早在里面。两礼拜前,他先刑满出监,我比他迟两个礼拜才被释放。"

霍桑回头向银林道:"你们查过吗?他的话是不是确实?"

汪银林答道:"确实的。我们已经查明朱复昌在去年十一月中进监,判刑一年,但是他在监里还安分,所以早一个月被释放。这顾阿大只判禁半年。他们出监的日期,也和他所说的相符。"

"他们犯的什么罪?"

"这家伙犯的是盗窃罪。朱复昌是私藏军火。他带了实弹的手枪在路上走,才给捉进去。"

霍桑点点头:"那足证那朱复昌当真不是好东西。"他又回头问顾阿大:"你和他同监的时候,他可曾说过和什么人结怨,或要复仇的话?"

顾阿大迟疑了一下,才道:"他……他好像说过的,可是不详细。"

"他怎样说?"

"有一次我偶然问他,因为什么事才进监。他忽恨恨地说,有一个人和他过不去,他出监后总要给他知道些厉害。我问他那个人是谁，有什么样的怨仇，他打算怎样报复，他又不肯说。"

"还有什么别的话？"

"我听他的口气，他以前好像干过不少事——摆赌台、贩黑货，还有拐女人的勾当也干过。"

"他可曾说他在上海有哪几个朋友？"

"没有。他说话躲躲闪闪，总不肯老实说。我想他在这里一定有不少朋友。"

"那么出监以后，你怎么知道他住在鸿安里？"

"那是碰巧。前天早晨，我从大北路走过，忽然见他从鸿安里出来。我问他住在哪里，他说在第二弄第五家后楼。"

"那时候他可曾和你说什么话？"

"不多。他说他不久准备回汉口去。他邀我一同到面馆里去吃点心。他在会账的时候，他的衣袋中忽然露出一种东西，使我吓一跳。"

"什么东西？"

"手枪！"

霍桑的目光闪一闪，轩眉道："你看见几支手枪？一支还是两支？"

顾阿大道："我只瞧见一把。"

"那时你又怎么样？"

"我的吃惊的样子，他是明明瞧见的。他向我笑一笑。我问他这东西哪里来的。他说是一个朋友借给他的。我知道他借枪的用意是要报复，我也不多问。接着我们就彼此分开，今天一早，我特地到他的寓里去找他，想向他借几个钱，做些小生意。因为那天他会钞时，我看他的钞票不少。不料我到得楼上，便被这位先生捉住。"

霍桑的问话停顿了。他又在记事册上写了几笔，接着便低垂了头，注目凝思。

这顾阿大虽然不是行凶的刺客，但因着他这一番说话，已把我们所拟的推想证实了一些。那朱复昌果真和方维屏有怨，并且朱复昌确乎蓄意要谋害方维屏的性命。不过我们对于方维屏和朱复昌的失踪仍旧没有端倪。就情势而论，朱复昌发了第二弹后，或以为他已经打中了他的仇人，所以便脱身而逃。汪银林料他一定会回去，那真是一个失着。眼前唯一的要着，应该查缉这朱复昌，否则一再迁延，这案子便没有解决的希望了。霍桑和我有同样意思。他瞅了我一眼，就向汪银林表示。

他道："这个人的口供理路很清，不像是捏造出来的。现在你把他暂时拘一拘，以便等之后质证。你应得往验尸所去瞧瞧，可有什么新发现。死者的照片如果印好了，也得赶紧分派给各警区。我也打算去解决一个疑团。事毕以后，我们仍到这里来会集。"

我们离了警局，霍桑忽附耳向我说话。

霍桑道："包朗，我心中有一个疑团，耽搁到现在，不能不赶紧去证明了。"

"什么疑团呀？"他先前向银林所说的疑团，我本希望弄一个明白。

"就是那……那第二个……"霍桑顿住了，略一踌躇，忽改口道，"包朗，现在你也得分任些工作。有一条线路，也许可以查明死者的来历。"

"什么线路？"

"你可记得那仆人张三福说过，当他给姓王的客人通报时，他主人的语气显示一种急切欢迎的意味吗？我料方维屏所以欢迎这姓王的人，大概就希望那人可以解救他的危难。试想他吃中饭时，他还安宁如常，可知那发枪的惊变原是突如其来，他并不是预先知道的。后来他受了第一枪的虚惊，也许就想请那姓王的来解救，所以那姓王的造访，很像是他临时招请而来的。不过他家里既没有电话，张三福也不曾给他送过请客人的讯，那就可知他一定另外有什么传信的方法。包朗，你若能在这点上给我尽些力，也许就可以探明那死者的来历。"

共 犯

霍桑所派给我的任务本不算得怎样难办。不过他所说的疑团还是吞吞吐吐地没有解释。我回到了大北路鸿安里，便悄悄地向第三弄方维屏家的左右邻居去打听。我先到左隔壁的成衣铺中去询问，上一天下午，那隔壁的方先生曾否差遣他们送什么消息。巧得很，果真有一个十六七岁的学徒脱口回答。他告诉我方维屏曾叫他送过一张条子。我又问那条子送到哪里去，他说就在昌寿里一弄，一个姓王的人家。我依着学徒的话，往昌寿里去探访，可是总找不到这姓王的人家。我又回到那成衣铺里，再问那学徒，究竟在昌寿里第几家。他说忘记了。我又问他送信去时，曾否瞧见那姓王的人。那学徒见我仔细根究，忽而支吾起来，回言不知道。我给他钱，他也不接受。我觉得这孩子分明在作乔，但我不是公务员，又不便强制他指引。好在这一次总算得到了一个线索，以后的手续，不如让汪银林去办。

我回到警局里时，汪银林还没有从验尸所里回来，我就在他的办公室里等候。不一会儿，霍桑先回来了。我看见他的两目闪闪有光，好似这案子已有了什么重要的发展。他先问调查的结果。我照实说明了。他很高兴，略一思索，便拍拍我的肩膊。

他说："包朗，你这一着着实助我不少。现在我的疑团已被凿开了一个透光的小孔。你姑且在这里等一等，我到后面拘留所里去，和顾阿大谈一谈。"

案情好像已有了开展，可是还隔着一重雾气。霍桑分明已探得了什么，他的神色上也有了表示，但他还不肯说明，未免使我疑惑不定。在我枯坐纳闷的当儿，忽见汪银林也回进办公室来。他的面色却和霍桑的不同，好似罩着一层失望的薄雾。

他向我招呼了一声，便道："我刚从验尸所来。包先生，这件事有变端哩！这一变把我们昨天的推想完全推翻了！"

我暗暗地吃惊，正要问他发生了什么样的变端，来一个打岔——外面踱进一个人来。

那人是五短身材，年龄在三四十之间，肥胖的面颊上油光光的，一双狭长眼睛满显着狡猾的神气。他身上穿着毛织品的袍褂，像是一个商人，但他的举止姿态，却又不类。他把头上侧戴的那顶黑色呢帽拿在左手，当作扇子般地摇着，右手插在衣袋里面，挺着大肚子，脸上带着笑容。

他向汪银林道："银林兄，好呀？忙得怎么样？你刚才不是说有什么棘手的案子吗？"

汪银林也起身招呼道："世禄兄，你好？好久不见哩。……正是，有一件新发生的案子，真叫人头痛。"

我感到不满。我们正在解释案情，偏偏来个不相干的闲人，打断我们的谈话。

那个叫作世禄的问道："什么案子呀？"

银林顿了一顿，答道："对不起，这还不能宣布。"

那人微笑道："这又何必？我们都是自己人。你难道怕告诉了我，会坏你的事？"

汪银林似乎不好意思，低垂着头不答。那世禄向我瞟一眼。他的右手仍在衣袋中摸进摸出。他忽然走近银林的身边。

他低声问道："可就是鸿安里的那件案子？"

汪银林突地震一震，仰面呆瞧着他，不答话。我也很吃惊。怎么这个人会知道这件事？霍桑忽然气冲冲地从外面进来。

他高声问道："银林兄，这件事怎么外面已漏了风声？你不是约定守秘密的吗？"

汪银林更尴尬了。他站在书桌边，瞪着眼睛答不出话来。那人向霍桑凝视了一下，忙赔着笑脸，点点头。

他说："唉，这案子霍先生也参加的？嘿嘿嘿！霍先生，别错怪人。我的消息是从外面听来的。俗语说：'瓶口塞得紧，人口扎不紧。'你们虽十二分秘密，外面却早已有人在谈论哩。"

霍桑沉着脸，定睛向那人仔细端详。他的神气凛凛然。但那个叫作世禄的仍嬉皮赖脸地不动声色。他不等主人的招呼，自动地坐在一只沙发上。我暗暗诧怪。这个人究竟什么路道，怎么凭空里闪出来？霍桑的眉峰皱一皱，似在追忆什么。

他问银林道："这一位是谁？我仿佛在哪里见过。"

汪银林道："这是黄世禄先生。从前是篮桥路警区里的探目，现在改行做生意了。"

霍桑点点头，领悟地说："唔，我记起来了。黄先生，三年前在那件胶州轮船的烟土案里，我不是和你见过一次的吗？"

黄世禄笑着，应道："是啊。霍先生，你的记性真好！但是眼前鸿安里的这件事本是一件寻常的小案子，霍先生竟然也亲自出马，那真未免小题大做了。"

案子正当转变，忽而闪出这一个人来，他的口气又是似讥似讽，真使人莫名其妙。霍桑的外貌虽仍镇静，但神气上也分明有些厌憎。

黄世禄又带着难看的笑容，问道："霍先生，我想这件小事既然得你老人家亲自出场，自然可以马到成功。现在怎么样了呀？"

霍桑闭着嘴唇，不即答话，自顾自坐下来。他从袋中摸出一只烟盒来，取了一支烟，一边擦火烧着，一边从眼角里偷瞧黄世禄的面容。一时呆木的汪银林也坐到书桌后面去。我当然也不例外。

一会儿，霍桑缓缓地问道："黄先生，你这句话有什么意思？"

黄世禄道："这一件谋杀案，我问你是不是已经破获。"

霍桑冷然地答道："你要知道那凶手是谁吗？这问题我们昨天早已解决。你此刻还问这一点，未免太小觑我们了。"他暇豫地抽烟。

黄世禄似乎微微吃惊，脸上红一红。他的一双狭长的眼睁阔了些，凝视在霍桑的脸上，像在窥探他的虚实。

他又半信半疑地说："当真？……是，我也早知道这种事一经你的法眼，不会不立即明白。那个人是谁呀？"

霍桑很轻意地笑一笑，又向我点一点头。

他说："包朗，你告诉他吧。我却懒得说！"

这像是一个晴空的霹雳！我何曾知道这案子的真凶？霍桑不是故意作难我吗？还是他应付不了，却把难题移转到我身上来吗？不，不会。他从来不曾有过这种恶作剧式的行径。那么这究竟是什么意思呢？我惘然了，一时间竟不知所答。从所知的事实上看，那凶手显然是朱复昌。但霍桑何以不说，却要我间接发表？我看见黄世禄的冷笑似的眼光已经移注在我的脸上。我越发觉得窘迫，但觉面颊上一阵阵热炙起来。我的耳鼓中又听得黄世禄冷峭的语声。

他道："唉，这位就是包朗先生，失敬失敬……包先生，那一次烟土案中，你似乎没有在场。"

霍桑又瞧着我道："包朗，这位黄先生也是同道中人，此刻你没有再守秘密的必要。昨天你发表得太早了些，此刻已到了成熟时期，你不妨再说一遍。"

这句话催醒了我的昏乱的神经，我便恢复了镇静状态。我原说霍桑不会恶作剧。他出了一个难题，立即给我一个解答的启示。我知道他所以有这一个转折，用意分明在对抗对方的卖弄和刁难。霍桑的意思，这难题我也能够解答，别说他自己，借此反映出对方的幼稚。

我答道："既然如此，我老实说吧。凶手就是方维屏！"

冒险吗？不，我相信霍桑的启示不会错。但我仍忙着观察霍桑的神色，以觇我的断语是否失当。霍桑仍在缓缓地吐吸他的白金龙。他的眼睛并不瞧我，只在汪银林和黄世禄的脸上瞟来瞟去，似乎表示这答语是非常平凡轻易的，他毫不在意。但银林和世禄却都显着惊讶的神色。

世禄眯着狭眼，又进逼一句："唉，凶手竟就是方维屏？那么被杀的人又是哪一个？"

真刁！简直是考试了！而且考题越来越凶！我记得我们在"嗣子之死"一案中，那位夏芝荪医官曾串演过考官，不过应考的是霍桑。现在连我也直接在被考之列了！第一题我总算派司过去，这一回我可应付不了！据我所知，那被害的就是昌寿里第一弄某一家姓王的人。但这时情势有了变化，内幕中一定另有曲折。我既不知道底细，当然不能答复。霍桑不会再来一手吗？不会！

霍桑把口中的纸烟取下来，接口说："这更容易明白。那个人姓朱，名字叫复昌，是一个才从第二监狱里被释放的犯人！"

太奇怪！被害的是他？可是从反应上看，霍桑并没错。黄世禄在点头惊诧，汪银林也在暗暗纳罕。我起先本一同侦查，只知道朱复昌是开枪行凶的人。霍桑有什么根据，此刻却反把他断作被害的人？还有这油光光满面狡气的改业探员，我本以为是个不相干的闲人，现在看起来，不但不"闲"，而且像关系很密切。他竟然比我知道得更多！

黄世禄道："那么这里面的情形，霍先生谅必已经完全知道——"

霍桑忽剪住他道："慢，这条链子上还缺一个节环，故而还不能算完全。"

黄世禄道："喔，哪一节？"

霍桑道："我觉得这里面还有一个串通的共犯。在这个人到案以前，当然不能算完全了结。"

黄世禄顿了一顿，作疑惑状道："还有一个共犯？什么意思？你可是说另有一个人在这凶案里有份？或是——？"

霍桑抢着道："我确信方维屏曾写信通知过一个人，故而那人对于朱复昌被杀的事明明知道，但这个人至今还守秘不宣。消灭罪证和隐匿罪行，在法律上都有处分。你想这一个人不是已犯了串通罪吗？"

那种油滑嬉笑的神气已逐渐从黄世禄的脸上溜掉了，接替的是一阵白色。他竟哑口无言。

霍桑接着说:"我已经调查明白,那个人就住在昌寿里,姓王。"他旋转头去:"银林兄,你得赶紧预备一张拘票。我打算马上去拘他来!"

他的眼光从汪银林脸上移开时,立即凝注在那位卸职探目的面部。黄世禄的身子像在牵动,嘴唇也一张一合。汪探长倒有些不知所措,向霍桑和他的旧同事瞧来瞧去。

霍桑又带着笑道:"黄先生,你不是也住在昌寿里吗?并且贵姓声音也相同。在一般侦探的眼中,不是会说你有些嫌疑吗?"

黄世禄坐直些,益发局促不安,期期地说:"哈哈!霍先生,你倒善于说笑话。"

一种出我意料的景象突然涌现在我的眼前。一转瞬间,霍桑站起来。他戟着右手的食指,他的脸沉下了。

他庄声说:"我生平最不喜欢说笑话。我刚才的话还留你三分面子。银林兄,你把这一位黄先生暂且拘留起来!他就是朱复昌被杀案中的共犯,证据还在他的身上呢!"

辩白信

这揭发——不,简直是命令——不但使黄世禄惊骇失措,连汪银林也吃惊不小。一个明明不相干的闲人,突然间竟变作了案中的要角,自然会使汪银林坠入迷阵。我呢?老实说,"幸灾"的意念暂时控制了我,我很想看看他的变态!因为他先前的一副嘴脸委实太难看了!

那黄世禄立起来。他的面色像死灰一般,他的狭眼放宽些,他的嘴唇在卷动,像要卷成一种笑,可是笑不成。他连忙把那只藏在衣袋中的右手伸了出来，手中拿着一封信，恭敬地用双手交给霍桑。

他说："霍先生，我……我真该死。对不起——种种对不起！我本是来报告银林兄的，但是一时懵懂，以为这件案子太离奇，想借此试一试先生的眼光。其实你……你老人家什么都见得到。我实在太糊涂！该死！……霍先生，你……你别再和我闹玩笑。我可担受不起！现在请你瞧瞧这一封信。我在半个钟头前，方才接得。"

"哈哈哈！……黄先生，你也是老狐狸了啊！怎么这样子玩不起？"一阵子大笑，霍桑好似一个临阵的军士，带了俘虏奏凯而归了。

"霍先生，我也吃你一吓！"汪银林舒一口气，肥圆的颊肉上挤出一些笑容。

我才明白这原只是霍桑的一种滑稽性的报复举动。可是有意思。这老狐狸非给他当头击一下，我的闷气简直无从发泄。他吃瘪了，用手抹抹他的油脸，吐出一口气。霍桑的笑声终止了以后，接过了信，顺手将两三张写得密密的信笺抽出来。他展开来看一看，便把那信念出来：

世禄老哥：

    我和你交结了好久了，此番有一件事要相烦你。今天午后，我在书桌上整理书籍，玻璃窗关着，窗帘却没有拉。蓦然间枪声一响，我书桌旁的一块玻璃顿时给击碎，枪弹飞射进来，幸而没有打中我。我吃了一惊，忙抬头一瞧，看见对窗露着一个瘦脸，正是我的死冤家，不过多了些须。

我本料他早晚要来寻我，所以也早有准备。那时我不等他第二次开枪，便从抽屉中取出一支手枪，隔着玻璃，急忙向对窗回了一枪。——

汪银林忽然举一举手："霍先生，慢一慢。"他从衣袋中摸出一粒弹子，连连点头说："唉，这才合符了！刚才我在验尸所中发现了这粒弹子，竟和昨天我在地板上捡得的一粒大小不同。"他开了抽屉，拿出另一粒弹子，比一比："瞧，小一些。因这一着，我觉得我们先前的预想完全给推翻了。我一时还摸不着头脑，现在明白了！"

霍桑也从衣袋中摸出一粒用白纸包着的弹子，微微笑一笑："是的。我这里也有一粒弹子，和你今天拿到的这一粒倒是相同的。你姑且耐性些，等我念完了再说。"

他放下子弹，继续念下去：

我为着使你明白这回事的缘由起见，不得不写得详细些。我的死仇叫朱宝兴，又叫朱复昌，从前本和我是同门弟兄。那时我还年轻，不懂得利害。我和他联手干过几件不道德的事。后来我自己懊悔了，脱离了本乡，另寻新路。我到了上海，就在一个书局里找到了一个书记的位子，一面又写些小说投稿。我的生活安定了。过不多时，我忽然和朱宝兴在路上相遇。他知道我的景况不坏，便不时向我需索。我没法，起初还应酬他些，后来我觉得他把我当作摇钱树，有些受不了，便不理睬他。他就向我恫吓，声言我若不听命供给，他就要宣布我的隐事。我相信我已经开辟了一条新路，为维持我的名誉和地位计，不能不设法制止他。那时我就想请教你。可是仔细一想，又觉得我过去的事还是少提为妙。我就决定自己对付他。我知道他是随身带手枪的，这一点已是犯禁了。我便悄悄地报告了警局，将他捉进去，可是判得很轻，只判了一年徒刑。

这一年中，我虽然平安无事，但也早有戒备。我明知他一旦自由了，必要来和我为难。我早打算换个地方避开他。不料他提前出监，而且消息很灵，一出监牢，便访明了我的住址，匿迹在我的对屋。这确是出我意料的。

现在我再告诉你今天的事。我回了他一枪，看见他的窗虽仍开着，但他的面目已不见了。我料想也没有打中他。我觉得这件事不能再守秘密了。因为我不能不有一个相助的人，以便我万一有什么不测，不致让他逍遥法外。我又想起了你，决意把这回事告诉你，跟你商量一个对付方法。因为你吃过公事饭，一定有主意。我写了一张条子，走出前门，打发一个邻居成衣铺里的学徒来请你。

不一会儿，我听得三福通报，有一位姓黄的客人来了。我以为是你，很高兴，吩咐请上楼。那时我赶到楼梯头上瞧一瞧，觉得来客是个长子，身材和你的不同，便略略疑讶。我马上把手枪取在袋里，躲在房间里等候，等到那人走进来，我才知就是朱宝兴。他冒了姓黄的上来，当然没有好念头。我情急了，等到他走进了前房，正在诧异地旋转身来，便先发制人，突地开了一枪。枪弹打中他的脑壳，他立即倒在地板上。我把他拖近些藤椅，又在他的身上搜索一会儿，果真有一把手枪，还有我给你的那张条子也在他的袋中。我才知道我差遣那成衣铺里的学徒时，一定给他偷偷地看见了。他就从学徒的手中骗取了纸条，利用着冒名进来。

我干了一件杀人的事，我当时的神志慌乱了，便想借此一走，另换一种新生活。因此，我急急将玻璃的碎屑分移些在我回枪的窗下面，让人家信作是有人从对窗开枪打死的。接着我收拾些细软和照片信件，立即悄悄地出外。临走时我觉得带了手枪走，太危险，就把两支手枪都丢在卧房中的便桶里。

老哥，现在我写这封信时，我已经准备脱离国境。我回想日间的事情，实在太失策。我打死他是自卫，本属理直气壮，用不着逃。可是我一时昏迷，有了那偷偷掩掩的举动，未免不光明，而且也许会因此连累别人。我的良心上很不安，可是已来不及挽救。故而我此刻特地把这回事的真相完全告诉你。你得信以后，要是真有人被累，不妨把这封信发表了作证；要不然，发表与否，听你的便。我既然问心无愧，以后的生活，也可以逍遥自由了。

方维屏上

十二月二十七日灯下

信念完以后，大家静一静。我觉得案中的疑点大部分已明白。瞧信中的语气，这姓方的上夜里已经乘了什么轮船逃往外国去了。要追踪，当然已来不及。

那油脸狭眼的黄世禄笑嘻嘻地说："霍先生，银林兄，我跟维屏相识了一两年，以为他是个耍笔杆的文人，也不知道他有这样一段历史。不过这个人还爽直，临走时还肯说明白。"

霍桑淡淡地说："爽直不见得。他起先既因着惊慌失措，把手枪藏在便桶中，事后追想，他明明知道他的罪行迟早总要破露，才落得说明了。"

黄世禄说："不过他这举动是出于自卫，不能和寻常的杀人一例而论。银林兄，你说是不是？"

汪银林摇摇头："这还难说。他杀人也是预谋的，跟临时自卫的不同。我们不能不设法把他追回来。"

我们回寓以后，我又把这件事提出来讨论。我问霍桑，他凭着什么证据，才能探明案中的真相，不会给黄世禄当场难倒。霍桑就把经过的步骤说给我听。

他皱眉说："这案子险些失败。我委实不能宽恕我自己的粗忽和侥幸！最初的疑点，就在那玻璃上的第二个弹孔。因为那两处碎口的现象是不同的——一处大而进碎，一处小而圆整，显见两弹的射击力的强弱也不同。汪银林只从一方面着想，以为一弹落空，一弹致命。实际上那第三扇窗上较大的一个弹孔，一定是因着枪弹从对窗发出以后，经过了晒台、一条弄子和一个天井，距离既远，射击力减弱了，所以打在玻璃窗上，便进成一个很大的碎口。但那右边第四扇窗上的一个弹孔情形却不同，足见射击力还很猛烈。这样，试想这两颗不同的弹子可是从一支枪里射出来的吗？当然不是。那么，可是那对窗的人有两支手枪，一支射击力弱，一支射击力强，他先把较弱的一枪放了一弹，没有命中，才另换一支较强的手枪发第二弹吗？这设想也不近情理。无论那人同时不会有两支手枪，即使真有两支射击力不同的枪，他既想结果他的仇人的性命，势必采取最迅速最有效的手段，而绝不会用射击力较弱的一支枪先试一试。因此，我当时就假定若使那姓方的也隔着窗子还发一枪，那就比较的近情些。

"那时我曾在那小弹孔的碎口上细细瞧过。我看见那碎口的外面有一些进碎的痕迹，里面却平整没有缺损。论理，我的还枪的假定早可以确立了，不料我受了其他的诱惑，一游移，我的信念也动摇了。"他眉峰间的皱纹更深刻，显得很懊丧。

我问道："什么意思？这碎口我当时也仔细看过。裂痕既然在玻璃的外面，枪弹显然是自外而入。你怎么说反可以确定你的还枪的假定？"

他摇摇头："不。其实这一点恰巧相反。凡枪弹穿射近距离的玻璃，其裂痕必在出弹的一面，而不在进弹的一面。这是可以实地试验的。"

我默然不答。我的射枪的经验太少了。停一停，他又继续解释：

"这一点本可做我最初构成的还枪理论的证据，可是那小孔的窗下也同样有玻璃碎屑。这是和我的假定互相抵触的，因为枪弹如果自内而外，玻璃屑不应留在里面。当时我太粗忽，想不到方维屏的故意掩饰的狡谋，不曾把两处的玻璃碎屑尝试拼凑。后来我的信念动摇了，就自行打消了先前的假定，接受了汪银林的见解，相信只要对面屋子里的人一给捉住，疑团立刻可以打破。据汪银林说，对窗人出门时连随身的皮夹都没有拿，确像还要回去。我又怕惊动那人，不曾马上到对屋去看一看，只希望那人不久就会自动回去。这心理又蒙蔽我，我也没有仔细搜索凶器，连那便桶中的要证也失察。"他叹口气："唉！包朗，侥幸心的引诱力太可怕！要不然，这一件案子早就可以了结哩。"

"那么你又怎样转变的？"

"后来我们等到半夜，还没有对窗人回寓的消息，我才自悔失策，重新恢复我最初的假定。我定意亲自往对面后楼上去察勘一下，如果能发现一粒弹子，证实了我先前的推想，全案也就可以结束。因为那较小的弹孔，假使果真是方维屏还枪所留，便可知室中人的被杀绝不是偶然地被累；进一步推想，开枪的凶手也不一定是对窗的朱某，却像是方维屏本人了。方维屏所以杀死那人的原因，那时我虽还不明了，不过张三福说，那个姓王的人在进见时，方维屏有欢迎的样子。我才知内中还牵涉第三个人。

"今天早晨，我们会过了顾阿大，从警局里出来，我叫你往鸿安里去探听送信人，我回到寓所里来，看了一个天津的回电，便也赶到鸿安里二弄第五家去。我果真在那后楼的板壁上，发现了一粒弹子，我的推想便得了证实。后来我又听得你说，方维屏确曾差人送信给一个姓王的人。你叫那学徒指引，他又不肯指。你给钱，他也不答应，显然指不出。于是我就假定那商人也许发觉了方维屏差人求援的事，便从中夺取了求助的信件，冒名上楼，因而被方维屏射死。这事实的轮廓也就在我的想象中了。"

条理清晰的解释，不但扫除了一层层迷茫的雾，又使我对于霍桑的机智增加些赞服。

我又问道："但那黄世禄和方维屏本来相识，你可也是预先知道的？"

霍桑摇头道："不。这一着幸亏我的观察力不失错。那是临时瞧破的。以前他和我联手过一次，我觉得他似乎有些嫉功的习气。这一回事我们本严守秘密，他怎么会知道？我瞧他的神色，又分明要作难我们。他的右手不时在衣袋里摸索，明明藏着什么东西。我又听得他姓'黄'，声音和'王'字相近；

他的口气中又像知道这件事的真相。我记得张三福说过，他主人本来有一个姓黄的矮胖朋友。因这种种，我料定他就是方维屏所招请的一个。我受了他的作弄，自然要反攻，便乘机冒他一冒，借此报复他的狡猾。出我意料的，他竟马上屈服。我想从此以后，他大概再不敢轻视我了。"

我想一想，又道："还有一点。那朱宝兴的姓沈的二房东说，姓朱的是有须的。但尸体上怎么没有须？"

霍桑接嘴道："包朗，你太拘泥了。有须没须，本是最简便的一种乔装。我刚才又向顾阿大问过，据他说那个名叫复昌的朱宝兴本来没有须，但那天在鸿安里口相见，却已装着假须。不过那假须是朱宝兴在冒名上楼以前自己先除掉，或是他在被杀后被方维屏除去的，我现在还不知道。"

"这容易。我们再去问问那老头儿张三福，就可以知道。"

"是。不过这老头儿也许记不得，否则他应得告诉我们。"他略一思索，又说，"我想等方维屏到案以后，这小小的疑点总也可以明白。"

我惊异道："什么？你还想把方维屏逮捕到案？"

霍桑道："是啊。我觉得这个人很狡猾，在公道上和法律上都有应得的罪，不应听他自由。"

我道："虽然，他此刻也许已经到日本或已——"

霍桑忽摇头笑道："你又受他的愚弄了。他是一个卖文生活的人，腰缠不会充实，哪里有做外国逋逃客的资格？我料不久他一定会给捉住的。"

"你往哪里去捕他？"

"天津。"

"你怎么知道他要往天津去？"

"这也容易明白。他第一次寄稿子到天津大华报馆里去，接着又发过一封快信。这分明他在受惊以后，便有逃走的意思。那第二次的快信，势必就是他知照那报馆不要再把稿费汇到上海来。我料他也许会亲自到天津去领取。所以昨天我就发一个急电给天津警厅里的宋得邦，今天早晨我已经接到他的回电。他已经派人在报馆里守候，只要等方维屏一到，他便逃不掉。"

"你怎么知道他不会叫报馆将稿费另汇一个地址？你料他会亲自去领取，也许靠不住。"

"唔，不错。但是无论如何，我们总可以从那稿费的线索上探得他的踪迹。你不必过虑。"

过了两天，关于方维屏的踪迹还没有消息。汪银林派出了大批探伙到车站轮埠去截捕，可是没结果。直到第五天傍晚，宋得邦的第二电又到。霍桑的所料又中的，方维屏果然在天津给捉住了。

幻术家的暗示

失　着

往日里霍桑起身的时间总比我早得多，这一天可算是例外，我和他起床的时间先后差不到十五分钟。我正在盥洗的当儿，忽然有一种异声触动我的耳鼓——那是一阵子蓬蓬的声响。我从面盆中提起了湿淋淋的手，用手巾抹干了，留神倾听。声音又第二次发作，那是从楼下的前门外传来的。

我回头问道："霍桑，是不是有人在敲门？"

霍桑的漱洗和修脸的工作已经完毕，正在结一条蓝地儿白星的孔雀牌领带。

他应道："不错。唔，你猜一猜，叩门的是个什么样人？"他仍宁静地瞧着镜子。

我脱口道："时候这么早，不是送牛奶的人是谁？"

霍桑摇摇头："不是。送奶的不会这样子叫门。"

"那么你说是什么样人？"

"我以为来的不像是上流人，并且还是第一次到这里来。"

蓬蓬蓬！……蓬蓬蓬！……

下面的敲门声音又连续地震耳，比前两次益发急促。同时我又听得施桂已经走出去开门。

我又问道："霍桑，你凭什么证据，料想那来客不是上流人？"

霍桑已经将领带系好，顺手将一只镶翡翠的小扣针扣在带上，从镜子方面旋过头来。

他含笑答道："包朗，请原谅。我刚才实在是失言。我所说的'上流人'，也不知不觉地沾染了都市人的误谬见解，只从着经济的立场说的。我的本意原要说那来客的经济地位不一定高，平生也不常在装置电铃的人家出进。所以我们的前门上虽明明装着电铃，他却不晓得按捺，竟不惜用他的手掌努力在门上击拍。这见解你可赞成？"

"那也不一定。那人也许有什么紧急的事，仓皇中没有注意到电铃。"

"唔——不。他已经叩过三次门，耽搁了好一会儿哩。别的莫说，我想他那不知珍惜的掌心也应得敲得有些痛了。难道他还不会发觉门上有电铃？"

我听得施桂橐橐地走上楼来。霍桑便走过去开门。

施桂说："霍先生，有个客人。这是他的名片。他急得什么似的，像要赶到楼上来见你。"

这时我盥洗已毕，便也急忙忙地结领穿衣。霍桑接过名片瞧了一眼，脸顿时沉下了，接着他的颧骨上似乎泛出些红。

我诧异地问道："霍桑，怎么样？"

霍桑把名片授给我，说："我方才的料想输给你了！……唉，我不知道这几天料事怎么往往失着！"

名刺上印着"章守丰"三个仿宋字，右边另有一行细字，是"沪江银行经理"，左下边是地址和电话。

哼！霍桑果真料错了。章守丰在金融界的地位，上海人谁也都知道。他在山海关路的一所洋房落成还不久，造得非常宏敞精致。霍桑竟说他不常在装置电铃的人家出进！

霍桑道："别多想了，我已经自认失败。但是他来得这么急切，谅必有什么万分紧急的事。我们不能耽搁哩。"他正扣着皮鞋的纽子，一会儿扣好了："我先下去。你也快下来。"

霍桑下楼之后，我也急急地穿上皮鞋。我的脑子同时活动，追想那来客的历史。

章守丰已经在沪江银行里当了好几年经理，但在一个月前他辞职出来。他所以辞职的原因，报纸上曾登载过几天。据该行的某董事报告，守丰有盗用公款二十五万的嫌疑。后来调查清楚，觉得那报告不尽确实，又有几个股东出来调停，彼此就和平了事，没有涉讼。章守丰却负气辞去了经理的职务。但他此刻仍旧用沪江银行经理的片子，未免有些僭冒。谅来他离行以来，还没有新印过名片，这时事出仓皇，他就也顺手将旧片取用了。

我走进客室的时候，看见一个灰呢长袍玄缎马褂绅士模样的男子，方脸高鼻，年龄已在四十以外，正目灼灼地注视着霍桑，似乎在等他答复什么说话。章守丰见我进去，并不招呼，竟似没有瞧见我一般。我也就悄悄地在旁边一张沙发上坐下来。

霍桑答道："章先生，你放心。我们办事，论事不论人。民治国家，一个大总统和一个赤脚的劳农，在法律的立场上是平等的。势利不势利的话，在我们的脑海中实在丝毫没有影踪。现在请你把奇怪的事说出来。我们如果有可以效力的地方，莫说你是一个卸职的银行家，即使你是一个清道夫，我们也绝不会两样待遇。"

章守丰的目光闪一闪，舒一口气，又拱拱手，仿佛得到了绝大的安慰。

他答道："那很好！霍先生，我只怕人家轻视我。你如果能够解决这个问题，我一准用一万块钱酬谢你。我——"

霍桑忙止住他道："很好，很好。你现在先把经过的事说出来。"

章守丰点了点头，又呼出了一口长气。他的面颊非常瘦损，面色也泛着枯黄，那一双陷落的眼珠仍呆睁睁地瞧着霍桑。

他缓缓地说："昨天晚上我在杨步青家里吃喜酒。昨天是步青的少君丽章的婚期，霍先生，你可也知道？"

"是，我在报纸上见过。杨步青可就是新中国铁厂的董事长？"

"正是。他是我多年的老朋友。我因着情不可却，不能不勉强去应酬一次。因为我自从在沪江里受了一次冤，闭门居家，昨晚才第一次出门。谁知晦气星照临，偏偏又碰到那个岔子，使我没颜面再在社会上做人。唉！霍先生，总要你老人家替我申一申冤才好！"

霍桑似乎略略有些不耐，皱着眉头，缓缓地说："我早已应许你了。你不必绕圈子。现在你得赶紧说明白，到底是件什么事？"

守丰应道："唉，唉，不错。我告诉你。这件事奇怪得很！它跟我的名誉有关系！你想——"

来客说到这里，突地回过头来。他的空洞的目光忽而移注在我的身上，他又咽住了不说。似乎这时候他方始觉得有一个第三者在旁边，因着顾忌我的缘故，一时才不敢说下去。

霍桑说："章先生，你用不着顾虑。这一位是我的好朋友包朗先生。无论你有什么机密的话，我们都能够守秘密。"

霍桑的语调虽然仍保持着和缓，可是他的脸上已经显露一种厌烦不耐的神色。那来客似乎还没有觉察。他低头沉思了一会儿，才慢慢地抬起头来。

他说："昨晚上杨家的来客真不知道有多少。内中有许多女客，都打扮得珠围翠绕，更显得她们的豪阔。席散之后，有一个从外国回来的魔术家在大厅上表演。唉！那魔术家的本领着实不错，有几种来无影去无踪的玩意儿，真会使人咋舌！我记得最奇怪的一种，就是他搬弄那五粒红色的弹丸。那弹丸被连续地抛在空中，忽生忽灭，来去如意。末后他把弹丸收集拢来，却只剩了四粒，缺少一粒。

"大家正在诧异的当儿，幻术家忽高声说道：'我的弹丸少了一粒哩！那一定有人破了我的秘法，私下把弹丸藏过了。'

"自然大家听了，都不由得面面相觑，不知道谁是破法的人。

"幻术家继续道：'我现在已经查出了。破法的人就是本府主人杨步青先生！'

"那时步青恰巧坐在幻术家的旁边，一听这话，觉得好笑起来。

"他涨红着脸，说：'你弄错了。破法的不是我啊。'

"幻术家道：'是的。不会错！现在请将你的衣纽解开来，让我从你的衣袋中拿出那粒弹丸。'

"于是他就走到步青的面前，先把袖口卷了一卷，举起两个指头，伸进步青的背心袋里去。他果真摸出一粒弹丸来！你道奇怪不奇怪？"

银行家的故事停一停。他的两粒眼珠瞧瞧霍桑，又瞧瞧我，似乎在等待我们的批评。霍桑的脸上毫无表示。他只运用他的锐利的目光在客人的脸上仔细端详了一会儿，接着缓缓地回过脸来瞧我。

他懒洋洋地说："包朗，你觉得这个故事怎么样？可也有值得注意的价值？"

霍桑的语气分明非常失望。平心地说，这也不能怪他。因为来客的故事委实不能引起我们的兴趣。不过局势倒有些僵。

我插口说："章先生，你一清早来见我们，可是就要告诉我们这个玩戏法的故事？"

章守丰睬也不睬我，仿佛没有听见。我好意给他解围，却得到这样的反应，不免有些窘意。

他仍望着霍桑说："霍先生，你不是以为这回事很奇怪吗？其实还有更奇怪的呢！当那幻术家从步青的衣袋中取出了那粒红丸以后，贵客们的掌声像雷一般响，全堂都赞叹他的神技。不料在这喝彩声中，忽然夹杂着一个女子的骇呼声音：

"'哎哟！我的钻戒不见了！'"

不可思议

霍桑的眼光中一直现着无聊似的神气，这时忽然闪了一闪。他坐直了些。无疑章守丰的最后两句话已稍稍引起他的注意。

他问道："喔，有什么人失掉钻戒？以后怎么样？"

章守丰的面色越发惨白，气息也咻咻地更见急促。他摸一摸他的高鼻，自顾自地说下去：

"那个高呼失戒指的女人是一个姓王的旅长的夫人。据说戒指上的一粒钻石价值三万二千元。当时伊明明戴在手上，不知怎的忽然不见。于是大家都惊奇起来，先在客厅上寻了好一会儿，没有。王旅长不免着急，声言一定是那幻术家弄了什么花巧，将戒指偷去了。因据王旅长说，我们中国从前有什么'五鬼搬运法'和'隐眼法'等等，外国也许有这样类似的邪法；但瞧方才的那粒忽有忽无的红弹丸，便可见他一定有什么骗人的邪术。"

章守丰又略略停顿。他的面容沉肃，呼吸仍不正常，两只不大转动的眼睛也仍盯在霍桑的面上。霍桑也显得非常动神。他转过脸来，低声向我表示：

"怪有趣！包朗，你想这是一个什么样的玩意儿？"

我不回答，心中暗想，那三万二千元的钻石戒指忽然遗失，果然很奇怪。但王旅长所说的理解，显然是无稽的迷信。幻术家的所谓神技，只是利用人们心理和官觉上的弱点，又靠他自己手法的敏捷和熟练，绝没有什么超自然的灵术。那些所谓"五鬼搬运法"一类的话，我们也捉破过几次，只是旧社会中江湖术士骗人的把戏。

章守丰接续道："王旅长的意见表示以后，大家都没有异议。有两个年轻的虽摇头不满，但是没有人抗辩。那幻术家虽然竭力申辩，自认他的戏法都是假的，绝对没有这一回事。王旅长不相信，便强制搜索那幻术家的衣袋和一切用具。"

我不禁插口道："可曾搜出那钻石戒指来？"

我发了这句问句，仍不知道章守丰是否听得，因为他答话的时候，他的平直的视线仍向着霍桑。

他说："王旅长在魔术道具中和魔术家的身上搜索了一会儿，并不见钻戒；又在幻术家的挑夫身上照样搜检，也没有结果。王旅长着急了，又建议幻术家也许有什么同党混在贵客里面。因此他把一般宾客都看作有通同嫌疑。他就继续发表，他要搜检客人。"

霍桑注意地说："唉，他这个意见可曾当真实行？如果这样，那真是愈弄愈糟了。"

章守丰答道："着啊！这事真糟到了一百二十分！主人杨步青怕得罪全体客人，当然不赞成，可是他吞吞吐吐，像是怕这个军官会用什么蛮劲。那时首先明白反对的是我。我以为若要搜查宾客，未免丧失体面。但是内中有好几个人，以为与其处于嫌疑地位，不如爽爽快快地给他搜一搜，倒可以明白心迹，闹了一会儿，赞成搜的人倒占了多数。杨步青便自告奋勇，情愿第一个受搜。接着王旅长跟他的夫人又把全堂的宾客，无论男女，一个一个都分别搜检，却都没有发现钻石戒指。最后一个才轮到我。我本不愿意给人家搜，可是那时候大众既然都已经给搜过，我当然不能例外。没奈何，我也只好解开了衣纽听他搜。不一会儿，我忽听得王旅长发出一种冷涩而带讥讽意味的声浪：

"'唉！钻戒在你的身上！怪不得你要反对！你到底是他的同党？还是你自己是贼？！'

"唉！霍先生，你想想，这句话可受得住？"

章守丰挺直了身子，铁青了脸，呼吸短促得几乎透不出气。我也很觉惊讶，事情并不像所料的平凡。霍桑也突然仰直了身子，眼睛也张大了。

他问道："那么王旅长的话可实在？"

章守丰迸出了一个字："是！"

"那钻石戒指确实在你的身上？"

"确实在我的袋里！"

"什么袋里？"

"短夹袄袋里！"

"奇怪！"

"当然！"

"你可知道那戒指怎么会到你的袋里去？"

"要是我知道了，我此刻也不会来请教你！"

事情太奇怪。我简直理不出头绪，又忍不住从旁插言。

我提示说："也许有什么人和你开玩笑？"

客人摇摇头。

我又说："那么或是起先本有人图窃，后来情急移赃，就顺便塞在你的袋里。你想可能不可能？"

章守丰直僵僵地转过脸来。他的外突的眼球第一次直接向我。

他答道："不是，不是。我昨晚穿的就是这件夹袍和马褂。但那只戒指是从我里面的纺绸短衣的袋里取出来的！倘使有人故意放在我的袋里，无论用怎么样的方法，我绝不会完全不察觉！"

凭理智推想，这回事委实匪夷所思。我再不能提供什么意见。因为我当然不能想象章守丰真会有偷窃的举动。霍桑闭紧了嘴，定着目光。他的神情还不失镇静。

他仍缓缓地问道："当王旅长从你里衣袋中摸出戒指来时，你可曾亲眼瞧见？"

"是，我亲眼瞧见的！"

"那取出来的果真就是王旅长太太的钻石戒指？"

"是，正是伊的原物！"

"你的里衣袋里本来没有钻石戒指的？"

"没有！"

霍桑停一停，他的眼中似乎漏出一种疑惑不定的神气。他略略沉吟，继续问下去：

"你昨晚上饮过多少酒？"

"唔……不多，不多。我绝不会醉。"

"那王旅长和你从前可曾有过什么怨嫌？"

"没有！我和他素不相识，怎么会结怨？"

"昨晚上你可曾和他的妻子有过深密的交谈？"

章守丰摇着两手，答道："没有，没有。我们只循例应酬了几句，不曾有什么交谈，深密更谈不到。"

霍桑旋过头来，向我瞧瞧。我只能瞠目相对。他抚摸着他自己的下颌，忽而喃喃地自言自语：

"那真是不可思议了！"

他立起身来，一边缓缓地在室中踱着，一边低垂了目光，似在竭力运用他的脑思。我看见他那种琢磨不着的状态，仿佛一个小学生得到了艰难的作文题目，一时不知道怎样动笔。

我乘机问道："这回事真是不可思议！后来怎么样了结的？"

章守丰道："唉！说出来也教人愧煞！当时我在惊愕之余，自然竭力辩白。王旅长绝对不相信，一定说我是幻术家的同党。幸亏步青出来解围，保证我是素来有信用的；这一次我也许受了幻术家的法术，处于被动的地位，自己还没有察觉。后来又经几个客人说了许多好话，王旅长才冷冷地向我笑了一笑，从宽了事。其实这么一来，我只避免了坐牢的处分，我的信用名誉早已完全丧失。因为那一大半的客人都把我当作真正的窃贼，不过表面上没有说破罢了！"

是的，在这种局势下，章守丰果真难堪已极。但是那只钻戒怎么会进他的衣袋里去，我真是绞尽了我的脑汁，再也推想不出。霍桑低着头，默默地踱了一会儿，忽而走出办公室去。接着我又听得电话的铃声。守丰仍呆木木地坐着。他的面色越加灰白，嘴角有些牵动，手足也战栗不宁，引起了我的同情。

我安慰他道："章先生，你姑且宽心些，真相如何总可以水落石出。按昨晚的情势，我想那幻术家大概已给捉进警署里去了吧？这回事是不是他在幕背后作弄，我们但须从他身上仔细根究，总可以明白。"

守丰摇头道："不，那幻术家也没有给捉住。因为主人虽也疑心他作弄，但是真赃不在他的身上，没有凭证。如果将他捉住了，他实供出来，势必仍旧要牵连我，所以一并听他自由。但因这一来，有几个客人也许以为这件事和幻术家完全没有关系，那戒指确是我直接偷的。你想我们在银行界里干事，信用第一。现在我凭空蒙着了窃贼的嫌疑，我以后怎么再能在社会上立足？"

守丰的脸色白里带青，益发可怖，两只手忽前忽后地无从安放，两足虽踏在地板上面，却像受了电浪一般，颤动得愈加厉害。

我又勉强地作安慰语道："章先生，实则实，虚则虚。霍先生一定尽力所及，给你洗刷。现在我还要问一句。那幻术家施技的时候，你和他距离多远？"

章守丰道："很近。我为着要瞧得清楚些，所以就在他的面前。"

"他可曾和你招呼过？"

"没有。但他在表演的时候，不时向我微笑。现在想起来，实在有些可疑。"

"那幻术家叫什么名字？"

"他叫作万人惊。"

"住在什么地方——？"

半真半假

霍桑忽然回进来，提高了喉咙，抢着说："唔，就是那个名重一时的万人惊吗？包朗，你没看见报纸上登着很大的广告吗？他住在南京路久仁里，每逢星期六和星期日晚上，还在乐园里表演。我们要见他，容易得很。"他又用很和婉的声调，向章守丰道："章先生，这件事真叫你受屈了。现在你要维持你的信用和名誉，是不是要我们给你调查这件事的真相？"

章守丰跳起身来："是啊！霍先生，你可能够担任？"

"能够的。不过你也得遵守我的条件。"

"什么条件？我一定遵守。"

"第一，你至少给我一个星期的期限，我方才可以复命。"

"一星期不算多，当然可以。这就是你的条件吗？"

霍桑继续道："还有呢。第二，在这一星期中，你应当安居在一个地方，不可出门到外面去。"

章守丰略一凝想，答道："这也可以。我不妨再在家里安居一个星期。"

霍桑摇头道："不行，住在家里不妥当。因为照我的计划，这一个星期中，你最好不和任何熟识的人接触，那我才可以设法恢复你的名誉。"

"这样，我到什么地方去，才可以和相识的人完全隔绝？"

"那你不须忧得，我早已给你准备了一个相当的地方。那里一样可以使你适意安居，不过有一个监督的人，你应当听他的一切说话。你可办得到？"

"唔，可以。"

"那么现在我已给你雇好了一辆汽车。你如果愿意，不妨就动身往那个地方去。我们也可以着手侦查，以便洗刷你意外的冤枉。"

霍桑的措置不无有些突兀，我一时真莫名其妙。他对于这回事究竟有什么见解？现在所说的侦查，又从哪一方面着手？他侦查时和章守丰有什么关系？何以不许他和外界的人接触？他又说他已给守丰预备了一个地方。这地方又是什么所在？怎么一刹那间他便能预备好？种种疑问困住了我的脑筋，我但觉一团漆黑，再也推索不出。

章守丰想了一想，仰面答道："好，我立刻就去！"

霍桑欢喜似的应道："那好极。你到了那里，应得耐心些。我一得消息，就会来报告你。大概不出一个星期，保管水落石出，恢复你固有的名誉。你尽可放心。现在汽车已经在门外等你，我送你上车。"

章守丰给霍桑送出去时，又忽略了和我告别的礼节。我同情他的特殊的处境，并不责怪他。我等霍桑回进来时，再也按捺不住。

我问道："霍桑，你究竟打算怎么办？"

霍桑缓缓地回到椅中，答道："我已经办妥了啊！"

我呆一呆："你指什么说的？"

"你的问句指什么，我就答复你的问句。"

"我问的是你打算用什么方法，去查明这一件奇怪的钻石戒指案。"

"是啊！我就是答复你这一句话。简明些说，这一个不可思议的问题，我已经解决了！"

"当真？"

"自然！"

"奇怪！你凭什么方法，竟解决得这样快？"

"我也有不可思议的神技！"

"什么？你还开玩笑？"

霍桑忽收敛了他脸上的微笑，庄声答道："包朗，你难道以为这件事当真是不可思议的吗？不，不！你若使用一些脑力，就可以觉得它是'可思议'的了。"

我似搔不着痒处地说："霍桑，究竟怎么一回事？我不懂！"

他仍淡淡地说："你想我和你的头脑总算受过一番科学的洗礼了，是不是？我们生活上所接触的一切现象，如果失掉了自然的根据和越出了情理的范围，那就不容易教我们贸贸然信从。你想章守丰的故事既然如此离奇，无论从哪一个角度推测，都是此路不通，除非当真有什么通灵幻术，那就绝不会有这样的事实。然而那些所谓灵术仙法，除了一班沉溺在迷信深海中的人们以外，在现时代有健全理智的人的眼中，当然已失却了作用。因此我听了他的故事，不能不别辟一条出路。"

我应道："是啊，这件事实在太神秘了！你可是疑心它是出于虚构的？"

霍桑不答，突然反问我道："包朗，我问你。你可记得西医学上有一种唤作海罗雪乃欣（Hallucination）的病症？"

我略略顿了一顿，开始有些领悟。

我问道："是不是一种神经错乱病？"

"是。"

"你难道说——？"

"对。章守丰的神经确已有错乱的征象，不过还在初期，所以他的幻想还有头绪，不见有显著的支离荒诞的现象。"

"你以为他已患了精神病？"

"是啊。我虽不是医生，但据我的观察，他的病症一定是海罗雪乃欣的一种。他的神经组织失了常度，才会发生种种不可思议的幻想。"

"那么他所说的他昨晚经历的事情完全是乌有的？"

"不，内中有一部分确是事实；就因着那一部分事实，才引起他的后半部的幻想。你总还记得，在两个月前，他从沪江银行中辞职出来。当初不是有人传说，他曾经盗用过公款吗？后来查明了，才知道出于误会。但是金融界中的人最看重的是信用。这个误会对于章守丰的名誉多少总产生了些影响。这打击是相当严重的，他的精神上的反应也自然强烈。懊丧，失望，自馁，羞怯，就使他的神经发生变动。所以昨天晚上他在杨家饮了些酒，神经上受了刺激，越发震动不宁。后来他受了幻术家的弄弹丸的暗示，又听得一个女客失落了一只钻戒，他自己心虚，就构成了那奇怪得不可思议的非非想。"

"遗失钻戒的事倒是实在的？"

"是。"

"你怎么会知道的？"

"我方才已经打电话到杨步青家去问过。据说那戒指的遗失，就因那女人在盥洗室中洗手，把钻戒卸下了，放在洗脸桌上。当时伊因着一个女同伴的催唤，赶出来瞧戏法，便忘怀了。等到伊瞧了一回幻术，才觉察戒指已不在手上。伊一时失忆，以为遗失了，就惊呼起来。但是不一会儿伊就记得洗手的事，赶到盥洗室里去一找，那戒指果真仍在盥洗室的桌上。所以当时的事实，只是那女人惊喊了一声，并不曾真个闹过。那章守丰的神经过度敏锐了，自以为是一个丧失信用的人，息息防人们怀疑他。于是他就一个人想入非非，构成了下部的空中楼阁。他过了一夜，越想越真，他的神经也越发错乱，就赶来请教我们了。"

神秘莫测的故事终于从另辟的蹊径中得到了一个解释。可是在事前我实在想象不出。回想又给这解释加上强烈的印证。因为我记得章守丰初来时的敲门，说话时的姿势，他的平直而近乎呆滞的眼光和一切声音状貌，现在看起来，的的确确都显得他的精神丧失了常度。

我道："既然如此，你方才为什么还骗他，答应给他侦查？并且——"

霍桑接嘴道："不，我不是骗他。我常常对你说，我们虽不是医生，但医学上关于变态心理的原理，对于从事侦探工作的人，也很有作用。你如果早肯听信我的话，空暇时也常浏览浏览，此刻你也不会再发这样的问句。"

我笑道："我明白了。你所以不说破，就想使用一种心理治疗的方法，是不是？"

"是啊。那么我方才打发他去的地方，我想我也不必再说明了。"

"是，我知道了。章守丰的汽车此刻大概早已到达了自新医院哩。"

霍桑笑一笑，立起来，整一整那条蓝地儿白星的国产领带，走到办公室门口去，开了门，探出头去。

他高声叫道："施桂，叫苏妈快预备早饭。我们得立刻往山海关路章家去安慰一番呢。"